CRISE E GOLPE

Alysson Leandro Mascaro

CRISE E GOLPE

© Alysson Leandro Mascaro, 2018
© desta edição, Boitempo, 2018

Direção editorial Ivana Jinkings
Edição André Albert
Assistência editorial Artur Renzo e Thaisa Burani
Preparação Fábio Fujita
Revisão Lucas Torrisi
Coordenação de produção Livia Campos
Assistência de produção Isabella Teixeira
Capa e diagramação Antonio Kehl
sobre foto de Rovena Rosa, Agência Brasil

Equipe de apoio: Allan Jones, Ana Carolina Meira, Ana Yumi Kajiki, Bibiana Leme, Carolina Yassui, Clarissa Bongiovanni, Eduardo Marques, Elaine Ramos, Frederico Indiani, Heleni Andrade, Isabella Marcatti, Ivam Oliveira, Kim Doria, Luciana Capelli, Marlene Baptista, Maurício Barbosa, Renato Soares, Talita Lima, Thaís Barros, Tulio Candiotto

---

CIP-BRASIL. CATALOGAÇÃO NA PUBLICAÇÃO
SINDICATO NACIONAL DOS EDITORES DE LIVROS, RJ

M362c
Mascaro, Alysson Leandro, 1976-
    Crise e golpe / Alysson Leandro Mascaro. - 1. ed. - São Paulo : Boitempo, 2018.

    Inclui bibliografia
    ISBN 978-85-7559-653-1

    1. Brasil - Política e governo - Séc. XXI. 2. Direito - Brasil. 3. Brasil - Condições sociais. I. Título.

18-51788   CDD: 981.066
                                            CDU: 94(81)"20"

É vedada a reprodução de qualquer parte deste livro sem a expressa autorização da editora.

1ª edição: setembro de 2018;
1ª reimpressão: setembro de 2020; 2ª reimpressão: janeiro de 2022;
3ª reimpressão: fevereiro de 2024

BOITEMPO
Jinkings Editores Associados Ltda.
Rua Pereira Leite, 373
05442-000 São Paulo SP
Tel.: (11) 3875-7250 / 3875-7285
editor@boitempoeditorial.com.br
boitempoeditorial.com.br | blogdaboitempo.com.br
facebook.com/boitempo | twitter.com/editoraboitempo
youtube.com/tvboitempo | instagram.com/boitempo

Sumário

Nota 9

Introdução 13

1. Crise brasileira: bases e sentidos 21
2. Sobre o golpe 67
3. Golpe e exceção 95
4. Política e crise do capitalismo atual: aportes teóricos 103
5. Crise brasileira e direito 121
6. Políticas e geopolíticas do direito 145
7. A propósito da situação jurídica atual 153
8. Sobre a atualidade política 163
9. O judiciário na berlinda 171
10. Carta sobre o socialismo 179

Referências bibliográficas 191

Nota

Quando concluí e lancei *Estado e forma política*[1], nos primeiros meses de 2013, a crítica que postulei operava então em contraste: ressalvadas notáveis exceções, o horizonte das lutas políticas e sociais e dos intelectuais progressistas no Brasil estava havia décadas confortavelmente assentado no louvor da ação institucional, da democracia, das políticas públicas, do respeito à Constituição e a seus avanços. Logo nos meses que se seguiram, surgiram as manifestações que começaram a alterar a política brasileira. De lá até hoje, uma imensa hecatombe no país afetou sua economia, suas instituições, seus arranjos sociais e seu povo: um golpe que trouxe à tona um governo de homens brancos ricos, sem representação de mulheres, negros nem minorias, que passou diretamente a uma agenda neoliberal de choque, com ataques frontais aos direitos dos trabalhadores, à previdência social, aos sindicatos, à educação, à saúde, empreendendo privatizações e arrochos, com recessão e desemprego. Mais uma vez, tudo o que parecia sólido se desmancha.

Não estava em xeque, na maioria das leituras realizadas por partidos políticos, movimentos sociais, acadêmicos e intelectuais, o capitalismo. Criticavam-se políticas econômicas, louvava-se o aumento do salário mínimo de alguns anos atrás e lastimava-se o desemprego dos últimos tempos, pleiteavam-se novos investimentos, mas o capitalismo quase nunca era posto na berlinda. Estado e direito tampouco estavam em xeque. Criticavam-se sentenças ao arrepio da lei, parcialidades das instituições, caprichos golpistas político-partidários, louvavam-se sapiências de acordos e contenções, lastimavam-se essas mesmas sapiências, mas Estado e direito se mantinham como instituições e aparatos naturalizados na sociabilidade. Criticava-se um povo, assim como sua elite, suas opções e seu horizonte de mundo que

---

[1] Alysson Leandro Mascaro, *Estado e forma política* (São Paulo, Boitempo, 2013).

atentam contra si próprios, mas não se avançava no sentido de alterar seu processo social de constituição das subjetividades. Então, quando vieram crise e golpe, a inteligibilidade não foi suficiente para guiar melhores rumos de luta.

Empreendi em *Estado e forma política* uma crítica do Estado por sua materialidade e por suas relações inexoráveis com o capitalismo, no mesmo ensejo da reflexão de meus textos sobre a crítica do direito. Tal qual o campo jurídico, o Estado não pode ser tomado como arena técnica, neutra ou apta estrategicamente às lutas socialistas. Direciono-me agora para a aplicação das categorias da crítica do Estado a um caso exemplar das contradições do capitalismo: a crise brasileira e o golpe de 2016. Nele se revela o limite da política nas formas sociais derivadas da mercadoria. É preciso entender esse quadro para poder enfrentar a realidade econômica, política, jurídica e social em seu próprio tempo. Quiçá a concomitância pouco sirva para alcançar melhores ângulos sobre os fatos, algumas de suas razões ainda ocultas, seus atores verdadeiramente principais em perspectiva, e tampouco se preste a ver o desenrolar total dos acontecimentos, pois estes ainda estão em andamento. Escreve-se às cegas quanto a saber a resolução histórica dos impasses presentes. Pensar o tempo conforme ele se apresenta, no entanto, permite compreender melhor os grandes problemas e as estruturas em jogo. Dentre outros, quando Caio Prado Júnior, com *A revolução brasileira*, e Florestan Fernandes, com *A revolução burguesa no Brasil*, no período da própria ditadura, puseram-se, em seus distintos projetos, a esquadrinhar a situação brasileira, tinham como objetivo alcançar as questões basilares da sociabilidade para, então, lançar miradas para onde uma mera sequência narrativa não chega. O tempo presente exige o mesmo.

Dedico esta obra a todo um povo que sofre; sua espoliação tem-se ampliado, e a inteligibilidade da dor não tem sido plena. Em especial, a todas as lutadoras e a todos os lutadores que sofreram perseguições, que foram acuados e que choram pelo quadro presente. A todas e todos que me pediram, por esses anos de crise e golpe, as palavras da esperança, não posso saber se as trago com este livro. Meu propósito é oferecer aqui algumas palavras de ciência: sobre o capitalismo e seus termos no tempo atual, sobre as formas estruturantes da sociabilidade e sobre a formação social brasileira em particular. Que a ciência enseje a transformação, eis a esperança que volta quando toda ela se esvai.

* * * * *

Desenvolvo os argumentos centrais do livro nos textos 1 e 2, "Crise brasileira: bases e sentidos" e "Sobre o golpe". Tais textos, juntamente com o 3, "Golpe e exceção", formam o núcleo original e mais recente desta obra. Os textos de 4 a 10 foram originalmente publicados em outros meios. Por constituírem, no entanto, uma unidade temática e de preocupações, aqui estão reunidos para corroborar e ampliar, no plano da batalha das ideias, os eixos de preocupação central deste livro, e mesmo dar testemunho histórico deles.

O quarto texto, "Política e crise do capitalismo atual: aportes teóricos", foi publicado na revista *Direito e Práxis*, da Universidade Estadual do Rio de Janeiro (Uerj), v. 9, n. 1, de 2018. Versão preliminar foi por mim apresentada em conferência junto ao Grupo de Trabalho "Pensamiento Jurídico Crítico", do Conselho Latino-Americano de Ciências Sociais (Clacso), em Quito, no Equador, em 2016. O quinto texto, "Crise brasileira e direito", saiu na revista *Margem Esquerda*, da Boitempo Editorial, em seu número 25, de 2015. Versão relativamente diversa e ampliada de tal texto foi também veiculada em *Observatório Latinoamericano y Caribeño*, da Universidad de Buenos Aires, no ano de 2017. O sexto texto, "Políticas e geopolíticas do direito", foi lançado em *Megafón – La Batalla de las Ideas*, publicação do Clacso na Argentina, em seu número 6/4, de 2016.

O sétimo, "A propósito da situação jurídica atual", e o oitavo, "Sobre a atualidade política", foram lançados originalmente no *Blog da Boitempo*, ambos no ano de 2014; partes deste último foram primeiramente publicadas na edição de 1º de janeiro de 2014 do jornal *O Regional*. O nono texto, "O judiciário na berlinda", veio a lume na revista *Retrato do Brasil*, n. 60, no ano de 2012. O décimo, "Carta sobre o socialismo", foi, com pequenas adaptações, o texto-base da carta escrita e dada a público em setembro de 2014 e dedicada a Luciana Genro, quando candidata à Presidência da República do Brasil, tendo alcançado grande circulação no país e no exterior desde então. Fui orientador de mestrado de Genro na pós-graduação da Faculdade de Direito da Universidade de São Paulo, sendo ela minha aluna no período de sua campanha presidencial. O texto conta também com tradução para o inglês[2].

Que estas reflexões sirvam às lutas de nosso tempo.

São Paulo, inverno de 2018.
O autor

---

[2] Idem, "Letter on Socialism", disponível em: <https://commons.atavist.com/letter-on-socialism>, acesso em: 23 jul. 2018.

Introdução

Sobre a crise brasileira atual, dois âmbitos de análise. Uma mirada a seu caso específico, em suas dinâmicas de fracassos do governo deposto e de golpe. Para além disso e em especial, a reflexão de maior arrojo, alcançando as formas sociais que se erigem e se enraízam na formação social brasileira e em seus problemas. Nessa interação entre processo histórico e formas sociais, os talhes estruturais das possibilidades e impossibilidades da política e da ação social no Brasil e no capitalismo.

A crise que culmina no golpe de 2016 só pode ser compreendida tomando-a como caso – nem primeiro nem surpreendente – da relação material da política com a economia e as instituições na sociabilidade capitalista. Em todo esse processo, trata-se do fluxo de acertos e erros no solo das interações sociais e suas constituições e coerções: se os agentes, suas táticas e estratégias são contingentes, a base na qual tecem suas relações é erguida e modulada por formas sociais determinantes. A forma-mercadoria, numa dinâmica que se orienta pela valorização do valor, é o núcleo – exploratório, dominador, conflituoso e crítico – ao qual se aglutinam suas formas derivadas, como a forma política estatal e a forma jurídica. A política possui doses de abertura e contingência nos trâmites de suas relações, de seus conflitos, de seus cenários e suas expectativas. Tudo isso, no entanto, se estrutura em um modo de produção capitalista cuja reprodução social tem por força material – relacional e institucional – a acumulação. Sem incorrer na valorização da política como aberta e plenamente possível por sua própria vontade – politicismo – nem incorrer numa espécie de derivação lógica, funcionalista ou estruturalista das formas sociais capitalistas – economicismo –, a ação política nas estruturas sociais é complexa, contraditória e antagônica, coercitiva e ao mesmo tempo incapaz de pleno controle, num complexo que é tanto atravessado por crises quanto responsável por gerá-las e reconfigurá-las.

Quando as formas sociais capitalistas operam amalgamadas por um grande eixo de força material do valor, fazendo uma plena simbiose institucional entre capital determinante e poder estatal dominante nos mesmos aparelhos, sua condução política é mais autônoma e mesmo imperial: os Estados Unidos acabam por impor e polarizar os regimes de acumulação, os modos de regulação, as crises e as respostas políticas e institucionais para tanto. Hoje, também a China tem assumido algum peso de polarização. Em outras, há descompassos entre acumulação e política. Perpassados pelas mais variadas contradições e antagonismos, Estados e economias pelo mundo não encontram força suficiente para ditar direcionamentos autônomos ou cambiantes à administração do capitalismo em seus países e regiões. Assim, em muitas formações sociais capitalistas, as formas políticas e institucionais são insuficientes para arranjos de progresso, desenvolvimento ou estabilidade, ainda que tais insuficiências apresentem variadas quantidades e distintas modulações. O Brasil é apenas mais um caso – com as peculiaridades de sua formação social – das relações havidas por intermédio das formas sociais que constituem a nucleação da reprodução capitalista.

Na maioria dos países e regiões do mundo – mas, a princípio, para todos –, a determinação econômica e o poder político não convergem total ou plenamente a um processo de reprodução contínuo e estável. As estratégias de acumulação e os diversos mecanismos e instituições de regulação conhecem conflitos, antagonismos, contradições e lutas sociais, dificultando modulações suficientes. A intermitência é a marca de tais coesões político-econômicas pelo mundo capitalista. Num contexto de capitalismo fordista, como o de meados do século XX, a produção mais baseada no espaço nacional fez também com que os Estados pudessem, de modo mais particular, ganhar força relativa na indução da relação entre as frações de classe burguesas nacionais em relação às internacionais, e mesmo na relação interna entre classes, aumentando o grau de perenização de suas políticas e seus modelos. Ocorre que já desde o fordismo, de modo destacado, mas no pós-fordismo ainda mais pronunciadamente, os capitais internacionais se imiscuem com os capitais nacionais dos variados países, estabelecendo redes de exploração que perpassam empresas e grupos econômicos, em diretos e indiretos arranjos de negócios, propriedades, titulações jurídicas, investimentos, lucros e responsabilidades. Esse quadro – característico do capitalismo e apenas mais exacerbado no pós-fordismo neoliberal – estrutura, via de regra, conduções estrangeiras às frações de classe burguesas internas, na medida em que tais redes de poder, controle e acumulação são materialmente internacionalizadas. Então, o que se chama de burguesia nacional em países como o Brasil tem a marca de uma posição interna na qual, e por meio da qual, confluem e passam relações de produção de uma dinâmica de acumulação que é internacional.

No entanto, em que pesem as cadeias internacionais que materialmente impedem a afirmação de uma burguesia nacionalista, o capitalismo se estrutura mediante uma derivação necessária da forma-mercadoria em forma política estatal.

O capital é internacional, mas passa, inexoravelmente, por Estados nacionais. Nesses e por esses, garantem-se propriedades e contratos. As explorações e dominações são também materializadas mediante mecanismos institucionais que dependem dos Estados nacionais: polícias e exércitos que assegurem o capital, infraestrutura em todos seus aspectos, favores executivos, legislativos e judiciários, como projetos de leis, isenções, imunidades, facilitações a subterfúgios criminosos. Assim sendo, o capital, mesmo o mundial, se enraíza em frações de classe internas que dependem, diretamente, da relação com seus Estados nacionais, seus governos, sua administração e sua burocracia, além de seus mercados locais. Os Estados, por sua vez, demandam sua existência material também da dinâmica do capitalismo, interno e externo: tributação, investimentos, condições salariais e sociais, entre outros aspectos, passam por estratégias de acumulação e orçamento estatal eivadas por concorrências, acordos, polarizações, guerras. Então se apresenta uma miríade de relações, articulações e táticas políticas, em processos eivados de conflitos. Setores a princípio tipicamente nacionais do capital – serviços, economia de subsistência –, muitas vezes já dominados por empresas multinacionais, revelam eventuais antagonismos com setores mais dependentes da dinâmica internacional do capital – empresas nacionais ou multinacionais que exportam e importam, bancos e especuladores etc. Desse quadro, pouca serventia há em extrair polos como burguesia nacional *versus* internacional. Mais proveitoso é acompanhar o acoplamento entre acumulação e regulação nas distintas frações de classes e entre as classes. Distintas frações de classe nacionais e internacionais podem apresentar variações de estratégias de acumulação, gerando fissuras em seus amálgamas políticos. Como o capitalismo porta crise e é incapaz de manter sua capacidade tendencial de acumulação, há conflito entre as tantas frações dos capitais pátrios e estrangeiros, bem como entre suas políticas, no seio de cada país e na esfera internacional. Quando os capitais e o Estado se coadunam de modo materialmente decisivo e dominante, a suficiência de tal coesão é plena e mais constante. Quando sob o dístico de dependência, as coesões do capital com a política carregam o peso da insuficiência, da intermitência ou da concorrência, do bloqueio e do combate muitas vezes incontornáveis.

Reproduções sociais mais calcadas em uma imediata manifestação do capital e de suas estratégias de acumulação em políticas que lhe correspondam tendem a ser historicamente mais resistentes, na medida em que fazem interesses e poderes convergir para situações desejadas. Ocorre que tais padrões de reprodução mais blindados são aqueles do capital internacional, do interesse imperialista – estadunidense –, e, quando aplicados a solos nacionais outros, redundam em regressões sociais e violências de monta. Suas sociedades se amalgamam por ideologias dominantes e opressoras, constituidoras e controladoras dos aparelhos ideológicos, mas o resultado social de tal coesão é exasperante. Via de regra, a política nos países do mundo tem de dar conta de contradições sociais que demandam, de um lado, uma submissão à acumulação e, de outro, uma satisfação impossível dos reclamos de classes, grupos e indivíduos explorados e submetidos. As administrações divergentes do capitalismo em cada país – desenvolvimentismos no século XX, neodesenvolvimentismos no século XXI, Estados de bem-estar social capitalistas, neoliberalismos atenuados, populismos, nacionalismos, reformismos e revoluções; ou, tomando-se o plano da articulação entre Estados, coesões geopolíticas como a do Pacto de Varsóvia, dos países não alinhados, dos governos da América Latina de esquerda, dos blocos econômicos como o Mercosul e até mesmo, parcialmente, dos Brics, quando estes não são apenas instrumento do poder do capital chinês – revelam um mesmo fenômeno de instabilidade (no qual se somam tanto razões próprias quanto de oposição) para tomar rédeas do direcionamento das sociedades da acumulação. As administrações divergentes do capitalismo e de seus problemas desnudam a incapacidade das formas sociais capitalistas, como Estado e direito, para fazer da mercadoria e do valor algo diferente do que sua materialidade de acumulação enseja.

O Brasil, historicamente, é exemplo da incapacidade de gestar e administrar coesões suficientes de suas frações de classe burguesas internas e internacionais quanto à acumulação e à regulação capitalistas. Pelo ângulo da dinâmica internacional do capital, o país continua relativamente dependente e subordinado ao peso do comando dos Estados Unidos. Resguardadas as diferenças nesse decorrer histórico, assim foi no século XX, com seu caso de resolução de síntese, a ditadura militar, e assim o é no início do século XXI, com seu primeiro caso simbólico, a corrosão do petismo e a retomada neoliberal de choque. Pelo ângulo interno, revela-se a fraqueza de estratégias que, quase sempre, resvalam para posicionamentos políticos típicos: manejo de enfrentamentos apenas parciais dentro do Estado, sem maiores sublevações sociais, com posterior solução golpista que cambia a testa do poder executivo, em atenção a frações dos capitais nacional e internacional mais aderentes à acumulação internacional e aos setores sociais médios e altos sob ideologia conservadora e regressista. Dois momentos simbólicos de administrações divergentes do capitalismo nacional – trabalhismo e petismo – exemplificam aquilo que chamarei de *insuficiência* da forma política estatal numa formação social específica, como a brasileira, para comandar ou hegemonizar, de modo capitalista, a forma--mercadoria, a forma-valor e a acumulação. Como ambas arrastaram esperanças de setores de lutas sociais, pretenderam-se até mesmo ser lidas como de esquerda. Como referência diante do que se apresenta como direita, isso é até possível, mas, caso se tome uma métrica mais apropriada e radical de esquerda como ação para a superação do capitalismo e a chegada ao socialismo, revela-se, então, não apenas uma insuficiência, mas, eminentemente, uma *contradição* das formas: o Estado e o direito, cujas formas são derivadas da forma-mercadoria, não são aptos para conduzir a ação política para além do capitalismo.

Um largo momento de combate a conduções estatais divergentes ou menos dependentes do capitalismo brasileiro está por detrás do suicídio de Vargas e do golpe contra Jango; pode-se dizer que a desestabilização político-econômica de meados do século XX constitui uma só trama, das franjas dos capitais nacional e internacional, de suas instituições e suas penetrações na sociedade contra o trabalhismo. O petismo é profundamente distinto do trabalhismo. A seu modo, ele opera outro modelo de administração divergente na condução estatal do capitalismo brasileiro, em tempos pós-fordistas, enquanto o trabalhismo se dera em tempos fordistas. Mas também seu desfecho prova seu limite: Lula preso, Dilma deposta sob *impeachment*. Apesar de suas tantas distinções, o varguismo e o petismo são capitalistas, conciliadores sociais, frequentemente de cargas baixas ou no máximo médias de contestação. Mesmo assim, e muito em função disso, não vingaram. As contradições políticas do capitalismo brasileiro afloram: combates nacionais e internacionais à Petrobras no passado se tornam redivivos no presente; a insurgência dos liberais contra o trabalhismo se transplanta à dos neoliberais contra o petismo; a oposição entre União Democrática Nacional (UDN) e Partido Trabalhista Brasileiro (PTB) se emparelha àquela entre Partido da Social-Democracia Brasileira (PSDB) e Partido dos Trabalhadores (PT); de militares de 1964, chega-se aos magistrados de 2016. A formação social brasileira revela padrões político-sociais estruturais em sua administração do capital. As modalidades políticas ditatoriais (o primeiro Vargas), democráticas (o segundo Vargas, Jango, Lula e Dilma), a intensidade desenvolvimentista trabalhista ou a suavidade da concórdia neoliberal parcialmente inclusiva (Lula paz e amor, Dilma do segundo mandato), o juspositivismo formalista e estrito do direito brasileiro do século XX (a lei e a ordem) ou o juspositivismo "ético" do neoconstitucionalismo atual (os direitos humanos e o direito transnacionalizado) exemplificam quantidades e arranjos políticos institucionais que sofreram, necessariamente, restrições, bloqueios e combates advindos das coerções das formas sociais, não logrando então nem sustentação nem superação. Para não esgotar por completo a hipótese da insuficiência das formas sociais no Brasil, a condução política dos câmbios internos do capitalismo pelas massas ou por sua mobilização progressista ainda não foi testada. Mas é exatamente ela a mais rara de todas, porque pode ser antessala não só da suficiência das formas sociais capitalistas na formação social brasileira, mas da superação delas. Historicamente, a revolução é a grande ausente do quadro das lutas no Brasil. Por isso, até agora, no país e também pelo mundo, enfrentam-se e tensionam-se Estados, governos e direitos, mas não a mercadoria e a acumulação.

O papel do PT é central em sua própria hecatombe. Destacam-se sua posição histórica de partido democrático e institucionalizado, liberal e republicano – virtualmente, buscando ser o mais republicano de todos e, assim, dar exemplo ao Brasil –, sua renúncia a politizar e mobilizar as massas e sua baixa capacidade de contraposição aos poderes econômicos e políticos, diretamente ligada a seu índice de aceitação por vias eleitorais. Uma efetiva formação político-partidária de cariz valoroso termina responsável por suplícios e danações sociais de monta. Para além do caso específico dos erros e desacertos das opções do PT no Brasil – ao trocar o combate pela administração do combatido –, somente a libertação em relação à política como acordo dentro da forma estatal e da forma jurídica poderá de fato forjar uma ação maiúscula, transformadora. Quanto o PT conseguirá – se é que nutrirá tal ambição – ser outro e quanto as massas e as esquerdas do Brasil conseguirão erigir um movimento político de tal natureza superadora do capitalismo, de suas formas sociais e de suas estratégias de reprodução, em busca do socialismo, é a questão central das lutas da atualidade, em aberto e a se resolver historicamente.

Golpes, usos típicos e obtusos da legalidade, imposições e contenções militares regressistas, controles políticos pelo poder econômico, ideologia conservadora, frações burguesas nacionais virtualmente nada nacionalistas, dependências em relação ao Estado e ao mesmo tempo combate a governanças estatais autonomistas e divergentes, tudo isso é o complexo estrutural e tradicionalmente assentado de formas sociais na formação social brasileira. Ter subido à testa da administração desse modelo e não ter sido capaz de domá-lo ou, de outro modo, não ter combatido tal complexo de frente, para superá-lo, eis as duas posições que fazem o século XX trabalhista dar as mãos ao século XXI petista: nem controlaram nem destruíram o ambiente capitalista que se impõe como moto-contínuo da sociabilidade geral. Já de há muito seu engenho é impossível, sua arte, falha; seu erro não tem ensinado, as vidas continuam breves.

A partir do ponto de observação privilegiado que é o direito, pode-se compreender a insuficiência e a contradição das formas sociais do capitalismo bloqueando a administração de modo divergente ou superador da própria reprodução social orientada à valorização do valor. A forma jurídica deriva da forma-mercadoria, e é exatamente por ela que o ter e o vincular-se ao trabalho, à exploração e ao negócio passam a ser um ter e um vincular-se capitalistas: então, tem-se e se está vinculado por direito. O direito é tão inexorável ao capitalismo quanto o é o aparato militar e repressivo do Estado. Em ocasiões de impasse, conflito, antagonismo e contradição que geram crises, quando as divergências na acumulação devem ser contestadas ou golpeadas para que as convergências na acumulação se reafirmem, direito e Forças Armadas são os aparatos que mais tipicamente tomam a frente da resolução crítica.

No século XX, em consequência do fordismo, foram muitos os Estados nacionais e as administrações divergentes do capitalismo. Por isso, suas resoluções de crises, internas e internacionais, foram mais frequentemente dependentes não de acordos ou vínculos jurídicos – pouco materiais – entre tantos Estados distintos, mas da força. Duas guerras mundiais, Guerra Fria, variadas guerras civis e entre países dão o exemplo de que a resolução da crise social tinha por instrumento típico a força militar. O século XXI, pós-fordista, continua com os mesmos instrumentos – guerra contra o Iraque, contra a Síria, atentados etc. –, mas conhece uma variante mais frequente que se tem levantado como títere do manejo resolutório da administração divergente do capitalismo: o direito. No pós-fordismo, Estados nacionais, governos, burocracias e empresas se tornam ainda mais estruturados em redes internacionais de regulação normativa, de protocolos, acordos, compromissos, responsabilizações e fiscalizações. Uma classe burocrática e negocial internacional desponta com cultura própria. Nesse ambiente pronunciadamente jurídico, são estabelecidos pelo direito sombras e luzes institucionais suficientes para cambiar coesões político-econômicas, forjando crises e instaurando canais inescapáveis para sua solução. Assim, golpes militares de antanho são ora atualizados também por *impeachments* cujas causas são juridicamente perspectivadas. Mortes como a de Allende são trocadas por prisões como a de Lula. Sem deixar de lado a força militar, que persiste necessariamente como braço armado do capital e de sua ordem, o direito ganha seu espaço de proeminência na reprodução social da exploração capitalista de nosso tempo, porque nada mais faz senão ampliar um escopo que já lhe é típico e, agora, plenamente internacionalizado sob a égide da grande acumulação. Compreender a crise e o golpe no Brasil atual é também compreender o direito como seu instrumento de manejo privilegiado. A partir do campo jurídico nacional, a própria formação social do capitalismo brasileiro, sua crise e sua resolução. E, a partir da natureza do direito, a própria natureza do capitalismo.

1. Crise brasileira: bases e sentidos

Proponho pensar a crise brasileira como crise das formas sociais na formação social brasileira[1]. Sua leitura se dá a partir de dois eixos: sua *determinação* e sua *sobredeterminação*[2]. Ela é determinada economicamente (em um processo que atravessa a política) e sobredeterminada juridicamente. Trata-se de uma crise capitalista, perpassando três de suas formas determinantes: a forma-mercadoria, no que tange à acumulação e à valorização do valor; a forma política estatal, quanto aos variados modelos de administração política da economia e da luta de classes; e a forma jurídica, em sua conformação com a forma política estatal em aparatos e aparelhos de legalização, perseguição e julgamento, como os tribunais. Assim sendo, pelos dois eixos da crise se desdobram três contradições das formas sociais capitalistas: 1) em sua determinação, a) crise da forma-valor e b) crise da forma política; 2) em sua sobredeterminação, crise da forma-direito.

O sentido da crise brasileira só pode ser compreendido quando iluminado pela crítica das formas determinantes da sociabilidade capitalista. Não se trata de uma crise restrita ao golpe que tira Dilma Rousseff e põe em seu lugar Michel Temer; não se trata de uma crise limitada à seletividade de Sergio Moro e da justiça

---

[1] Desenvolvo as questões sobre forma social e derivação da forma-mercadoria nos campos político e jurídico em Alysson Leandro Mascaro, *Estado e forma política* (São Paulo, Boitempo, 2013). Ver ainda Karl Marx, *O capital: crítica da economia política,* Livro I: *O processo de produção do capital* (trad. Rubens Enderle, São Paulo, Boitempo, 2011, Coleção Marx-Engels); Evguiéni B. Pachukanis, *Teoria geral do direito e marxismo* (trad. Paula Vaz de Almeida, São Paulo, Boitempo, 2017); Joachim Hirsch, *Teoria materialista do Estado* (trad. Luciano Cavini Martorano, Rio de Janeiro, Revan, 2010); Camilo Onoda Caldas, *A teoria da derivação do Estado e do direito* (São Paulo, Outras Expressões/Dobra, 2015).

[2] Ver Louis Althusser, *Por Marx* (trad. Maria Leonor F. R. Loureiro, Campinas, Editora Unicamp, 2015), p. 71-106.

brasileira, que inclina a política e as instituições à direita; trata-se de uma crise do capitalismo, de raiz econômica, que necessariamente se desdobra em contradições do Estado e do direito e se anela ao substrato da formação social pátria. As bases e os sentidos da crise brasileira são apenas mais um caso da longa história do capitalismo e sua sociabilidade de crises.

1. Crise brasileira e determinação social

Tese

A presente crise brasileira, simbolizada pelo *impeachment* de Dilma Rousseff e pelos eventos e situações que lhe antecedem e que lhe sucedem, é resultado de duas crises de formas sociais: a) a crise econômica mundial, cujo talhe atual se origina de seu epicentro, em 2008, e que enseja uma específica crise capitalista brasileira, e b) a crise da forma política, em específico em sua faceta neoliberal de desenvolvimentismos divergentes, ou, num plano geral, de controles e induções estatais do capital – dita, por alguns, "progressista" ou "de esquerda" –, cuja última e específica hecatombe, no Brasil, é representada pelo PT de Lula e Dilma, mas que revela um padrão de insuficiência e contradição que também perpassou, por razões outras e próprias, o trabalhismo de Vargas e Jango.

A) O capitalismo porta necessariamente crise[3]. Pode-se ler o capitalismo como crise constante, por sua natureza exploratória e conflituosa que faz, então, com que a instabilidade social seja sua marca: onde há exploração e dominação, há incômodo, instituições não lhe são suficientes nem totalmente estáveis, e isso é um viver sob crise. Mas ele também pode ser lido como portador de crise estrutural, quando suas bases soçobram, em condições particulares e não quotidianas, por razões de reprodução geral do sistema. Das manifestações mais patentes da crise capitalista, despontam ao menos duas vertentes. No campo da acumulação, a valorização do valor é empreendida mediante concorrência entre agentes, lastreada na extração de mais-valor absoluto e relativo. Tal acumulação enfrenta, em razão de sua concorrência e suas próprias estratégias, leis tendenciais de queda da taxa de lucro. Estas, por gerarem crises ao capital, são contrabalanceadas por instrumentos variados. Rebaixamento salarial e das condições de proteção aos trabalhadores, golpes e espoliações são algumas de suas contratendências típicas, tudo isso em processos crivados de contradições e lutas[4]. No campo político, sociedades da exploração

---

[3] Ver Joachim Hirsch, *Teoria materialista do Estado*, cit., p. 131-7; e Alysson Leandro Mascaro, *Estado e forma política*, cit., p. 125-8.

[4] Ver Karl Marx, *O capital: crítica da economia política*, Livro III: *O processo global da produção capitalista* (trad. Rubens Enderle, São Paulo, Boitempo, 2017, Coleção Marx-Engels), p. 249-306. A respeito da lei de queda tendencial da taxa de lucro em Marx: Michael Heinrich, "Crisis Theory,

estruturam-se a partir do conflito social, da dominação, com instituições políticas e sociais que não são capazes de manter coesões perenes. É possível pensar casos de crise política ou de crise social como fenômenos independentes em face da crise econômica, mas, em muitos contextos, em especial os estruturais, crises econômicas, políticas e sociais se imbricam[5].

A crise atual do capitalismo, que estoura de modo patente em 2008, é uma das crises estruturais do modo de produção, advinda de um regime de acumulação e de um modo de regulação pós-fordistas[6]. A financeirização crescente da economia amplamente mundializada encontra contratendências cada vez mais débeis: consumo achatado em decorrência das condições do trabalho assalariado e do desemprego, fragilidade da representação sindical, políticas de governo e decisões estatais alquebradas, dificuldades de indução econômica desenvolvimentista, diminuição de circuitos econômicos anticíclicos, ideologia neoliberal[7]. Não se descobrem respostas eficazes nas instituições políticas tradicionalmente assentadas pelos países

---

the Law of the Tendency of the Profit Rate to Fall, and Marx's Studies in the 1870s", *Monthly Review*, Londres, v. 64, n. 11, 2013; Manuel Castells, *A teoria marxista das crises econômicas e as transformações do capitalismo* (trad. Alcir Henriques da Costa, Rio de Janeiro, Paz e Terra, 1979); David Harvey, *17 contradições e o fim do capitalismo* (trad. Rogério Bettoni, São Paulo, Boitempo, 2016). Ainda, Hector Benoit e Jadir Antunes, *O problema da crise capitalista em "O capital" de Marx* (Jundiaí, Paco Editorial, 2016); Iuri Tonelo, *A crise capitalista e suas formas* (São Paulo, Iskra, 2016); Victor Vicente Barau, *Queda tendencial da taxa de lucro, forma política e forma jurídica* (Dissertação de mestrado em Direito Político e Econômico, São Paulo, Mackenzie, 2014).

[5] "É preciso destacar que, para o marxismo, no sentido mais geral, uma crise não se caracteriza como um fenômeno sempre presente, mas fundamentalmente como uma situação particular de acúmulo ou condensação de contradições que podem afetar um ou mais domínios sociais. Além disso, observamos que pode haver correspondência cronológica entre as diferentes formas de manifestação de uma crise, seja ela econômica, política ou ideológica. Isso significa que a emergência simultânea de uma crise em todos esses domínios sociais não é um dado da realidade, ou seja, não há relação de necessidade entre os diferentes tipos de crise: uma crise política pode não se combinar cronologicamente com uma crise econômica, por exemplo." Danilo Enrico Martuscelli, "Sobre o conceito marxista de crise política", *Crítica Marxista*, Campinas, IFCH-Unicamp, v. 43, 2016, p. 25.

[6] "A atual crise financeira, orçamental e econômica é, tal como demonstrei, o ponto alto, até o momento, da longa transformação neoliberal do capitalismo do pós-guerra. A inflação, o endividamento público e o endividamento privado constituíram, durante algum tempo, recursos de emergência que permitiram à política democrática manter a aparência de um capitalismo de crescimento com progresso material igual para todos ou até com uma redistribuição progressiva de oportunidades de mercado e de vida do topo para a base. Esses recursos esgotaram-se todos, um após outro, e tiveram de ser substituídos por outros recursos de emergência, quando, passada cerca de uma década de utilização extensiva de cada um deles, os beneficiários e gestores do capital começaram a considerá-los caros." Wolfgang Streeck, *Tempo comprado: a crise adiada do capitalismo democrático* (trad. Marian Toldy e Teresa Toldy, São Paulo, Boitempo, 2018), p. 171.

[7] Ver Maria de Lourdes Rollemberg Mollo, "A crise mundial e suas consequências: um debate teórico", *Crítica Marxista*, Campinas, IFCH-Unicamp, v. 41, 2015, p. 51-67.

do mundo para uma regulação da crise capitalista presente. Ela pressiona Estados, governantes e políticas públicas por uma resolução para além dos termos postos e que dê nova mantença à acumulação dos capitais nacionais e internacionais. Tal rearranjo representará o avanço da classe burguesa mundial contra as classes trabalhadoras e espoliadas, bem como o de frações de classe burguesa nacionais e internacionais contra outras frações[8].

B) As formas econômicas basilares capitalistas se erigem, necessariamente, numa relação conjunta com uma forma política específica, estatal, terceira diante dos agentes da produção. O Estado não é burguês por vontade de seus agentes, mas pela natureza material de sua forma social. Mesmo assim, via de regra, a administração dos Estados capitalistas tem à frente governantes e burocratas diretamente ligados aos interesses burgueses. Ocorre que variadas dinâmicas – muitas delas ensejadas por processos eleitorais democráticos, outras por revoluções e golpes – acabam por cambiar a condução do governo e da burocracia do Estado, possibilitando distintas políticas: populistas, fascistas, desenvolvimentistas, de bem-estar social, progressistas ou até francamente de esquerda – algumas se proclamando mesmo socialistas.

A forma política estatal é capitalista por natureza, derivada que é da forma mercantil. Em situações de governo tipicamente burguesas, há um compasso entre interesse econômico e governança estatal, de sorte que o conjunto de contradições e crises do capitalismo é enfrentado com uma construção em bloco de estratégias – muitas delas cegas, porque meramente autorreferentes –, com recrudescimento de arbitragens de ganhos e perdas, violências e repressões variadas, entre outras. Em situações de governo que ou se declaram ou se orientam como condutoras da dinâmica econômica para além de um interesse imediatamente burguês – administrações divergentes, como aquelas que se chamam de intervencionistas, das quais as de esquerda são apenas algumas possíveis –, há um descompasso de políticas e um antagonismo de forças. A luta e os conflitos de classes podem aqui fazer despontar outras de suas vertentes, de modo que burgueses e trabalhadores tensionem, pressionem, apoiem ou golpeiem os mandatários estatais. Trata-se, então, da crise política, em geral ecoando crise econômica[9].

---

[8] Ver Nicos Poulantzas, "As transformações atuais do Estado, a crise política e a crise do Estado", em *O Estado em crise* (Rio de Janeiro, Graal, 1977), p. 3-41.

[9] "Setores da população, isto é, as classes, frações de classes e categorias sociais, agem na cena política através dos partidos políticos, dos blocos parlamentares, dos jornais que nucleiam 'correntes de opinião' e de outros agrupamentos, embora não o façam, via de regra, de modo explícito. Isto é, os partidos não proclamam em seus programas quais interesses de classe e de fração de classe defendem, e os integrantes desses partidos têm apenas uma noção instintiva e prática da relação de representação que entretêm com este ou aquele setor social, sendo que, nessa matéria, o partido revolucionário do proletariado constitui uma exceção. Os interesses e as contradições de classe e de

No caso brasileiro, em dois grandes momentos, nos séculos XX e XXI, a condução do capitalismo foi capitaneada mais diretamente por governos, grupos e líderes políticos relativamente divergentes daqueles de uma coesão do capital em inércia: o trabalhismo, representado por fases dos governos de Getúlio Vargas e João Goulart, e o petismo, pelos governos de Lula da Silva e de Dilma Rousseff. Não se quer dizer, com isso, que não tenha havido outras induções de natureza política e estatal ao capitalismo nacional – o capitalismo opera sempre e exatamente assim –, mas governos tão díspares como o de Juscelino Kubitschek e os da ditadura militar trabalham num sentido muito próximo ao de grupos capitalistas, que se veem, de algum modo, representados governamentalmente, portando, então, um grau menor de divergência estrutural. As divergências muito parciais do trabalhismo e do petismo contra as frações burguesas – mesmo que ambos governem de modo capitalista, pela acumulação e por seu crescimento e seu desenvolvimento – é que revelam as quantidades de força do Estado brasileiro contra o capital. No caso de Vargas, suicídio; no de Jango, deposição; no de Lula, prisão ao cabo de alguns anos; no de Dilma, *impeachment*.

As razões do trabalhismo são muito específicas e distintas daquelas do petismo. A depender dos que arguem a seu respeito e, ainda, dos que são tratados como seus oponentes, trabalhismo e petismo passam tanto como simples variantes das muitas modulações políticas burguesas quanto como, em outro extremo, máximos de esquerdismo já havidos no Estado brasileiro. A discussão sobre a proporção de esquerdismo em tais governos é estéril, só fazendo sentido de modo relacional e comparativo. Trabalhismo e petismo não são socialismo; são, ambos, variantes da administração do capitalismo. Mais decisiva é a reflexão acerca da qualidade política de trabalhismo e petismo. Nesse campo, revelam-se tanto insuficiências quanto contradições da forma política estatal, capitalista, quando de sua administração pelas mãos de governos não imediatamente burgueses ou divergentes de sua manifestação imediatamente assentada. O governo da forma política estatal contrastante com os interesses, a ideologia e mesmo as idiossincrasias e os caprichos das frações burguesas brasileiras e das frações internacionais às quais aquelas se coadunam é, quase sempre, destruído mediante tensionamento capitalista de crises estruturais[10].

---

fração de classe formam uma espécie de infraestrutura do processo cuja relação com a superestrutura da cena político-partidária cabe ao analista detectar. A crise política eclode quando o conjunto complexo e articulado de distintas contradições de classe e de fração de classe que movimenta o processo político chega a uma situação de ruptura." Armando Boito Jr., *Estado, política e classes sociais* (São Paulo, Editora Unesp, 2007), p. 112.

[10] "Os ensaios de reforma, mesmo que modestos e ainda que no início possam dispor de apoio de setores da burguesia, coisas que de fato aconteceram ao longo dos governos do PT, acabam, em pouco tempo, despertando as forças mais conservadoras da sociedade e provocando crises políticas de tipos variados. Em 1954, a reação não logrou, a despeito de algumas tentativas, eliminar a democracia;

Os governos de administração capitalista divergente – trabalhistas e petistas – da forma política estatal, no Brasil, são duplamente contraditórios: incapazes de estabelecer coesão política e ideológica com frações burguesas pátrias para um plano capitalista desenvolvimentista e nacionalista perene; incapazes de dar um salto, a partir do Estado, à luta social socialista, na medida da débil mobilização progressista das massas e das classes trabalhadoras pelos governantes ditos de esquerda, que operam um Estado cuja forma que os coage é considerada eleitoral-democrática e republicana e cujas instituições, reiteradamente, são seletivas contra esses mesmos governantes. Assim, países de capitalismo semiperiférico, como o Brasil, revelam constantes e grandes dificuldades em alinhavar coesões político-econômicas capitalistas maiúsculas. Ao mesmo tempo, seu peso capitalista relativo é barreira à superação socialista do modo de produção no território nacional mediante luta aberta ou mobilização política forte. Caso se tome a hipótese do primeiro caso – o do fortalecimento e do desenvolvimento do capitalismo nacional –, há uma *insuficiência* estrutural da forma política estatal em economias e sociedades como a brasileira. Caso se tome a hipótese do segundo caso – o do governo do capitalismo para hipóteses de induções socialistas –, há uma *contradição* da natureza da forma política estatal: a superação das formas sociais do capitalismo não pode ser feita mediante o Estado e o direito[11]. Não se alcança o socialismo pela administração progressista do Estado, na medida em que a forma política estatal porta e é atravessada por contradições inerentes a sua condição de derivada da forma-mercadoria.

Bases e sentidos

Das amplas bases e dos amplos sentidos

O capitalismo, como modo de produção, já poderia ter sido superado historicamente há um século, quando a Primeira Guerra Mundial lhe revelou a crise

---

em 1964, a reação provocou a crise e a resolveu, contra os interesses populares e contra a democracia, com a implantação da ditadura militar. Hoje, a luta ainda está em curso. Implantou-se um governo neoliberal extremado, que era o objetivo do golpe parlamentar, mas a democracia, agora restringida e ameaçada, ainda se mantém. Tal dinâmica poderá parecer natural aos olhos de muitos. Porém, ela é muito diferente do que ocorreu nos países europeus no pós-guerra. Lá, governos social-democratas ou mesmo governos conservadores, sob a pressão do movimento operário socialista e comunista, implantaram o Estado de bem-estar social sem que a burguesia e seus aliados rompessem com o jogo democrático. O capitalismo dependente tem uma história muito diferente daquela que se verifica no capitalismo central." Armando Boito Jr., *Reforma e crise política no Brasil: os conflitos de classe nos governos do PT* (Campinas/São Paulo, Editora Unicamp/Editora Unesp, 2018), p. 15.

[11] Ver Friedrich Engels e Karl Kautsky, *O socialismo jurídico* (trad. Livia Cotrim, São Paulo, Boitempo, 2012, Coleção Marx-Engels); Evguiéni B. Pachukanis, *Teoria geral do direito e marxismo*, cit.; Márcio Bilharinho Naves, *Marxismo e direito: um estudo sobre Pachukanis* (São Paulo, Boitempo, 2000).

sistemática. O momento ímpar no qual eclodiu a revolução soviética, forjando um espaço alternativo de sociabilidade e geopolítica, em que pesem gloriosas lutas e virtudes, não conseguiu sequer avançar no sentido da transição plena ao pós-capitalismo nem se afastou de algumas de suas próprias idiossincrasias. Também não encontrou um movimento mundial de conexão e apoio nem pôde resistir às investidas que fecharam o século XX, fazendo do modelo soviético uma experiência por fim fracassada. O mesmo ocorreu com as revoluções que replicaram o modelo soviético pelo mundo afora, em geral em países periféricos do capitalismo. Com isso, ainda hoje a humanidade é constituída de bilhões de miseráveis que trabalham em jornadas de vida sem sentido à cata de meios para uma sobrevivência dolorosa. Com suas práticas, reiterações, estratégias, perseguições, afirmações e narrativas, os capitalistas continuam formando uma classe que se refestela à custa da energia vital da maioria dos seres humanos. Guerras mundiais, golpes, fascismos, nazismo, flagelos da pobreza, migrações forçadas, controle ideológico, soçobramento de qualquer afirmação política coletiva ou pública em favor dos cálculos empresariais, acumulação, concorrência, individualismo, mercantilização da vida, opulência do capital fazendo par com miséria sem fim: desde há muito, a política no capitalismo é a administração de um mundo de frenesi sobre ruínas[12].

A maior parte das lutas nos campos político, econômico e social, do século XX até hoje, não conseguiu alcançar espaços efetivos de superação do modo de produção capitalista. Desenvolvimento econômico, distribuição – e não apropriação direta – de riquezas e superação da miséria, entre outros propósitos das melhores lutas, se desenrolaram no campo da acumulação e da valorização do valor. Nessa quadra, as classes capitalistas são combatidas tomando por base seu próprio mundo e a partir de sua própria dinâmica relacional. Fazer um país atrasado se tornar desenvolvido é, em tal movimento, disputar espaço com burguesias exteriores já assentadas, extraindo mais do trabalho dos seus para prover infraestrutura e industrialização ou encetando ardis contra os concorrentes. Ao final de todo esse processo, em caso de êxito, forjam-se sólidas burguesias nacionais, que então operarão na mesma lógica geral da acumulação, afinadas internacionalmente ao capital, explorando seu próprio povo. Em caso de fracasso, restam prepostos nativos do interesse internacional administrando grandes espaços neocoloniais do capitalismo.

A luta de classes persevera condicionada, basicamente, ao espaço dos Estados nacionais. Desde o século XIX, pensamentos como os do Marx do *Manifesto Comunista*

---

[12] Ver Paulo Arantes, *O novo tempo do mundo e outros estudos sobre a era da emergência* (São Paulo, Boitempo, 2014, Coleção Estado de Sítio); Anselm Jappe, *Crédito à morte: a decomposição do capitalismo e suas críticas* (trad. Robson O. Zannetti, São Paulo, Hedra, 2013); Robert Kurz, *Razão sangrenta* (trad. Roberto R. de Moraes Barros, São Paulo, Hedra, 2010); Marildo Menegat, *Estudos sobre ruínas* (Rio de Janeiro, Revan, 2012, Coleção Pensamento Criminológico, n. 18).

e do Lênin de *Imperialismo, fase superior do capitalismo* mostram que a classe trabalhadora sofre mundialmente a mesma exploração e que sua insurgência é contra uma miríade universal de opressões[13]. Contudo, os arranjos imediatos de todas essas lutas se dão a partir dos países em específico. Assim, o capitalismo tem uma história global, mas as sociedades têm, no plural, histórias particulares, que mobilizam e dão sentido às lutas de modo mais candente que uma narrativa da movimentação global da exploração humana. Dores, esperanças, afetos, bloqueios e impulsos acabam por se delinear no recôndito de cada solo, sem lograr maiores aglutinações em forças mundiais. Uma Internacional Socialista segue uma miragem: em seu lugar, fecunda a ideologia tecnológica de redes sociais pasteurizando as subjetividades por toda a Terra, decretando a glória, até o limite, do capital internacional.

Volver às lutas socialistas – e mesmo às lutas nacionalistas do século XX – tem muito a contribuir com o século XXI. Seja pela óbvia tentativa de entendimento de seus fracassos, seja, ainda, por um valioso corpo teórico-prático sobre a transição ao socialismo – Lênin, Pachukanis, Mao, Giap, Bettelheim etc. – e pelas estratégias nacionalistas variadas – experiências africanas, asiáticas e latino-americanas, por exemplo –, há um sólido material de ações, enfrentamentos, acontecimentos históricos e reflexões para elevar as estratégias da atualidade. Há também um arsenal de reflexões a respeito do momento presente do capitalismo mundial, de regime de acumulação pós-fordista e de crise como estratégia econômica financeira – Althusser, Kurz, Žižek, Hirsch, os debates sobre neoliberalismo, espoliação, ideologia, cinismo e narcisismo, entre tantos outros.

Lutas socialistas viveram um grande momento histórico quando o capitalismo que surgia desmanchou antigos vínculos feudais, coloniais, escravistas, nacionalistas ou grupais. Desses organismos em dissolução pela força da mercadoria, aglutinou-se uma classe trabalhadora. Sua luta conseguiu, algumas vezes, vitórias revolucionárias. Como a própria classe trabalhadora é resultado da sociabilidade capitalista, suas batalhas de ganhos a partir de tais formas não efetivaram uma sociabilidade socialista: lograram, em verdade, construir espaços alternativos dentro do próprio mundo da mercadoria. Hoje, com a plenitude universal da abstração do trabalho e a ascensão triunfante da subjetividade narcísica e jurídica, nem essas lutas orgânicas têm conseguido maior êxito. A marcha da mercadoria uniformiza a Terra em desejos, consumos, dependências econômicas e estratégias de sociabilidade individuais e gerais. A não ser incidentalmente, movimentos de nacionalismo desenvolvimentista, de esquerda eleitoral ou de luta da classe trabalhadora como organismo não alcançam efetivação maiúscula. O caso recente dos governos de

---

[13] Ver Luiz Felipe Osório, *Imperialismo, Estado e relações internacionais* (São Paulo, Ideias & Letras, 2018).

esquerda da América Latina surgiu e foi dissolvido e destruído num período menor que duas décadas.

As melhores experiências e teorias de transição ao socialismo do século XX – que ensinam a respeito do peso das relações de produção na superação do capitalismo, bem como acerca do papel constitutivo da ideologia – revelam muito do que não serve como estratégia de luta[14]. Apostas em republicanismo, democracia, legalidades, instituições políticas, de Allende a Dilma, demonstram uma contraditória luta esquerdista. Porque avançar para além das instituições políticas já dadas e alcançar o espaço do confronto estrutural são questões não previstas em agendas, e sim ensejadas por realidades históricas muito específicas – raramente advindas de direta consciência política, mas quase sempre a partir de extrema crise, miséria ou ocupação territorial, insurgindo-se contra forças dominantes nacionais e internacionais. A política revolucionária, em tempos não revolucionários, deve-se manter investindo em fundamentos para a transformação social, sendo a mobilização das massas seu mais decisivo mister.

Portanto, em tempos como o atual, a disputa ideológica mostra-se central na luta de classes. Nas raras vezes em que a humanidade alcançou patamares de avanço social, houve intensa mobilização das massas, cuja condição de maioria ensejava a solidez para que os resultados das lutas fossem obtidos e perenizados. Há, no presente, uma crise estrutural do capitalismo, mas não há apoio de massas para processos de superação do modo de produção. Os indivíduos sofrem o capitalismo e culpam, por seu sofrimento, a ausência de fé, os governantes, os corruptos, os esquerdistas, os marxistas ou as imoralidades. A ideologia constitui o sujeito funcional para o capitalismo[15]. As poucas ocasiões em que esquerdas ganham mandatos governamentais em Estados nacionais da periferia do mundo seriam oportunidades ímpares para arejar os aparelhos que controlam a ideologia social. Exatamente por serem também informados – constituídos – pelos aparelhos ideológicos e pelas instituições políticas do capital, os agentes políticos de esquerda de hoje não tensionam nem investem contra tais grandes blocos do controle imediato das massas.

---

[14] Ver Márcio Bilharinho Naves (org.), *Análise marxista e sociedade de transição* (Campinas, IFCH-Unicamp, 2005, Coleção Ideias, n. 5). Ainda, Luiz Eduardo Motta, "Sobre a transição socialista: avanços teóricos e os limites das experiências do chamado 'socialismo real'", *Revista Praia Vermelha*, Rio de Janeiro, UFRJ, v. 23, n. 2, 2013, p. 419-41.

[15] Ver Christian Ingo Lenz Dunker, *Mal-estar, sofrimento e sintoma: uma psicopatologia do Brasil entre muros* (São Paulo, Boitempo, 2015, Coleção Estado de Sítio); idem, *Reinvenção da intimidade: políticas do sofrimento cotidiano* (São Paulo, Ubu, 2017); Mark Fisher, *Realismo capitalista: ¿No hay alternativa?* (trad. Claudio Iglesias, Buenos Aires, Caja Negra, 2016); Susan Willis, *Evidências do real* (trad. Marcos Fabris e Marcos Soares, São Paulo, Boitempo, 2008, Coleção Estado de Sítio); Slavoj Žižek, *Vivendo no fim dos tempos* (trad. Maria Beatriz de Medina, São Paulo, Boitempo, 2012).

Aqui estaria a principal chave que – eventualmente e a preços altos – as esquerdas têm em mãos, em tempos não revolucionários, para poder mobilizar o próprio povo. O investimento contra o controle ideológico seria a única esfera imediata passível de disputa na atualidade, na medida em que o mediato do controle das massas é a própria estrutura da sociabilidade burguesa. O capital persiste sendo a cidadela indevassável, ao menos em momentos como o atual, no qual a crise econômica ainda não se tornou irremediável e permite, portanto, às fortunas do capital comprar o mundo com base em cédulas, papéis, derivativos e documentos jurídicos e financeiros que ainda agora se tomam pelo preço que estampam.

O fracasso de uma estratégia capitalista nacional

Toda a crise do Brasil na atualidade deve ser lida, só e inexoravelmente, como uma das crises do capitalismo, aqui contidas suas variadas possibilidades. Inexistiram, tampouco se delinearam no horizonte destes últimos tempos, problemas, virtudes ou fracassos de transição do capitalismo ao socialismo: não cabe nenhuma reflexão sobre virtuais balanços socialistas no Brasil e na América Latina no século XXI, na medida em que, no caso brasileiro em especial – mas, lateralmente, também na Argentina, no Uruguai e no Chile –, nem sequer se arrogou uma declaração de estratégia de superação do capitalismo. Em países como Venezuela, Equador e Bolívia, houve e há evocações à palavra socialismo, mas operando em realidades de rearranjo das próprias dificuldades econômicas capitalistas nacionais[16].

É possível que se veja – é até incontornável que seja assim – uma crise do modelo político das chamadas esquerdas que atuam no sistema capitalista, pela América Latina e pelo mundo. Há questões específicas do Brasil, ao lado de outras que denotam uma reconfiguração mundial da política e da economia. Se a crise especulativa do final da primeira década dos anos 2000 rearticulou o capital financeiro mundial, um padrão de intervenção político-militar-ideológica já em voga a partir do final da Guerra Fria toma novo impulso, com engrenagens ainda mais

---

[16] Ver Álvaro García Linera, *Forma valor y forma comunidad: aproximación teórico-abstrata a los fundamentos civilizatorios que preceden al Ayllu Universal* (Buenos Aires, Prometeo/Clacso, 2010, Colección Pensamiento Crítico Latinoamericano); idem, *A potência plebeia: ação coletiva e identidades indígenas, operárias e populares na Bolívia* (trad. Igor Ojeda, São Paulo, Boitempo, 2010); Rafael Correa, *Equador: da noite neoliberal à revolução cidadã* (trad. Emir Sader, São Paulo, Boitempo, 2015); Carlos Rivera Lugo, "Derecho, democracia y cambio social en la América Latina", em *¡Ni uma vida más al derecho!* (Aguascalientes/San Luis Potosí, Cenejus, 2014), p. 73-89; José Correa Leite, Janaína Uemura e Filomena Siqueira (orgs.), *O eclipse do progressismo: a esquerda latino-americana em debate* (trad. Sandro Ruggeri Dulcet, São Paulo, Elefante, 2018); Luiz Ismael Pereira, *Forma política e cidadania na periferia do capitalismo: a América Latina por uma teoria materialista do Estado* (Tese de doutorado em Direito Político e Econômico, São Paulo, Universidade Presbiteriana Mackenzie, 2017).

sofisticadas. Pensar o caso brasileiro em plano geopolítico é refletir sobre as dificuldades de afirmação de capitalismos periféricos e de políticas nacionalistas num quadro geral de pós-fordismo e de uma plataforma de poder amalgamada entre finanças, inteligência e imposição militar mundial.

O fracasso da dita esquerda brasileira é, antes e acima de tudo, o fracasso organizacional do capitalismo periférico brasileiro: este não encontra bases materiais de afirmação suficientes, é atravessado concorrencialmente por frações de classe nacionais e internacionais divergentes e, do ponto de vista ideológico, opera em relação de esquizofrenia com a própria esquerda que eventualmente o sustenta. Frações majoritárias da ideologia de direita brasileira são antinacionalistas; as esquerdas brasileiras, nacionalistas, são indesejadas e rechaçadas por várias estratégias burguesas pátrias que, no entanto, delas se valem. O destino de Vargas, Juscelino e Jango acaba por ser idêntico ao de Lula e Dilma: operaram em favor de elites econômicas, formando grandes amálgamas sociais de desenvolvimentismo ou expansão do mercado interno e de amortização das tensões, mas não construíram redes de articulação que fundassem distintos padrões de estratégia burguesa nacional nem estabeleceram forças populares de resistência e mobilização ideológica para superar, à esquerda, os impasses que gestaram[17].

É de pouco proveito concentrar análises na culpa moral do período de governo do Partido dos Trabalhadores por ele não ter legado uma efetiva estratégia socialista ou plenamente de esquerda ao país. Não foi essa sua prática nem seu propósito político nas últimas décadas. A eleição de Lula, em 2002, ocorre num quadro de arrefecimento do impulso contestador do PT[18]. Sua reelaboração do país se sustentou no mesmo movimento econômico de fundo neoliberal, com matizes neodesenvolvimentistas atrelados à ampliação do consumo das classes pobres. Serve apenas a métricas idealistas contrapor os governos do PT ao momento de sua origem partidária. Tal leitura moralista não dá conta da efetividade das contradições e das lutas

---

[17] Ver Sônia Draibe, *Rumos e metamorfoses: um estudo sobre a constituição do Estado e as alternativas da industrialização no Brasil, 1930-1960* (Rio de Janeiro, Paz e Terra, 2004); Pedro Cesar Dutra Fonseca, *Vargas: o capitalismo em construção* (São Paulo, Brasiliense, 1999); Miriam Limoeiro Cardoso, *Ideologia do desenvolvimento, Brasil: JK-JG* (Rio de Janeiro, Paz e Terra, 1977); Maria Victória de Mesquita Benevides, *O governo Kubitschek: desenvolvimento econômico e estabilidade política, 1956-1961* (Rio de Janeiro, Paz e Terra, 1976); idem, *A UDN e o udenismo: ambiguidades do liberalismo brasileiro, 1945-1965* (Rio de Janeiro, Paz e Terra, 1976); Armando Boito Jr., *O golpe de 1954: a burguesia contra o populismo* (São Paulo, Brasiliense, 1982); Francisco Pereira de Farias, *Estado burguês e classes dominantes no Brasil (1930-1964)* (São Paulo, CRV, 2017).

[18] Ver, em variadas vertentes, Lincoln Secco, *História do PT* (4. ed., São Paulo, Ateliê, 2015); José Welmowicki, *Cidadania ou classe? O movimento operário da década de 80* (São Paulo, Sundermann, 2004); Luciana Genro e Roberto Robaina, *A falência do PT e a atualidade da luta socialista* (Porto Alegre, LP&M, 2006); Edmundo Fernandes Dias, *Política brasileira: embate de projetos hegemônicos* (São Paulo, Sundermann, 2006).

no presente. A contraposição que se deve fazer é de outro nível, e dupla: entre o PT e o tipo de capitalismo que projetou e pelo qual governou; entre o PT e as forças populares que não foram articuladas – ou foram deixadas para outras articulações –, e que eram necessárias para destravar os nós gerados pela própria política petista.

Uma leitura materialista, embora não negue esses argumentos nem os considere desarrazoados, não se pode fincar em lamentos moralistas a respeito da traição de ideais ou histórias. Tampouco se pode fundar em lamentos reversos: lástimas pela burguesia brasileira ser entreguista e pouco nacionalista; pelo povo não ter resistido a um golpe que lhe achatou ainda mais as condições de vida. Pouco proveito se extrai do pretenso par conceitual burguesia nacional burra/pobres de direita. Uma visão material e concreta do cenário brasileiro deve pôr tais variáveis de juízo da cegueira ideológica e estratégica na conta de análise, mas há de se aperceber que se trata de um padrão estrutural. A burguesia brasileira gestou 1964 parcialmente contra os próprios interesses de um capital interno[19]. O povo brasileiro é constituído, em perspectiva histórica, sob a égide de dimensões ideológicas plenamente regressistas e estritamente mercantis: vida dependente de relações de submissão à burguesia, educação utensiliária das escolas às universidades, informação a partir de meios de comunicação de massa concentradores e reprodutores da ideologia capitalista, valores e sociabilidade advindos de religiões de caráter altamente conservador. Em todas as sociedades capitalistas periféricas, à exceção de raríssimos casos, exatamente por serem periféricas e submetidas às estratégias concorrenciais gerais, suas frações burguesas têm estratégias falhas e ineficazes de reprodução em contraposição às burguesias centrais. A forma mercantil, em sua dinâmica de valorização do valor, e a forma política estatal, em países periféricos, portam variados graus de insuficiência. Em todas as sociedades capitalistas do mundo, por serem erigidas a partir da forma mercantil e da acumulação, os ricos e os pobres são de direita. Obviamente, a subjetividade no capitalismo é capitalista[20].

---

[19] "João Goulart tornou-se presidente inesperadamente, liderando um bloco nacional-reformista. Uma situação radical e altamente desfavorável desdobrou-se para o bloco multinacional e associado que lançou uma nova campanha [...] para conseguir um novo arranjo político que expressasse os seus interesses então bloqueados. Essa campanha englobou a maioria das classes dominantes, incluindo a chamada burguesia 'nacional', da qual tantos políticos e intelectuais e até mesmo oficiais militares esperavam um posicionamento nacionalista e reformista. Contrariando tais expectativas, a burguesia 'nacional' assistiria passivamente e até mesmo apoiaria a queda de João Goulart, condenando na prática a sua alternativa socioeconômica distributiva e nacionalista e ajudando, a despeito de sua própria condição, a ancorar firmemente o Estado brasileiro à estratégia global das corporações multinacionais." René Armand Dreifuss, *1964, a conquista do Estado: ação política, poder e golpe de classe* (Petrópolis, Vozes, 1987), p. 37.

[20] "Só há ideologia pelo sujeito e para os sujeitos. Ou seja, a ideologia existe para sujeitos concretos, e essa destinação da ideologia só é possível pelo sujeito: isto é, pela categoria de sujeito e de seu funcionamento. Queremos dizer com isso, mesmo que essa categoria (o sujeito) não

Os governos do Partido dos Trabalhadores, tendo renunciado a pretensões mais amplas de mudança social, acabaram por ocupar, sem que o quisessem de início, uma mesma faixa política que, no século XX, em que pesem suas muitas diferenças, foi a de Vargas, JK e Jango: as administrações divergentes – ditas desenvolvimentistas, progressistas ou de esquerda, sem que esses termos façam, em si, grande sentido – do capitalismo brasileiro. Mas, por aí se localizarem, também aí se dá sua fraqueza. Despreocupando-se com os padrões reiterados de ação política no país, historicamente consolidados, viram surgir, sob seus pés, um novo golpe a rearticular forças que, também ao tempo do varguismo e de 1964, tiveram um só lado e uma grande estratégia político-ideológica. Dos jornais reacionários do século XX àqueles do século XXI, das rádios da época às televisões e à internet hoje, dos púlpitos católicos de antanho aos evangélicos de agora, de jovens anticomunistas de 1964 aos jovens liberais de 2016, a plataforma é a mesma – e, em muitos casos, com os mesmos atores. Também a ação – sempre declarada como inação – dos Estados Unidos da América é a mesma. O PT fracassa em termos materiais ao se reposicionar politicamente sob bases de ampliação de consumo nacionalistas e desenvolvimentistas, de centro-esquerda, e, então, por não operar uma mudança social suficiente para bancar sua própria aposta hodierna[21]. É idealismo cobrar o PT por não ser de esquerda

---

apareça assim denominada, que com o surgimento da ideologia burguesa, e sobretudo com o da ideologia jurídica, a categoria de sujeito (que pode aparecer sob outras denominações: como em Platão, por exemplo, a alma, Deus etc.) é a categoria constitutiva de toda ideologia, seja qual for a determinação (regional ou de classe) e seja qual for o momento histórico – uma vez que a ideologia não tem história. Dizemos: a categoria de sujeito é constitutiva de toda ideologia, mas, ao mesmo tempo, e imediatamente, acrescentamos que a categoria de sujeito não é constitutiva de toda ideologia, uma vez que toda ideologia tem por função (é o que a define) 'constituir' indivíduos concretos em sujeitos. É nesse jogo de dupla constituição que se localiza o funcionamento de toda ideologia, não sendo a ideologia mais do que o seu funcionamento nas formas materiais de existência desse mesmo funcionamento." Louis Althusser, *Aparelhos ideológicos de Estado* (trad. Walter José Evangelista e Maria Laura Viveiros de Castro, Rio de Janeiro, 2. ed., Graal, 1985), p. 93. Ver, ainda, Nicole-Édith Thévenin, "Ideologia jurídica e ideologia burguesa (ideologia e práticas artísticas)", em Márcio Bilharinho Naves (org.), *Presença de Althusser* (Campinas, IFCH--Unicamp, 2010, Coleção Ideias, n. 9), p. 53-76; Paulo Silveira e Bernard Doray (orgs.), *Elementos para uma teoria marxista da subjetividade* (São Paulo, Vértice, 1989); Pascale Gillot, *Althusser e a psicanálise* (São Paulo, Ideias & Letras, 2018).

[21] Ver, em chaves divergentes, de um lado, André Singer e Isabel Loureiro (orgs.), *As contradições do lulismo: a que ponto chegamos?* (São Paulo, Boitempo, 2016, Coleção Estado de Sítio); André Singer, *Os sentidos do lulismo: reforma gradual e pacto conservador* (São Paulo, Companhia das Letras, 2012); idem, *O lulismo em crise: um quebra-cabeça do período Dilma (2011-2016)* (São Paulo, Companhia das Letras, 2018); Emir Sader (org.), *10 anos de governos pós-neoliberais no Brasil: Lula e Dilma* (São Paulo/Rio de Janeiro, Boitempo/Flacso, 2013); de outro, Ruy Braga, *A política do precariado: do populismo à hegemonia lulista* (São Paulo, Boitempo, 2012); idem, *A pulsão plebeia: trabalho, precariedade e rebeliões sociais* (São Paulo, Alameda, 2015); idem, *A rebeldia do precariado: trabalho e neoliberalismo no Sul global* (São Paulo, Boitempo, 2017, Coleção Mundo

o suficiente segundo as melhores métricas; a cobrança mais aguda é outra, por não ser simplesmente o que se propôs a ser. A história do PT no governo é a história do capitalismo brasileiro. Uma leitura materialista não cobra x por não ser y; sendo o que é, então a cobrança é tão apenas por não ser capaz de se fazer cumprir.

O capitalismo brasileiro

O desenvolvimento econômico do Brasil se assenta tanto, de um lado, em faixas de atraso e submissão quanto, de outro, em projeção e importância no plano internacional. A síntese de um país subimperialista[22], proposta por Ruy Mauro Marini e por estudiosos da teoria da dependência, pensada para a segunda metade do século XX e em outros termos ainda válida, delineia o frágil e contraditório papel do país no concerto mundial. Exatamente porque em estágio médio de importância, não passa ao largo das atenções do capitalismo central e, por estar à vista do controle externo, também não logra forjar alternativas soberanas nacionais plenas, vivendo entre mediocrização político-social e pujança de frações burguesas, dadas a natureza e as demandas de seus próprios antagonismos. Atravessada pelas determinações da forma mercantil, como a valorização do valor, a acumulação e a concorrência, a afirmação econômica e política brasileira – uma assim chamada revolução burguesa no país – é, em sua história, eivada de antagonismos, conflitos, insuficiências e contradições[23].

---

do Trabalho); Ricardo Antunes, *Uma esquerda fora do lugar: o governo Lula e os descaminhos do PT* (Campinas, Autores Associados, 2006).

[22] "O capitalismo brasileiro orientou-se, assim, para um desenvolvimento monstruoso, dado que chega à etapa imperialista antes de ter conseguido a mudança global da economia nacional e em situação de dependência crescente diante do imperialismo internacional. A consequência mais importante desse fato é que, ao contrário do que acontece com as economias capitalistas centrais, o subimperialismo brasileiro não pode converter a espoliação, que pretende realizar no exterior, em fator de elevação do nível de vida interno, capaz de amortecer o ímpeto da luta de classes; tem, ao contrário, pela necessidade que experimenta de proporcionar um sobrelucro a seu sócio maior norte-americano, de agravar violentamente a exploração do trabalho no marco da economia nacional, no esforço para reduzir seus custos de produção." Ruy Mauro Marini, *Dialética da dependência* (Petrópolis, Vozes, 2000), p. 98. Ver, ainda, Theotônio dos Santos, *A teoria da dependência: balanço e perspectivas* (Rio de Janeiro, Civilização Brasileira, 2000); Raphael Lana Seabra (org.), *Dependência e marxismo: contribuições ao debate crítico latino-americano* (Florianópolis, Insular, 2016); Mathias Seibel Luce, *Teoria marxista da dependência: problemas e categorias, uma visão histórica* (São Paulo, Expressão Popular, 2018); Carla Ferreira, Jaime Osorio e Mathias Luce (orgs.), *Padrão de reprodução do capital: contribuições da teoria marxista da dependência* (São Paulo, Boitempo, 2012).

[23] Ver, em linhas divergentes, Florestan Fernandes, *A revolução burguesa no Brasil: ensaio de interpretação sociológica* (Rio de Janeiro, Guanabara, 1987); Caio Prado Júnior, *A revolução brasileira* (São Paulo, Brasiliense, 1987); Nelson Werneck Sodré, *Introdução à revolução brasileira* (São Paulo, Ciências Humanas, 1978); idem, *Capitalismo e revolução burguesa no Brasil* (Rio de Janeiro, Graphia, 1997).

Tradicionalmente, leituras críticas – em geral no campo do marxismo – apontaram para o peso internacional na formação econômica brasileira, cuja produção foi desde o início voltada à exportação. Assim foram as teorias originadas de Caio Prado Júnior e que chegam a Fernando Novais, definindo o Brasil como capitalista já no albor colonial em razão da natureza mercantil externa da empreitada local. Visões mais modernas, a partir de Ciro Flamarion Cardoso e Jacob Gorender, retificam tais leituras, ressaltando o caráter escravista da produção e mesmo as esferas de circulação há muito existentes em solo brasileiro. Por isso, na proposta de Gorender, antes de simplesmente capitalismo mercantil, fala-se em um modo de produção escravista-colonial. Com muitas variantes, impulsos teóricos similares se viram em João Fragoso e Manolo Florentino, gerando uma ordem própria de reflexões. Em outras chaves, debates sobre a relação entre escravidão e capitalismo encontram-se também em pesquisas hodiernas como as de Rafael Marquese, entre tantos[24].

Se a forma-mercadoria e a forma política estatal erigem a estrutura social do capitalismo brasileiro presente, tal processo se dá a partir de bases anteriores bastante peculiares, lastreadas na escravidão e no colonialismo. A escravidão, gestando a articulação social nacional, e as formas de orientação econômica arraigadas tanto no mercado externo quanto no interno são, então, bases históricas necessárias para uma análise da burguesia brasileira, de suas frações e de suas relações tanto com o povo quanto com as burguesias exteriores. É a escravidão que marca a sociabilidade brasileira. Por mais que todas as sociedades capitalistas mundiais se homogeneízem a partir das formas sociais necessárias do capital – valor, mercadoria, trabalho abstrato, acumulação etc. –, as formações sociais são particulares. No caso brasileiro, acima de quaisquer outras questões políticas, culturais ou religiosas, a escravidão moldou o racismo estrutural, as hierarquias, os tratos, os acessos e bloqueios, favores, sortes e privilégios, castigos e repressões, naturalizações de condutas etc. A marca da escravidão e do racismo inscreve nas estruturas sociais brasileiras suas características fundamentais[25].

---

[24] Acerca do debate marxista sobre a formação econômica do país e sua relação com a forma jurídica, ver Jonathan Erik von Erkert, *Modos de produção no Brasil: escravidão e forma jurídica* (São Paulo, Ideias & Letras, no prelo).Ver, ainda, Caio Prado Júnior, *Formação do Brasil contemporâneo: Colônia* (São Paulo, Brasiliense, 2004); Fernando A. Novais, *Estrutura e dinâmica do antigo sistema colonial* (São Paulo, Brasiliense, 1990); Ciro Flamarion Cardoso, *Agricultura, escravidão e capitalismo* (Petrópolis, Vozes, 1979); Jacob Gorender, *O escravismo colonial* (São Paulo, Perseu Abramo, 2010); João Fragoso e Manolo Florentino, *O arcaísmo como projeto: mercado atlântico, sociedade agrária e elite mercantil no Rio de Janeiro, c. 1790-c. 1840* (Rio de Janeiro, Civilização Brasileira, 2001); Rafael Marquese e Ricardo Salles (orgs.), *Escravidão e capitalismo histórico no século XIX: Cuba, Brasil, Estados Unidos* (Rio de Janeiro, Civilização Brasileira, 2016); Eginardo Pires, "Breve recapitulação polêmica da história econômica do Brasil", em *Ensaios econômicos* (Rio de Janeiro, Achiamé, 1984), p. 226-96.

[25] "Um país que tem na sua estrutura social vestígios do sistema escravista, com uma concentração fundiária e de rendas das maiores do mundo; governado por oligarquias regionais retrógradas e

No campo das articulações econômicas, só se pode considerar a condição burguesa nacional a partir de um dúplice papel, que também vai forjando suas frações e suas similares ou diferentes estratégias. De um lado, dominadora e exploradora de um espaço interno, baseia-se tanto na escravidão quanto na extração de mais-valor do trabalho assalariado para formar o mercado nacional erigindo-se a partir da alta acumulação, mas se propagando até as últimas capilaridades das transações populares. A magnitude do caráter mercantil interno vai da escravidão como negócio, na colônia e no império, a uma rede de pequenas atividades de mercancia ensejada pelo acesso aos bens de subsistência; desde antigas feiras e mascates até a dinâmica de comércio e serviço às classes pobres na atualidade. De outro lado, a burguesia nacional assenta grande parte de sua empreitada econômica nos negócios internacionais. Exportadora de produtos primários em todos os séculos desde a colonização portuguesa até hoje, condição que manteve mesmo com a industrialização em massa sob orientação estatal nos meados do século XX, sua pujança econômica nunca se fez alheia ao mercado externo. Os impulsos burgueses brasileiros, desde os tempos coloniais, revelam muito da empreitada de alta acumulação para o – ou contra o – exterior. Nos diversos momentos desse impulso de indução ao crescimento do mercado interno e de exportações qualificadas, como de Vargas a alguns governos das ditaduras militares e de Lula a Dilma, a gestação de projetos nacionais transcorreu com uma liderança apenas parcial das classes burguesas nacionais. Pelo Estado passou o grosso dos arranjos de dinamização econômica e social[26]. Mesmo nessas fases, capital e Estado brasileiros se fincaram de modo dependente e associado – nos dizeres de algumas teorias da dependência – em contraposição ao capital estrangeiro, de tal sorte que sua dinâmica é eivada de antagonismos nacionais e internacionais.

---

broncas; um país no qual a concentração de rendas exclui total ou parcialmente 80% da sua população da possibilidade de usufruir um padrão de vida decente; que tem 30 milhões de menores abandonados, carentes ou criminalizados não pode ser uma democracia racial." Clóvis Moura, *Dialética radical do Brasil negro* (São Paulo, Maurício Grabois/Anita Garibaldi, 2014), p. 219. Ver também Silvio Luiz de Almeida, *O que é racismo estrutural?* (Belo Horizonte, Letramento, 2018, Coleção Feminismos Plurais).

[26] "A contrapartida da crise de hegemonia foi a ampliação do papel da burocracia estatal na definição da política de desenvolvimento capitalista no pós-[19]30. Manobrando em meio ao equilíbrio instável entre as distintas frações da classe dominante e tirando proveito das contradições que grassavam no campo imperialista, a burocracia de Estado lograria, por meio do enquadramento político e ideológico de amplos setores do proletariado e das baixas camadas médias, criar uma base de massa para uma política que, em última análise, favorecia um certo processo de industrialização." Lúcio Flávio Rodrigues de Almeida, *Ideologia nacional e nacionalismo* (São Paulo, Educ, 2014), p. 124. Ver, ainda, Decio Saes, *A formação do Estado burguês no Brasil (1888-1891)* (Rio de Janeiro, Paz e Terra, 1985).

Em que pesem variáveis de algumas fases históricas específicas, não advêm majoritariamente das frações burguesas brasileiras os impulsos progressistas quanto à constituição de projetos de desenvolvimento nacional, tendo o Estado, então, peso proeminente na forja de coesões divergentes[27]. Não se trata de tendência inexorável, na medida em que as experiências descontinuadas do século XX e mesmo do lulismo evidenciam a possibilidade de arranjos capitalistas com diferentes pesos de condução a partir de frações burguesas. Mesmo assim, as tentativas de coesão entre Estado e capital, no Brasil, revelam êxito parcial. Embora existentes, amálgamas de projeto nacional poucas vezes se consolidaram e permitiram um câmbio definitivo da posição do país na economia capitalista internacional. Sua burguesia industrial, quando da chegada do neoliberalismo, não optou nem pela expansão do comércio exterior nem pela resistência à entrada de produtos manufaturados estrangeiros. A lógica de fungibilidade do capital marca de modo proeminente a atual burguesia brasileira. Com boa parte de seus vínculos voltada à exportação de produtos que não são de subsistência da população pátria – historicamente, açúcar, café; hodiernamente, soja, ferro –, pouco resta de apego à especificidade de seus negócios. O declínio do setor industrial brasileiro faz com que a fração burguesa industrial se converta, sem maiores dilemas, em rentista. Quando nas décadas do fim do século XX e do início do século XXI acelerou-se um processo de desnacionalização econômica, a par da concentração bancária e da expansão do agronegócio, a desindustrialização se agudizou, e parcelas dos setores médios e capitalistas majoraram bases e cálculos financeiristas. Mesmo que tal quadro tenha sido matizado, nos anos lulistas, pela indução ao consumo das classes pobres, gestando uma revitalização empresarial em direção ao mercado interno e tendo até feito um colchão para o amortecimento de algumas contradições sociais ensejadas pelos tempos neoliberais, a característica de perda de projeto nacional é patente nas frações burguesas brasileiras atuais.

A natureza específica do capitalismo faz com que parte expressiva das frações burguesas não se assente em um projeto de desenvolvimento nacional, não o dispute nem o geste, e mesmo o abomine. A venda do café ao exterior precedia Vargas, e setores ligados ao agrarismo resistiam à contrapartida deste, da industrialização de base e dos direitos trabalhistas, como resolução capitalista brasileira das contradições da crise mundial de 1929 e das estratégias das décadas seguintes[28].

---

[27] Ver Gabriel Cohn, *Petróleo e nacionalismo* (São Paulo, Editora Unifesp, 2017).
[28] "Houve uma radicalização do nacionalismo da burocracia estatal. Em uma fase em que se alargava o fosso entre ela e a burguesia industrial, segmentos da burocracia nacionalista elegeram o Estado – e, com ele, a estatização – como a única entidade comprometida com o interesse nacional. E como, aos seus olhos, somente o Estado era dotado de confiabilidade, caberia a ele controlar diretamente a exploração dos setores percebidos como vitais à economia do país. Um certo caráter aparentemente antiburguês (na realidade, antiprivatista, porém não anticapitalista) esteve presente nos discursos que a burocracia nacionalista esgrimiu no período. A radicalização do nacionalismo

Ao antivarguismo – presente em São Paulo, embora não de forma exclusiva, porque muito próprio de algumas frações burguesas em variadas regiões do país – não fazia e não faz sentido alterar um regime de venda ao exterior que, ideologicamente, é quase atribuído à ordem do natural: o solo é eterno do quatrocentão, porque o desbravou há séculos; o solo dá, a água e a luz solar abundam; cristãmente, oferece-se ao empregado a benesse de sobreviver graças ao salário que lhe permite comprar migalhas a partir do trabalho nesse solo; o exterior sempre quer comprar o produto da terra pátria. Há uma espécie de sapiência de vida da burguesia tradicional assentada na base de um organicismo passadista quase aristocrático, de velhos costumes e estratégias. A política que não seja a manutenção de tal pretensa ordem natural é ofensiva e incômoda a setores da burguesia nacional.

De outro lado, as empreitadas desenvolvimentistas nacionais, quase sempre a partir do Estado, moldaram a franja de sociabilidade capitalista moderna brasileira[29]. A infraestrutura, o setor industrial, os serviços de ponta e mesmo a classe média intelectualizada e universitária foram gestados a partir de dinâmicas estatais. Os planos nacionais empreendidos pelo Estado, por sua vez, padecem das fragilidades da própria condição de autonomia relativa da forma política estatal. Historicamente, os governantes do Estado brasileiro são mais voláteis que as classes burguesas que se assentam em solo nacional. O tempo de mando de um governante é curto; o de um burguês, longo como sua vida e a dos seus. Coronéis, fazendeiros, rentistas, comerciantes e mesmo – e cada vez mais – funcionários graduados do próprio Estado conduzem a ação política e a maquinaria estatal de tal sorte que os câmbios nacionalistas, desenvolvimentistas e progressistas são barrados, cerceados e combatidos pela burguesia e pela classe média a ela associada, e mesmo por aqueles de dentro do aparelho estatal – como o revelam as magistraturas, os ministérios públicos e as polícias na derrocada dos anos lulistas.

Tais movimentações históricas do capital no Brasil se fazem à custa de repressões sistemáticas ao povo, que tem um passado e um presente de lutas notáveis e enfrentamentos heroicos pontuais, mas cuja compreensão de mundo é naturalizada também por determinações do capital e por grandes aparelhos ideológicos – religiões, meios de comunicação de massa. Estes tornam as classes pobres, em linhas gerais e ressalvadas exceções, dóceis aos senhores e hostis às tentativas de progressismo. O povo também se erige a partir de uma contenção de danos para o tempo de vida de cada pobre e dos seus. Estado e capital têm o condão de tornar ainda mais

---

da burocracia de Estado atingiu o clímax durante a 'campanha do petróleo'." Lúcio Flávio Rodrigues de Almeida, *Ideologia nacional e nacionalismo*, cit., p. 185.

[29] "A análise do caso brasileiro revela que o processo de desenvolvimento funda-se em decisões políticas." Gilberto Bercovici, *Constituição econômica e desenvolvimento: uma leitura a partir da Constituição de 1988* (São Paulo, Malheiros, 2005), p. 55.

decadentes e penosas as condições de vida daqueles que se engajam contra eles. A sabedoria orgânica de se saber mão e coração quando o capitalista é cérebro é o que modela a alma pobre e cristã dos assalariados e herdeiros dos escravos do país, à custa do ódio ao comunista, ao negro, à mulher, ao homossexual etc. Trata-se de uma estruturação de sociabilidade a partir da posição na hierarquia do capital, amalgamando todo o tecido social em padrões suficientes – e desejadamente excelentes, como é o caso da investida antilulista de classes –, contando com uma forja que calca fundo na subjetivação das massas[30].

Ocorre que os padrões de reprodução social do capital – em todo o mundo e de modo específico também no Brasil – portam necessariamente crises. O estático e liberal capitalismo idilicamente naturalizado da burguesia pátria é imprestável – em sua fantasia, esta não reconhece que só existe passando pelo Estado, o qual enseja a infraestrutura e seu financiamento, além da repressão propícia a alguma coesão social – e, em termos materiais, se não se moderniza constantemente, perece ou é ultrapassado pelas expressões mais modernas da economia capitalista mundial. Seu louvor ao liberalismo é seu declínio em face do capitalismo internacional. Quando o capitalismo brasileiro é dinâmico e intervencionista, também enfrenta e gesta crises – os governantes são frágeis, e suas articulações divergentes são barradas ou devastadas, colidindo, sempre e ao mesmo tempo, com as forças econômicas, políticas e sociais conservadoras ou reacionárias nacionais e internacionais, na medida em que um reposicionamento do Brasil no mercado capitalista mundial representa uma alteração de peças na hierarquia entre países.

Em sua história, o Brasil, por dinâmicas de capitalismo intervencionista ou por contenções reacionárias, fabrica suas próprias crises estruturais e é levado a fabricá-las, além de enfrentar, necessariamente, as crises do capitalismo mundial, do qual é dependente. No entanto, no país, o grau de moderação ou correção de tais colapsos é deveras parcial, sem que haja inovação a ponto de reposicioná-lo no cenário econômico internacional, pois é sabotado nacional e internacionalmente quando assim o enseja e, em especial, sem que tenha estabelecido um amálgama social que permita enfrentar forças conservadoras ou reacionárias. Em situações como a brasileira, toda a vitalidade de dinâmicas transformadoras – sejam lutas de desenvolvimento capitalista, sejam lutas socialistas – só se pode fundar em um alto grau de coesão social interna, que envolva as classes exploradas, os setores da intelectualidade, os eventuais espaços ganhos no Estado e as massas. Por sua natureza e pela história, e porque já dominam a sociedade, burgueses, Estado e classes

---

[30] Ver Tales Ab'Sáber, *Lulismo, carisma pop e cultura anticrítica* (São Paulo, Hedra, 2011); idem, *Dilma Rousseff e o ódio político* (São Paulo, Hedra, 2015); Jessé Souza, *A tolice da inteligência brasileira: ou como o país se deixa manipular pela elite* (São Paulo, Leya, 2015); idem, *A radiografia do golpe* (São Paulo, Leya, 2016); idem, *A elite do atraso: da escravidão à Lava Jato* (São Paulo, Leya, 2017).

médias não operarão câmbios sociais de monta. Assim, tais movimentações – tanto as capitalistas de desenvolvimentismo e bem-estar social quanto as de esquerda em busca de ruptura para uma transformação revolucionária – necessitam desarmar a blindagem ideológica do povo, para que, em algum momento, 99% da população possa fazer frente a 1% dos capitalistas. A forja ideológica é precisamente a única ponta do amálgama da sociabilidade burguesa que permitiria abrir a disputa e ser trampolim de uma luta majorada. Se é contra o capital, não se pode amparar nos capitalistas; se é contra o Estado, que é forma social derivada do capital, não pode contar com sonhos de republicanismos, legalidades ou democracia; somente as massas podem construir um projeto em seu favor. Só a luta no campo da formação da ideologia, das subjetividades e das classes, dos grupos e dos partidos permite, em momentos de hecatombe extrema e de blindagem total da reprodução política e econômica capitalista, avançar na preparação de uma alteração capaz de fazer superar as condições sociais[31]. A outra aposta é a no acaso, no perecimento das condições de sociabilidade, como se a exasperação pudesse então propiciar às massas o entendimento científico de sua condição. Essa alternativa tem pouca valia; tradicionalmente, a barbárie gera o fascismo. O despencar de Fáeton não leva a se insurgir contra a danação que lhe é imposta. A crise neoliberal tem o destino da liberal do início do século XX: se não se liberta e gera socialismo, cria fascismos. Uma luta social que mobilize ideologicamente as massas representa a única esperança de fazer o encontro entre crise e sentido para a história. Tal movimento, no Brasil, não é gestado nem pela burguesia nacional nem pelo socorro externo. Só resta o povo. Mas este, ainda que castigado e com feridas a cada vez salgadas, está constituído, neste momento, em sua maioria, para entender-se e agir contra si próprio. Não houve vanguarda nem partido, nem grupo nem governo suficientes, nem mobilização ampla para a luta popular.

---

[31] "Na economia estão presentes, potencialmente, tanto classes antagônicas quanto grupos que cooperam entre si em defesa de uma empresa ou setor – quem, no Brasil, não se recorda da frente comum estabelecida entre sindicatos operários e associações patronais das grandes montadoras de veículos para preservar e expandir o setor automobilístico na década de 1990? Uma eventual consciência pró-capitalista dos operários pode ser reflexo da sua situação econômica particular, e não só uma ilusão sem fundamento econômico, ao contrário do que sugere a noção de 'falsa consciência'. O antagonismo entre proprietários e trabalhadores é apenas latente, potencial. Para que a classe operária, que existe apenas em potência no terreno da economia capitalista, adquira uma existência ativa, é necessária a combinação de inúmeros fatores de ordem econômica, política e ideológica – situação do emprego e do salário, situação do sistema de alianças que sustenta o bloco no poder burguês, eficácia da ideologia e do programa socialistas para responder aos problemas colocados na ordem do dia pela sociedade capitalista em determinada etapa do seu desenvolvimento etc. A classe social só existirá no sentido forte do termo, isto é, como coletivo organizado e ativo, quando o antagonismo latente tornar-se manifesto." Armando Boito Jr., *Estado, política e classes sociais*, cit., p. 197.

Crise brasileira e luta de classes

O capitalismo porta crises, e cada grande crise estrutural é engendrada por dificuldades e fissuras próprias no que tange aos regimes de acumulação e aos modos de regulação[32]. A atual crise brasileira – cujo marco inicial simbólico é o das manifestações de 2013, passando pelos combates da eleição de 2014, pelo *impeachment* de Rousseff em 2016, pela perseguição a Lula e pela regressão econômica, política e social de Temer desde então – tem ligação inextrincável com a crise mundial do capitalismo eclodida em 2008. A bonança lulista retardou a chegada de seus termos ao Brasil. O ano de 2013 é o da captura definitiva do país pela dinâmica geral da crise do capitalismo internacional[33]. A partir de 2008, a crise da forma econômica capitalista engendra uma crise da forma política pelos Estados, exigindo destes uma resolução que seus próprios talhes não permitem entregar, o que, então, eleva ao máximo as estratégias de derrocada de democracias e de intervenções militares e golpes, deixando antever uma sistemática de ditaduras e de governos de espoliação pelo mundo. O golpe no Brasil, desde 2013, é sua chegada ao solo atual, ainda mais cru, da política de choque e de administração golpista da crise mundial.

A relativa blindagem inicial do Brasil em face da crise financeira mundial se deveu, em alguma medida, à ampliação e ao fortalecimento do mercado interno – tanto por Lula quanto por Dilma –, mas esse processo não logrou sustentar-se por conta própria. Tal evolução econômica estava atrelada também, e quiçá em especial, às exportações para potências em crescimento, como a China, cuja proximidade político-econômica com o Brasil então se revelou também em projetos como o dos Brics. O fornecimento de produtos primários ao mercado chinês marcou

---

[32] Ver Michel Aglietta, *Macroeconomia financeira* (São Paulo, Loyola, 2004), v. 1-2; Robert Boyer, *A teoria da regulação: uma análise crítica* (trad. Renée Barata Zicman, São Paulo, Nobel, 1990).

[33] "As condições econômicas favoráveis que caracterizaram a segunda metade dos anos 2000 permitiram ao ex-presidente Lula compatibilizar a manutenção da alta parcela da renda destinada ao 1% mais rico da população com a elevação do nível de emprego formal e dos salários e a redução da disparidade entre o salário mínimo e o salário médio da economia. O ganha-ganha garantiu ao ex-presidente a sua base de sustentação política, abrindo espaço para que uma parte maior do orçamento público fosse destinada a programas sociais, aos gastos com saúde e educação e aos investimentos em infraestrutura. Desde 2011, a desaceleração econômica trouxe de volta um acirramento dos conflitos distributivos sobre a renda e o orçamento público. A inflação de serviços, que crescia com os salários de trabalhadores menos qualificados, deixou de ser compensada pelo menor custo dos produtos e insumos importados – que era fruto da desvalorização cambial – e passou a causar maior descontentamento. As sucessivas tentativas de resolver tais conflitos priorizando o lado mais influente da barganha, ora pela via da concessão cada vez mais ampla de desonerações fiscais e subsídios às margens de lucro dos empresários, entre 2012 e 2014, ora pela via da elevação do desemprego, redução de salários e ameaça aos direitos constitucionais, desde 2015, não tiveram efeito na estabilização da economia." Laura Carvalho, *Valsa brasileira: do boom ao caos econômico* (São Paulo, Todavia, 2018), p. 149.

muito a expansão econômica lulista. Quando o crescimento da economia chinesa deixa de atingir níveis exponenciais, sua relação com o Brasil passa a ser menos de parceria estratégica e mais de potência dominante, sem gentilezas maiores de desenvolvimento acoplado, na medida em que a dependência de produtos primários brasileiros se tornava menor e a disfuncionalidade brasileira passava mesmo a ser vantajosa para alguma apropriação direta chinesa do mercado pátrio, num movimento similar ao feito tradicionalmente pelos Estados Unidos e por outras economias centrais. Antes de associar-se a uma estratégia de desenvolvimento capitalista do Brasil, comprar o país. Em vez de projetar agendas e plataformas comuns, como as dos Brics, tratou-se, de modo mais vantajoso, de canibalizar a economia brasileira, cuja resistência a tanto foi minúscula[34].

Assim, a economia assentada em minérios e no agronegócio não conseguiu sustentar um mercado interno que perdia fôlego e que ainda via sua capacidade industrial arruinar-se desde a década de 1990. O mercado brasileiro é tomado – nos governos Collor e Cardoso com mais força, e nos Lula e Dilma com menos – por uma maior gama de produtos industrializados do exterior. De outro lado, parcelas substanciais da economia nacional e de suas empresas são transferidas diretamente às economias estrangeiras. As privatizações de Collor e Cardoso alteram o eixo decisório da economia brasileira, invertendo um ciclo de autonomia nacional que foi perseguido, de modo geral, pelo arco de governos que ia de Vargas a Geisel. Os governos do PT seguiram um diapasão distinto daquele das privatizações da década de 1990, mas não porque tenham empreendido um sistemático combate às políticas neoliberais[35]. Não houve retomada de estatais

---

[34] "A China aumentou seus investimentos na América Latina. Agora, esse terceiro desenvolvimento é bem significativo. Até recentemente, a China investia na África e em outros lugares em projetos cuja última finalidade seria garantir matérias-primas para suas indústrias domésticas. Com esses novos investimentos em países como o Brasil, a China parece estar desenvolvendo uma nova estratégia de criar algo parecido com seu próprio Plano Global! Ela está direcionando parte de seus fluxos de capitais externos para outros países que não os EUA, em um esforço para estimular a demanda por produtos chineses nesses outros lugares." Yanis Varoufakis, *O minotauro global: a verdadeira origem da crise financeira e o futuro da economia global* (trad. Marcela Werneck, São Paulo, Autonomia Literária, 2016), p. 255. Ver, ainda, Bruno De Conti e Nicholas Blikstad, "Impactos da economia chinesa sobre a brasileira no início do século XXI: o que querem que sejamos e o que queremos ser", em Ricardo Carneiro, Paulo Baltar e Fernando Sarti (orgs.), *Para além da política econômica* (São Paulo, Editora Unesp Digital, 2018), p. 55-90.

[35] "Debaixo do verniz retórico, remetendo a um ideário que outrora pretendeu conciliar capitalismo e nação na periferia, o que se observa na prática é uma política econômica conservadora, que aceita os parâmetros macroeconômicos e o horizonte histórico afirmados pelo neoliberalismo. [...] Assim, a retórica neodesenvolvimentista cumpre um papel ideológico regressivo ao estreitar o debate econômico, restrito à microeconomia, e encurtar o horizonte da discussão política, limitado à conjuntura. Ao reduzir o horizonte da mudança social aos parâmetros aceitos pelo próprio neoliberalismo, a política é encolhida a uma discussão sobre o ritmo e a intensidade do arrocho

privatizadas, não houve modelagem industrializante suficiente. O diapasão próprio, então, consistiu em não ensejar novas privatizações no modelo anteriormente realizado, trocando-as por parcerias e concessões – privatizações de baixa intensidade –, bem como pela indução do crescimento econômico pela via do consumo, o que não propriamente significa o estabelecimento de uma nova plataforma de industrialização ou de infraestrutura, embora tenha havido, de forma residual, tentativas a respeito.

Estancamentos parciais de transferência de domínio da economia brasileira para o exterior representam um dos pontos nodais do conflito que marca a investida estrangeira na crise brasileira da década de 2010. O modelo petista que apostou, ao mesmo tempo, no congelamento das privatizações e na expansão das forças estatais que restaram (Petrobras, bancos públicos, participações na Embraer, desenvolvimento militar) representou um contraponto à intensa captura do mercado brasileiro que vinha ocorrendo desde Collor e Cardoso[36]. É então que um espaço econômico que antes já havia sido espoliado e parcialmente dominado pelo capital se revela atraente às investidas em busca de maior controle. Não se trata de uma nova abertura ao domínio do capital internacional ou de sua associação com frações internas do capital, na medida em que a sustentação autóctone do país se dava com tais flagrantes associações, subordinações e dependências desde o varguismo, passando por Juscelino Kubistchek e pelos militares até as privatizações no tempo da chamada redemocratização. Empresas estrangeiras estavam plenamente arraigadas no país já desde o século XX, o que possibilitava atuar de dentro pela desestabilização do arranjo petista de parcial fechamento à ampliação neoliberal. Em face da crise que explode em 2008, a acumulação de grandes grupos encontrava, no país, um grande mercado a conquistar, caso se vencessem os obstáculos parciais petistas às investidas neoliberais e privatistas. A partir de então, desencadeou-se

---

neoliberal, distinguindo-se somente em aspectos acessórios, como a intensidade das políticas de transferência monetária condicionada emanadas do Banco Mundial; a estratégia para lidar com as pressões sociais; o papel que se atribui ao entorno regional; o *marketing* para consumo interno e externo, entre outros." Fabio Luis Barbosa dos Santos, *Além do PT: a crise da esquerda brasileira em perspectiva latino-americana* (São Paulo, Elefante, 2016), p. 59.

[36] "O segundo governo Lula investiu muito na criação e no fortalecimento dos grandes grupos econômicos nacionais, com programas especiais de crédito e de participação acionária, visando, inclusive, promover o investimento desses grupos no exterior. Tal política acarretou uma redefinição do papel do BNDES: de banco que financiava as privatizações nos governos FHC foi convertido num banco estatal de fomento ao grande capital predominantemente nacional. No ano de 2008, quase todas as vinte maiores empresas brasileiras que atuavam no exterior contavam com participação acionária do BNDES, através da BNDESPAR, ou de fundos de pensão das empresas estatais ou, ainda, com grande aporte de crédito a juros facilitados por aquele banco." Armando Boito Jr., "Governos Lula: a nova burguesia nacional no poder", em Armando Boito Jr. e Andréia Galvão (orgs.), *Política e classes sociais no Brasil dos anos 2000* (São Paulo, Alameda, 2012), p. 81.

uma renhida luta de classes que resultou na remoção dos governos petistas do poder federal brasileiro[37].

Se os governos Lula e Dilma, assentados na fraqueza de uma concórdia fundada em pequenas variações da própria reprodução dos termos do capital e da sociabilidade posta, alteraram os padrões de consumo e mesmo as oportunidades negociais e de ascensão de algumas classes, não foram, porém, capazes de gestar nenhuma mudança substancial no modelo ideológico e de mobilização das massas no Brasil. Desde o chamado escândalo do Mensalão, quem pautou ideologicamente os anos petistas foram setores conservadores e reacionários, que, ao cabo, se revelam em sintonia com os interesses dos grandes capitais financeiros brasileiros e de amplos setores dos capitais internacionais – petroleiras, empreiteiras, indústria aeronáutica etc. Desse plantio de ideologia e de combate ao lulismo aflorou, por fim, uma aberta luta de classes da burguesia contra o povo e aqueles identificados – de modo estereotipado – como seus parceiros ou defensores. O PT governou com e pelo capital brasileiro, mas as classes burguesas e médias passaram a associá-lo aos pobres que nele votaram e a esquerdismo, comunismo e congêneres.

A luta de classes é uma empreitada constante das burguesias do mundo. Como eles comandam a economia, o governo, os meios de comunicação de massa, as religiões e a cultura, tal luta capitalista, via de regra, representa apenas a *manutenção* do mesmo cenário. Em alguns momentos, no entanto, torna-se também *investida*,

---

[37] "O governo Dilma não eliminou os pilares do modelo capitalista neoliberal que impedem a implantação de uma política desenvolvimentista estrito senso, mas, como o seu predecessor, tomou medidas buscando atenuar os efeitos negativos desse modelo sobre o crescimento econômico. De fato, os anos de 2011 e 2012 ficaram marcados, na política econômica e social, por medidas visando, por intermédio da intervenção do Estado na economia, estimular o crescimento econômico – redução da Selic, do *spread*, desvalorização do real, ampliação da política de conteúdo local, isenções fiscais para capital produtivo e outras. O então ministro da Fazenda Guido Mantega resumiu essa nova orientação cunhando a expressão 'nova matriz de política econômica'. Parece-nos possível sustentar a tese de que essa nova matriz representava não apenas uma radicalização da política neodesenvolvimentista, mas também uma alteração no interior dessa política. Era a tentativa de beneficiar o segmento produtivo da grande burguesia interna em detrimento dos interesses do seu segmento bancário. Ou seja, essa política aprofundou um conflito que sempre esteve presente na grande burguesia interna e, ao mesmo tempo, despertou a reação do capital internacional e da fração da burguesia brasileira a ele integrada. Foram essas forças que iniciaram uma ofensiva contra o governo Dilma no início de 2013. As agências internacionais, as agências de avaliação de risco, a imprensa conservadora da Europa e dos EUA, a grande mídia local, os partidos burgueses de oposição ao governo, a alta classe média e algumas das instituições do Estado que abrigam esse segmento social entraram na luta contra a política do ministro da Fazenda. Grande parte dessa luta concentrou-se na denúncia superlativa da inflação e no ataque à corrupção na Petrobras, isto é, tratou de agitar bandeiras que pudessem contar com algum apoio popular." Armando Boito Jr., "A crise política do neodesenvolvimentismo e a instabilidade da democracia", *Crítica Marxista*, Campinas, IFCH-Unicamp, v. 42, 2016, p. 157.

luta ativa, retirando direitos e condições sociais do povo, procedendo a uma depressão da situação relativa da classe trabalhadora e ensejando, assim, uma espécie de acumulação por espoliação, nos dizeres de David Harvey[38]. É o caso do Brasil do estertor dos governos petistas. A natureza dessa investida da luta de classes burguesa é mista: resolve problemas de acumulação de frações do capitalismo central e do capitalismo brasileiro – setores financeiros em especial – e, ainda, reposiciona os termos da distância relativa entre classes, forjando modalidades de ampliação da extração de mais-valor do trabalho assalariado e, mesmo, de supergozo psíquico, pela maior separação e pelo maior contraste na distinção social entre as classes[39].

Tal natureza mista faz com que a luta de classes burguesa na crise brasileira dos anos 2010 seja consolidada tanto pela direção negocial de interesses a partir de frações do capital estrangeiro quanto pela vivificação e mobilização ideológica a partir de frações do capital brasileiro e das classes médias a elas acopladas e consumidoras de seu repertório político imediato[40]. Assim, uma mesma linha orienta a cúpula da Federação das Indústrias do Estado de São Paulo (Fiesp) a lutar por bandeiras neoliberais contra o interesse de industriais nacionais e os gerentes de bancos públicos a bater panelas contra Dilma Rousseff, para depois verem seus financiamentos industriais minguar, seus empregos serem deslocados e suas agências bancárias, fechadas. Trata-se de um amálgama complexo e contraditório, que, desde o início do combate ao modelo petista, nos tempos do Mensalão, passando por sua plenitude a partir de 2013 até chegar ao presente, ainda não conseguiu ser desfeito[41]. Mesmo a baixa das condições sociais gerais até agora não fez corroer o vínculo que amarra as classes médias às classes capitalistas que promovem a alteração

---

[38] Ver David Harvey, *O novo imperialismo* (trad. Adail Ubirajara Sobral, São Paulo, Loyola, 2004).

[39] Ver Alfredo Saad Filho, "A queda de Dilma Rousseff: Uma luta de classes, e a classe deles está ganhando", *Revista Maquiavel* (online), 1º abr. 2016. Disponível em: <https://revistamaquiavel.com.br/a-queda-de-dilma-rousseff-uma-luta-de-classes-e-a-classe-deles-est%C3%A1-ganhando--4d3022543daa>. Acesso em: 1º ago. 2018.

[40] "A burguesia brasileira mantém relações variadas e complexas com o capital internacional. Não há no Brasil uma burguesia nacional anti-imperialista, mas tampouco chegou-se a uma situação na qual todas as empresas capitalistas aqui atuantes seriam empresas estrangeiras ou integradas ao capital internacional. Temos uma fração da burguesia brasileira, a burguesia interna, que, embora não hostilize o capital estrangeiro, concorre com ele, disputando posições na economia nacional e, em menor grau, também na internacional. Os governos do PT representavam essa fração da burguesia apoiados em setores das classes populares e o golpe contra o governo Dilma foi dirigido, justamente, pelo capital internacional e pelo setor da burguesia brasileira a ele associado, contando com o apoio ativo da fração superior da classe média." Armando Boito Jr., *Reforma e crise política no Brasil*, cit., p. 291.

[41] Ver Alfredo Saad Filho, "Avanços, contradições e limites dos governos petistas", *Crítica Marxista*, Campinas, IFCH-Unicamp, v. 42, 2016, p. 171-7; Ricardo Antunes, *O privilégio da servidão: o novo proletariado de serviços na era digital* (São Paulo, Boitempo, 2018), p. 217-87.

imperialista e neoliberal do tempo presente. Esse fenômeno revela que o peso da ideologia se sobrepõe, nos dias que correm, à própria deterioração econômica da vida. Trata-se de arranjo contraditório, que eventualmente há de se repor nos termos de uma inteligibilidade a partir da demanda da materialidade econômica mais crua, mas que ainda revela uma capacidade de liga. As classes médias descem a ladeira acenando e batendo palma a seus amigos capitalistas, que os ignoram e se encontram em altas cidadelas acuadas.

A dinâmica capitalista é feita de modo concorrencial, numa infinidade de relações de competição, lutas, coesões e cálculos não necessariamente congruentes nem eficazes, suficientes ou funcionais. Não há uma inteligibilidade geral do capitalismo a seus agentes. O caso da investida da luta de classes burguesa brasileira é permeado por estratégias, incidentes e reconfigurações que demonstram um processo não consolidado de todo nem plenamente lógico[42]. Revelam-se, em consequência da contradição material de seu arranjo entre capitalistas estrangeiros e nacionais e entre estes e setores das classes médias, disfuncionalidades operacionais, de estratégias e de horizontes. Estratégias de sobrevivência da classe burguesa brasileira passam necessariamente pelo Estado, mas a contradição ideológica dessas classes enfraquece o uso de tais instrumentos políticos. Embora promova o sucateamento do Estado em marcha acelerada, o governo Temer não consegue diminuir sinecuras e favores aos setores legislativos e judiciários. O papel do BNDES tampouco é totalmente aniquilado, em razão de setores burgueses nacionais ainda operantes que se aferram aos bancos públicos para financiamentos[43]. A destruição do colchão social no campo da legislação trabalhista gera e gerará conflitos vultosos. Por fim, a conta da explosão das contradições sociais nas áreas de saúde, educação e segurança pública ainda não foi cobrada. Pelos próximos anos, reclamos pela atuação estatal – que variam entre as políticas do bem-estar para os serviços sociais e o fascismo para a segurança – revelarão a impossibilidade de sustentação

---

[42] "Se o processo político pode seguir o seu curso com razoável autonomia, produzindo resultados inesperados, nada impede que as ações estatais possam, *dependendo da dinâmica da luta política*, gerar impactos desestabilizadores sobre a ordem burguesa. Assim, a disfuncionalidade do Estado para a dominação burguesa não é uma possibilidade lógica, mas prática – e aparece exatamente assim nas análises históricas de Marx –, que deve ser pensada teoricamente. [...] Da mesma maneira que o dezembro de 1851 (o golpe de Estado) não estava inscrito como uma inevitabilidade histórica nos acontecimentos de fevereiro de 1848 (a revolução social), também os efeitos funcionais da ação estatal para o sistema social não podem ser tomados como um pressuposto a ser aplicado à análise do seu papel *ex ante*. A ação estatal deve ser avaliada a partir do seu impacto sobre os agentes políticos e da reação destes a essas ações por meio de lutas que podem inclusive afetar – isto é, limitar, circunscrever, precisar – a reprodução da ordem social." Renato Perissinotto, "Marx e a teoria contemporânea do Estado", em Adriano Codato e Renato Perissinotto, *Marxismo como ciência social* (Curitiba, UFPR, 2011), p. 86-7.

[43] Ver Laura Carvalho, *Valsa brasileira*, cit., p. 130-2.

do amálgama entre a condução econômica pelo capital financeiro internacional e nacional e a deriva social de inspiração ideológica regressista[44]. A contradição da forma-mercadoria e de sua acumulação encontra a contradição na forma política estatal, forjando seus polos determinantes.

Crises ensejam contratendências; algumas das mais imediatas são, de um lado, a própria autonomia relativa da forma política estatal em relação à forma-mercadoria e, de outro, a voluntária ação de resistência das classes, dos grupos, dos setores e dos indivíduos sobre os quais o peso da crise recai mais diretamente. Em ambos os casos, denota-se seu caráter insuficiente, quase sempre apenas reativo às investidas burguesas. No que tange à própria contraposição por dentro da forma política estatal, revela-se a insuficiência da materialidade das instituições políticas diante da dinâmica do valor. Não houve forja institucional bastante para impedir a regressão brasileira na crise. Instituições políticas, posições militares, interesses das empresas estatais, horizontes ideológicos fundantes da sociabilidade e mesmo movimentações artísticas e estéticas não despontaram como freios às investidas presentes. As instituições brasileiras nem sequer foram capazes de sustentar o modelo de desenvolvimento dos anos petistas em seu estertor; pelo contrário, chancelaram, por omissão ou ação deliberada, sua derrocada. Não há um bloco histórico, nos dizeres de Gramsci[45], de contraposição à regressão dos tempos presentes. No que se refere à contratendência dos movimentos sociais ativos, da parte das lutas populares e dos movimentos sociais, também se revelam insuficiências na ideologia, na compreensão, nas táticas e nas estratégias. Ideologicamente, partidos de esquerda e movimentos sociais defendem as instituições estatais, a ampliação da inclusão pelo consumo, a legalidade, a república, a democracia. Têm os instrumentos do inimigo para lutar contra sua tendência de crise, o que revela contradição. As formas de interação social e de relacionamento de partidos, grupos, movimentos e indivíduos pairam entre um extremo de linhas oficiais que centralizam atores e outro de ativismos e *performances* por internet e redes sociais, muitos de fundo narcísico individual e grupal, cujo resultado é falar aos semelhantes. Sentimentos gerais de tristeza,

---

[44] "Ante o nervosismo da insegurança econômica, a polarização política se eleva, fomentada pelo crescimento da massa daqueles que tiveram suas condições de trabalho e vida precarizadas na senda da arbitragem geográfica de salários, impostos e juros pela finança globalizada. [...] Diante da configuração atual do poder global, a esfera pública está acuada nos palácios de governantes impotentes pelos gigantescos monopólios de comunicação, submissa aos poderes da mão invisível da finança, incumbidos de manter sob estrita vigilância os governantes que porventura ousem desafiar os *diktats* facinorosos." Luiz Gonzaga Belluzzo e Gabriel Galípolo, *Manda quem pode, obedece quem tem prejuízo* (São Paulo, Contracorrente, 2017), p. 202-3.

[45] Ver Antonio Gramsci, *Cadernos do cárcere: introdução ao estudo da filosofia*, v. 1, *A filosofia de Benedetto Croce* (trad. Carlos Nelson Coutinho, Rio de Janeiro, Civilização Brasileira, 1999), p. 22 e 250.

apatia e dor se sobrepuseram à visceralidade necessária ao combate à investida das classes burguesas[46]. Os anos petistas não foram capazes de criar mecanismos de resistência nem de luta que pautassem a sociedade. É a voz do neoliberalismo econômico e do fascismo social que dá a agenda contra a qual as valiosas – porque ainda minoritárias e dolorosas – lutas sociais reagem.

A crise de acumulação do capitalismo mundial impõe-se ao quadro brasileiro gerando uma crise econômica e política específica, que se alimenta das próprias insuficiências e contradições da sociabilidade nacional. A crise de acumulação leva a uma exigência à forma política, que se desdobrará em golpe. À derrocada brasileira, quantidades a mais de sangue para a vampirização empreendida pelo capital nacional e internacional. A crise é negócio que abastece a exploração capitalista.

2. Crise brasileira e sobredeterminação jurídica

Tese

A crise brasileira presente tem determinação econômica – com correlata repercussão política – e, por sobredeterminação, o direito. É no campo jurídico que se vem assentando o imediato da decisão institucional e, mesmo, da condução da governança política atual, na medida da proeminência obtida pelo poder judiciário, que sagra procedimentos, criminaliza, prende e protege sujeitos, conhece e desconhece situações e fatos, procrastina e acelera feitos, abala seletivamente partidos, empresas e governos.

A forma da subjetividade jurídica, derivada da forma mercantil, é inexorável à sociabilidade capitalista. A propriedade privada o é por direito. O trabalho é explorado por contrato. Circulam-se todas as coisas e todos os sujeitos mediante vínculos jurídicos. O direito é materialmente erigido a partir da dinâmica do modo de produção capitalista, atravessando e sendo atravessado por todas as relações e situações

---

[46] "O esgotamento da esquerda brasileira depois do colapso do lulismo é algo a ser encarado diretamente. Ele pode aparecer como um momento privilegiado para uma inflexão em direção a práticas políticas mais condizentes com o tamanho das lutas e desafios que temos pela frente. Em um cenário mundial no qual as ilusões das conciliações da democracia liberal foram desfeitas e [...] a política tende a ir para os extremos, cabe à esquerda não temer recuperar sua radicalidade. Para tanto, antes de qualquer discussão a respeito de práticas de governo, faz-se necessária uma análise de psicologia social. Em situações como essa, é fácil percebermos sujeitos e forças políticas em posição melancólica, como se estivessem paralisados pela perda de um objeto do qual parece impossível fazer o luto. [...] Há de se desconfiar dessa desconfiança em relação à nossa força e começar por nos perguntarmos se o medo da perda não seria exatamente aquilo que deveria ser perdido. Há de se recusar toda forma de amparo e de cuidado, afirmar nosso desamparo, um desamparo reativo a toda colonização. Um desamparo que é condição inicial da verdadeira criação, pois é afirmação de um desabamento que nos joga para fora das formas de vida que se impuseram a nós de maneira hegemônica." Vladimir Safatle, *Só mais um esforço* (São Paulo, Três Estrelas, 2017), p. 121 e 123.

sociais disso advindas[47]. O direito não pode nem superar as contradições capitalistas nem lhes dar coerência, uma vez que é a forma social que se levanta do mesmo solo delas. Crises econômicas e políticas capitalistas, quando tocam no direito, não encontram nele um céu de legalidade ideal, cujos termos de uma normatividade olímpica passam a orientá-las no sentido de contenções, correções ou soluções. Em que pesem suas condições particulares, o direito porta as mesmas contradições e antagonismos do substrato social, cultural, político e econômico do capitalismo.

A proeminência do direito, no caso da crise brasileira atual, se levanta como possibilidade de rearticulação do arranjo institucional numa crise de acumulação que não consegue encontrar vazão nem se resolver no sistema político até então estruturado. Para isso, o direito será utilizado a partir tanto de seus usos típicos de exploração e dominação quanto de uma inflexão de seus papéis, corroborando novas articulações institucionais que respondam à crise. A forma jurídica passa a ser exigida em funcionalidades e envergaduras de métricas específicas, para dar conta de servir de elemento de transmissão dos abalos da crise. Quando as contradições do modo de produção capitalista, de seus interesses econômicos e de sua reprodução demandam que o direito seja o condutor de sua resolução, a força, o poder relativo e as idiossincrasias deste passam a modular a crise de modo bastante próprio. O direito sobredetermina a crise tomando proeminência em sua gestação, em seu direcionamento e em sua manutenção. A crise passa a operar também mediante o aparato e os aparelhos de poder eminentemente jurídicos. Mas, como o direito não tem em suas mãos um controle total do processo econômico, político e social, sempre remanescem, em face de tal sobredeterminação, as bases materiais determinantes.

Quando a crise brasileira anela novas modulações da forma jurídica, mais do que resolvê-la, o direito passa a constituir, ele também, essa própria crise. Parte de seu alimento à crise se deve a sua especificidade – cultura jurídica, talhe e poderes institucionais. No fundamental, contudo, o contributo do direito à crise apenas reitera o mesmo sentido geral da sociabilidade. A forma de subjetividade jurídica e suas derivações secundárias – como a legalidade, em conformação com a forma política estatal[48] – portam as mesmas fragilidades políticas e econômicas do capitalismo. Dada sua derivação do capital, e sendo este necessariamente portador de contradição e antagonismo, ocorre o encontro de motores complementares da exploração e da dominação, que tanto causam a crise como pretensamente buscam impulsionar sua resolução. A crise da forma mercantil e da forma política estatal encontra a crise da forma jurídica, em uma confluência de contradições. Mediante

---

[47] Ver Evguiéni B. Pachukanis, *Teoria geral do direito e marxismo*, cit.; Márcio Bilharinho Naves, *Marxismo e direito*, cit.; Alysson Leandro Mascaro, *Introdução ao estudo do direito* (São Paulo, Atlas, 2015).

[48] Ver Alysson Leandro Mascaro, *Estado e forma política*, cit., p. 39-44.

o direito gestar-se-á e conduzir-se-á o golpe – que passa a ser o condensado imediato da realização e da administração do conflito social presente. A forma jurídica é reclamada pela crise.

Bases e sentidos

Crise e direito

A conduzir a crise brasileira contemporânea, o direito. Não se trata de um agente novo nem de uma mudança de sua incumbência, pois o direito modelou a alma política brasileira ao menos desde o Império e a República Velha e é, desde sempre, responsável por garantir a exploração capitalista e a propriedade ao já proprietário, bem como por reprimir os indesejáveis, da escravidão até o atual direito penal. A novidade do direito é sair da administração quotidiana do domínio de classe para ser a ponta de lança da investida da luta de classes burguesa. Para tanto, amplia seu escopo e substitui postos na dianteira do múnus golpista. No que tange ao movimento de expansão, sua natureza decisória em favor do capital e das elites e de perseguição contra o povo se alarga, de modo ainda mais cirúrgico, seletivo e casuístico, contra determinados dirigentes políticos e empresariais. Quanto à substituição de postos, põe-se a conduzir o movimento de câmbio político-econômico-social que, no passado, se concentrava em mãos militares. Se o golpe de 1964 é representado pelo domínio imediato dos militares, o de 2016 tem à testa o direito. Do mesmo modo, o direito foi a retaguarda do golpe de 1964; os militares, a retaguarda do atual.

A chegada do direito à posição de condutor da luta de classes burguesa é um movimento tanto brasileiro quanto mundial, refletindo novos arranjos políticos da dinâmica do capitalismo. Após períodos de projetos econômicos nacionais, o neoliberalismo, desde a década de 1970, empreende a construção de um espaço de movimentação do capital que é efetivamente internacional. A relação entre empresas, especuladores e Estados passa a ser pautada de maneira ainda mais decisiva pelo capital, que até mesmo nomeia diretamente seus funcionários como burocratas do Estado, com destaque para as áreas econômicas dos governos. Com isso, vai-se consolidando uma série de instituições jurídicas uniformes, por ampla soma de países, estabelecendo um *modus operandi* transnacional do interesse burguês. Espaços de soberania nacional são juridicamente perdidos – vide o lançamento de ações da brasileira Petrobras na Bolsa de Valores de Nova York e a aceitação da arbitragem em relação à concessão petrolífera (Lei n. 9.478/1997, art. 43, X), no período de Cardoso[49]. Normatizações e institutos estrangeiros são insculpidos no

---

[49] Ver Gilberto Bercovici, *Direito econômico do petróleo e dos recursos minerais* (São Paulo, Quartier Latin, 2011), p. 254 e 258.

direito pátrio, a exemplo das agências reguladoras, ao largo ou pelo alto de políticas ministeriais e governamentais. O espaço de mobilidade internacional do capital encontra, assim, direitos nacionais pasteurizados e tendentes a uma crescente uniformidade de suas normas, procedimentos e decisões – aquilo que, no conjunto, tem sido chamado de marco regulatório –, o que inviabiliza graus de afirmação política autônoma – e até soberana, no sentido mais estritamente jurídico – dos Estados nacionais. Tais alterações chegam mesmo ao nível da troca de institutos dentro do modelo jurídico geral dos países periféricos, ao arrepio da logicidade. A partir dos Estados Unidos, há pressões para a alteração de alguns institutos de *civil law* pelos da *common law*. Países como o Brasil, cuja tradição jurídica multissecular de direito legislado é portuguesa e europeia continental, passam a ser atravessados por novas lógicas advindas da cultura jurídica estadunidense, compondo quadros de desarranjo sistemático[50].

Além disso, aumentam intercâmbios entre agentes jurídicos e policiais de variados países, centralizados nos Estados Unidos. Torna-se corriqueira a formação de magistrados, promotores, procuradores e policiais no exterior, participando de cursos, congressos e eventos nos quais recebem orientações jurídicas daqueles a que o velho direito brasileiro chamava, de modo racista e colonizado, de "povos civilizados". Além desse aprendizado jurídico estrangeiro, são estabelecidas também bases comuns de informações e operações policiais e judiciais pelas quais se tornam possíveis um sistema penal internacional e a desarticulação de estratégias empresariais nacionais, além da moldagem de institutos de direito pátrios favoráveis ao capital que se movimenta pelo mundo. Nesse complexo, a base de formação e atuação do direito brasileiro sofre consideráveis erosões, girando a partir de eixos e horizontes jurídicos estrangeiros[51]. Membros de operações como a assim chamada Lava Jato se orgulham de um convívio próximo com agentes e órgãos públicos dos EUA – até mesmo de sua simbiose com o Federal Bureau of Investigation (FBI).

Tal quadro reflete um mesmo padrão de constituição, em vários países ao redor do mundo, de setores de classe média ligados a suas burocracias estatais e aos quadros administrativos das empresas multinacionais, partilhando práticas e ideologia,

---

[50] Ver Lenio Luiz Streck, "Por que *commonlistas* brasileiros querem proibir juízes de interpretar?", *Consultor Jurídico*, 22 set. 2016. Disponível em: <www.conjur.com.br/2016-set-22/senso-incomum-commonlistas-brasileiros-proibir-juizes-interpretar>. Acesso em: 1º ago. 2018.
[51] "Parte desse processo é destacar a atuação dos organismos internacionais, atuantes no sentido de incrementar esse movimento e eliminar as barreiras possíveis. Esses organismos internacionais agem no sentido de criar em cada Estado o ambiente propício à atuação do capital estrangeiro, eliminando restrições locais, quer sob o ponto de vista institucional, quer como é a nossa hipótese de interesse, em relação ao sistema legal." Sérgio Rocha, "Neoliberalismo e Poder Judiciário", em Jacinto N. M. Coutinho e Martonio Mont'Alverne Barreto Lima (orgs.), *Diálogos constitucionais: direito, neoliberalismo e desenvolvimento em países periféricos* (Rio de Janeiro, Renovar, 2006), p. 499.

tendo o inglês como língua franca e o modelo de interesses e instituições estadunidenses como paradigma. Tanto no nível de CEOs, diretores, supervisores e gerentes quanto no de juízes, promotores, delegados e policiais há uma movimentação internacional que uniformiza práticas, interesses, estratégias e costumes, gestando uma classe gerencial das empresas e do Estado pouco afeita a questões como interesse nacional ou identidades com a terra de origem e suas gentes. Trata-se de um padrão não apenas moral, mas em princípio e sobretudo de modelo de perfazimento do próprio trabalho de tais setores, dependentes de capitais internacionais, e de inserção na lógica empresarial e burocrática pasteurizada e determinada por culturas de recursos humanos, carreira, resultados etc.[52]. Escritórios de advocacia internacionalizados demonstram tal fenômeno, na medida em que servem diretamente, no território nacional de países como o Brasil, às demandas e aos interesses de empresas estrangeiras, fazendo com que haja uma massa nativa de trabalhadores da advocacia voltada plenamente ao interesse do capital externo[53].

A forma jurídica, derivada da forma mercantil, sofre um processo de constrição mundial, tal qual mundialmente a mercadoria circula e se garante mediante formas uniformizadas. A plataforma de tais mudanças no capitalismo contemporâneo é a do pós-fordismo, com alterações no regime de acumulação e no modo de regulação que redundam no neoliberalismo. A partir dessa inflexão do capitalismo contemporâneo, o campo jurídico recebe investidas de monta para se juntar a tais novas dinâmicas, num processo que já se pode ver, ao menos, desde as agendas para conduzir os judiciários de variados países a uma plataforma de reformas que unificasse suas práticas e domasse seus ímpetos nacionalistas ou mesmo progressistas[54].

---

[52] "O surgimento de uma classe capitalista e empresarial internacional – composta pelos funcionários das empresas, pelo pessoal dos aparelhos estatais e por organizações transnacionais, mas também por cientistas e representantes das organizações não governamentais existentes – representa um aspecto importante da internacionalização do Estado. [...] A internacionalização do capital apresenta-se também no plano social com a constituição de uma 'classe empresarial internacional', ligada para além das fronteiras nacionais e interagindo globalmente, porém, tal como antes, permeada por fracionamentos – e não apenas os nacional-estatais. Esse desenvolvimento reflete-se na universalização de valores culturais, formas de expressão e de comportamento 'americanos', e é reforçado pela posição do sistema estadunidense de formação, fortemente apoiado na cooptação científica e cultural de quadros dirigentes políticos e empresariais." Joachim Hirsch, *Teoria materialista do Estado*, cit., p. 178 e 224.

[53] Ver Antoin Abou Khalil, *Crítica da ética na advocacia* (Curitiba, Prismas, no prelo).

[54] Veja-se, por exemplo, esta leitura da reforma judiciária do ponto de vista dos mercados: "Um bom Judiciário contribui para o desenvolvimento econômico ao proteger a propriedade intelectual, encorajando dessa maneira as atividades de P&D [pesquisa e desenvolvimento] e facilitando a importação de tecnologia de ponta. Igualmente importante, reduz os custos de transação e, como consequência, estimula os agentes econômicos a empreenderem negócios mais dispersos e em maior quantidade. Isso, por sua vez, conduz à maior difusão de conhecimento sobre tecnologias de produção, gerência, finanças e *marketing*. Um Judiciário disfuncional aumenta o custo e o risco

Na década de 1990, no bojo do Consenso de Washington, o "Documento técnico 319" do Banco Mundial consolida uma agenda específica para esse campo. O objetivo declarado do Banco Mundial é o de refundar as relações dos judiciários com a sociedade e com os Estados, alterando seus papéis e os submetendo a reclames de transparência, controle externo, padronização, temporalização, custo, eficiência, resultado e, em especial, segurança jurídica a partir do eixo do interesse negocial privado. A partir desse documento referencial até a atualidade, a realidade jurídica de países como o Brasil se viu atravessada por efetivas alterações, como no caso da instituição do Conselho Nacional de Justiça (CNJ)[55].

A articulação orientada para a homogeneização internacional e para a captura do poder judiciário e dos agentes jurídicos resulta, nos anos neoliberais, na constituição de uma massa de burocratas de elite, por muitos países do mundo, partilhando do horizonte ideológico do capitalismo neoliberal e das crenças morais, de ordem e de mérito decorrentes. Esse fenômeno, no entanto, se faz com acoplamentos e conflitos variados com a base jurídica já assentada em cada país. No Brasil, o poder judiciário historicamente se firma como cortes, compreendendo-se como estamento superior, de molde oligárquico em suas práticas, seu sistema de arregimentação de membros, seu talhe comportamental e decisório. A constituição de uma classe jurídica homogeneizada a partir de parâmetros de eficiência em favor do capital – respaldo a contratos e à propriedade privada e segurança jurídica – não altera substancialmente o quadro ideológico e político já assentado do campo judiciário do Brasil, desde sempre orientado ao capital e em benefício das classes dominantes nacionais. No que tange a mudanças, de um lado faz perder a noção majestática da cultura jurídica e de seu afazer, agora assentados na submissão a métricas de eficiência quanto a prazos, cruzamento de informações, trabalho operacional em conjunto etc. Tal processo tira o poder judiciário e o mundo jurídico –

---

das transações econômicas, distorcendo os preços e a alocação de recursos. Em razão de contar apenas com precários mecanismos judiciais para garantir o cumprimento dos contratos, as firmas podem fazer as seguintes opções: não entrar em negócios contratualmente complexos, combinar fatores de produção, distribuir suas vendas entre os diferentes mercados de forma ineficiente ou, ainda, manter recursos ociosos. Ao lado disso, as firmas têm um incentivo a se integrar verticalmente, desempenhando internamente atividades que poderiam ser processadas de forma mais eficiente por outras empresas. A eficiência econômica também é prejudicada pela necessidade de se alocar recursos escassos para administrar conflitos. Disputas judiciais longas e frequentes consomem o tempo dos juízes, dos advogados e das partes. Os agentes econômicos também despendem recursos para se manter atualizados em relação à legislação usualmente mais complexa que procura substituir um Judiciário eficiente." Armando Castelar Pinheiro, "Conclusões", em *Judiciário e economia no Brasil* (Rio de Janeiro, Centro Edelstein, 2009), p. 113.

[55] Ver Leticia Galan Garducci, *O Conselho Nacional de Justiça a partir do modo de regulação brasileiro no pós-fordismo: uma análise à luz da teoria da derivação* (Dissertação de mestrado em Direito Político e Econômico, São Paulo, Universidade Presbiteriana Mackenzie, 2014).

ministérios públicos, advocacia – da condição de estamento de saber hermético, em troca da uniformização de seu trabalho, cujos parâmetros tornam-se similares aos da administração de empresas. Uma dada noção de segurança jurídica passa a ser o horizonte de controle sobre os juristas[56]. De outro lado, essa transformação da classe jurídica reposiciona os termos do próprio poder efetivo de magistrados, promotores e policiais. Casos como o da Operação Lava Jato alteram a projeção do impacto decisório de alguns juízes, membros do Ministério Público e policiais federais. Trata-se de uma mudança de grau do poder do mundo jurídico: antes, decidia a vida dos desgraçados de sempre de uma sociedade exploratória e dominadora, no caso, pobres, negros, periféricos, aqueles sem acesso às articulações sociais com os dominantes; agora, decide também contra membros selecionados e indesejados do mundo político e contra empresas nacionais e estatais contrárias a uma dinâmica geral do interesse de frações do capital que dá as bases a partir das quais determinam sua prática e seu horizonte de mundo. Somando-se à força material do poder do mundo jurídico e judiciário advindo de uma sociabilidade pós-fordista, a própria Constituição Federal de 1988 servira já de pavimento para tal caminhada, com o empoderamento específico das competências formais de tais setores[57].

Persistem, na alteração parcial do perfil do mundo jurídico brasileiro nos tempos pós-fordistas, suas posições de privilégio; entendendo-se como estamentos, os judiciários e os ministérios públicos propugnam altos rendimentos salariais e sinecuras que os distinguem da massa trabalhadora do país e mesmo dos demais servidores públicos. Com isso, reiteram-se diferenças e impermeabilidades a reclames como os de entender sua sorte como similar às dos demais na sociedade e mesmo a progressismos políticos ou a visões críticas a respeito do direito e da sociedade. De outro lado, a máquina jurídica e judiciária se torna ainda mais seletiva pelo tipo específico de agente que arregimenta. Estabelecendo como parâmetro de ingresso não a experiência nem a sabedoria jurídica, mas uma medição a partir da absorção de conhecimentos decorativa e bastante tecnicista, exige candidatos que consigam alienar-se da vida produtiva e cultural por anos, estudando em cursinhos especializados ou em apostilas de agrupamento de macetes técnicos – criando mesmo um ambiente

---

[56] Ver Alex Antonio Mascaro, *Segurança jurídica e coisa julgada: sobre cidadania e processo* (São Paulo, Quartier Latin, 2010); Alysson Leandro Mascaro, "Para uma teoria geral da segurança jurídica", *Revista Brasileira de Estudos Constitucionais*, Belo Horizonte, Fórum, v. 9, 2015, p. 791-810; idem, "O contexto sociológico da segurança jurídica e da discricionariedade judicial", *Revista Acadêmica da Emag*, São Paulo, TRF3, v. 3, 2011, p. 13-35.

[57] Ver Alysson Leandro Mascaro, *Crítica da legalidade e do direito brasileiro* (São Paulo, Quartier Latin, 2008), p. 163-216. Em outras perspectivas, Antoine Garapon, *O juiz e a democracia* (trad. Maria Luiza de Carvalho, Rio de Janeiro, Revan, 1999); Luiz Werneck Viana et al., *A judicialização da política e das relações sociais no Brasil* (Rio de Janeiro, Revan, 1999); idem, *Corpo e alma da magistratura brasileira* (3. ed., Rio de Janeiro, Revan, 2003).

próprio de sociabilidade e de referências de vida, o dos concurseiros –, de tal sorte que, em tal clivagem, tanto afasta os que não têm condição econômica de proceder a tal preparação exclusivista quanto, também, impede que em tais anos de preparação os candidatos possam reunir formação pessoal, política e cultural suficiente ou pujante. Muitos ingressantes nas carreiras jurídicas de ponta são advindos de famílias de classes econômicas mais abastadas, e a maior parte deles tem apenas o saber jurídico técnico como guia de horizonte de vida. Sua formação pessoal se dá pelo horizonte ideológico médio que forma o senso comum, ainda que seja a franja do senso comum das elites econômicas do país[58].

Nesse sentido, há uma divergência em relação à antiga formação jurídica brasileira. No passado, o estamento jurídico, de corte profundamente bacharelesco, beletrista, adornava-se de uma cultura geral hermética e que se afirmava a partir de sua diferença para com o restante da cultura da sociedade. O latim, os brocardos, as vestimentas e os protocolos de interação social tornavam os sucessores de Rui Barbosa um grupo distinto daqueles da política e da economia burguesa. Era um último resquício de aristocracia absolutista em solo brasileiro. No presente, há uma noção de unidade corporativa do mundo jurídico para o recebimento de favores e privilégios e de manutenção de seu poder decisório inconteste, e, mesmo, uma maior exposição e uma maior apropriação do poder condutor dos destinos sociais; em contrapartida, perde-se a noção de estamento intelectual ou comportamental. O direito tanto veste toga para manter privilégios estamentais quanto terno e gravata para se alinhar ao capital, como agente de classe. A eficiência e a parametrização neoliberais deixam de lado a erudição gongórica e vazia do velho mundo jurídico para, em seu lugar, assentar um tecnicismo árido reputado profissional, sem maiores sofisticações intelectuais ou estéticas[59]. O gosto médio de um magistrado se encontra com o de um médico, um dentista, um engenheiro. Sua constituição subjetiva e mesmo sua articulação social passam a ser não mais a de um grupo estamental, como o foram o velho mundo jurídico ou o clero, mas a de uma classe econômica, partilhando do modelo de vida, dos padrões valorativos e das estratégias de sociabilidade da classe média alta.

Desse modo, penetra imediatamente na intelecção de mundo do jurista brasileiro contemporâneo a ideologia produzida, mantida e bombardeada pelos aparelhos ideológicos. Não se trata de classe politizada, com parâmetros sólidos de compreensão dos mecanismos de sociabilidade do capitalismo, tampouco infensa

---

[58] Ver Alysson Leandro Mascaro, "Sobre a educação jurídica", em João Virgílio Tagliavini e João Luiz Ribeiro Santos (orgs.), *Educação jurídica em questão: desafios e perspectivas a partir das avaliações* (São Carlos/São Paulo, OAB/SP, 2013), p. 31-60.

[59] Ver José Manoel de Aguiar Barros, *O partido dos justos: a politização da justiça* (Porto Alegre, Sergio Fabris, 2002).

às investidas de valores médios espargidos por rádios, televisões, jornais e internet. Ao contrário, o saber técnico acerca de normas jurídicas se complementa sem maiores esgarçamentos com a visão média de programas de auditório e policialescos, jornais televisivos e mensagens de internet que reproduzem a mesma ordem de valor do capital: mérito dos ricos, beleza dos brancos, felicidade como consumo, bem contra o mal, ordem contra a baderna. Tal formação média é sempre uma antessala de fascismos e gera um estado de certezas que dá aos burocratas do direito uma plena força decisória, pois sua decisão é sempre reclamada e felicitada: seu horizonte de julgamento é o mesmo dos setores medianos da própria sociedade. Tanto a televisão quanto o juiz reconhecem os bandidos de sempre e há aplausos de um para o outro quando a decisão é contra o indesejado e em favor dos bons. Quando o mundo jurídico deixa de ter o horizonte cultural do estamento de lombada de livros dourados para ser classe econômica – média alta e orientada ao consumo, às viagens e à ostentação –, os aparelhos ideológicos dos meios de comunicação de massa passam a orientar sua informação e seu direcionamento imediato no que diz respeito à política, aos valores, à eticidade e à moral. E, em uma correia de transmissão ainda mais estendida e conjugada, também se estabelece por fim uma associação comissiva entre os agentes policiais, dos ministérios públicos e das magistraturas com os meios de comunicação de massa, de maneira que, enquanto ecoam notícias em desfavor de réus e em louvor de acusadores e julgadores, lançam-se silêncios, luzes e edições em conformidade com os interesses em jogo[60].

Certo conservadorismo é a marca do estamento jurídico brasileiro. Da Colônia ao Império e por boa parte da República – em que pesem as diferenças entre as cortes judiciárias monárquicas e as das épocas republicanas –, sua característica é a de uma distinção ao estilo nobiliárquico, responsável pela histórica impermeabilidade do direito a pleitos progressistas. O câmbio pós-fordista, ao passo que parametriza e uniformiza as práticas judiciais, em benefício da segurança jurídica capitalista, abre a sensibilidade jurídica a um guia externo à fantasia de impenetrabilidade e de legalidade olímpica que antes propalava. Esse guia, no entanto, é a imperiosidade do combate à corrupção, do "virar a página" do país, do lado "do bem", ou seja, da máquina de produção ideológica do próprio capital. Tal mudança exacerba o poder efetivo e discricionário dos agentes do direito, em particular contra governos ditos de esquerda ou de divergência em relação a frações da ordem econômica mundial. Os juristas passam a ser sustentados por amplos setores do capital brasileiro,

---

[60] Ver Giane Ambrósio Alvares et al., *Brasil em fúria: democracia, política e direito* (Belo Horizonte, Casa do Direito, 2017); Pedro Estevam Alves Pinto Serrano, *A justiça na sociedade do espetáculo: reflexões públicas sobre direito, política e cidadania* (São Paulo, Alameda, 2015); Marcus Alan Gomes, *Mídia e sistema penal: as distorções da criminalização nos meios de comunicação* (Rio de Janeiro, Revan, 2015).

da classe média e dos setores de produção da ideologia em solo nacional. Pouco espaço há para contraposições de protesto contra o amálgama advindo do exato emparelhamento entre poder jurídico, interesse econômico do capital e narrativa ideológica de meios de comunicação de massa altamente monopolizados. Com base nessa estrutura de constituição, formação, perfazimento e ideologização, tal como os detentores das armas em 1964 – que, sem poder usá-las, desferiram um golpe militar –, era impossível que os operadores do direito não levassem adiante o presente golpe.

Filosofia do direito e ideologia jurídica

As crises no capitalismo têm por determinante último o próprio processo de acumulação – o nível econômico, seus interesses e suas estratégias –, mas passam, inexoravelmente, pelos plexos do Estado e do direito. Estes, como formas sociais, derivam da forma-valor e são necessários a sua reprodução. Com isso, as crises não são apenas falhas unilaterais ou desdobramentos lógicos: portam contradições e lutas. Crises são disfunções plenas, raramente havidas apenas em âmbito estritamente político ou jurídico, na medida em que envolvem também campos como valores e ideologia. São perpassadas por investidas e resistências, tendo por base a própria determinação econômica. No entanto, nessa totalidade, alguns aparatos servem de elemento de condensação das fragilidades ou dos ataques que levam a colapsos. Nos dizeres leninistas, são os elos frágeis da corrente. A crise brasileira presente tem no direito o ponto central da condensação de suas lutas e mobilizações. Claro está que a fragilidade brasileira é toda econômica, política e até ideológica. Mas, nela, o direito se apresenta como cavalo de batalha que articula e orienta o espaço de ataque da investida da luta das frações de classes burguesas no presente momento. Disso decorre que o atual golpe é determinado economicamente e sobredeterminado juridicamente.

No Brasil, setores progressistas variados, aglutinados sob a liderança do principal partido de esquerda do país nas últimas décadas, o PT, são responsáveis diretos por sustentar a proeminência do direito no cenário político atual. Ao se afastar de uma crítica radical do capitalismo e de suas instituições derivadas e inexoráveis, o campo de esquerda do Brasil se tornou refém de – e passando mesmo a liderar – uma ideologia plenamente capitalista institucionalista, ainda que pretensamente reformista progressista. Desde os primórdios do PT, a democracia, o republicanismo e a legalidade são seus esquemas políticos e valorativos fundantes. Afastando horizontes marxistas de suas leituras e suas estratégias, o PT se embrenhou, então, na dinâmica da acumulação e nas instituições políticas que lhe são características, haurindo disso sua própria inteligibilidade. Igual destino passou a ter a maior parte dos movimentos sociais que gravitam em torno do petismo. O aplauso ao republicanismo, à democracia, às instituições e ao direito fez com o que o PT não pudesse se furtar a se submeter a seus algozes perante o altar que louvou e ao qual foi arrastado para expiação.

Tal incompreensão sobre o direito e a política é histórica, muito típica e reiterada entre as lutas progressistas e de esquerda. Trata-se do domínio da ideologia jurídica no entendimento das estratégias de transformação social. Desde Menger, cujas posições foram notavelmente combatidas por Engels e Kautsky no célebre *Socialismo jurídico*[61], há uma esperança de que o direito possa ser neutro ou, pelo menos, instrumental, à disposição também das classes trabalhadoras para instaurar suas plataformas de conquistas e avanço social. Tal ideologia jurídica – também chamada de ideologia de juristas – perpassou todo o século XX, denunciando a experiência soviética pelas razões errôneas, acusando-a de desrespeito a direitos, quando, na realidade, dever-se-ia tratar de lutar por um avanço para além dos direitos, transferindo poder do Estado para o povo, o que é distinto da juridicização do domínio estatal na sociedade. Nas sociedades capitalistas, a ideologia jurídica é responsável por ilusões reformistas; de canalização de lutas para que não eclodam, de tal sorte que deságuem em políticas públicas e por elas sejam administradas; de respeito aos poderes judiciários como guardiões das democracias[62] etc.

Subjacente a todo esse quadro está a compreensão filosófica do direito. Trata-se da arena decisiva a partir da qual se trava a luta política da Idade Contemporânea. O campo jurídico é elevado a ideologia fundante da sociabilidade capitalista pois ter, transacionar e explorar o trabalho por modo assalariado só são possíveis porque passam pelos vínculos do direito. A subjetividade jurídica é o outro lado do próprio sujeito no capitalismo[63]. Pensar-se como sujeito de direito, portador de direitos subjetivos, livre e igual na esfera jurídica, é extrair o imediato da condição pela qual se constituem socialmente os indivíduos[64]. Fazer o direito ser compreendido como eixo necessário da sociabilidade, afirmando suas bases e ao mesmo tempo apagando o entendimento de sua natureza intrinsecamente capitalista – reforçando o *ubi societas, ibi jus* contra seu caráter histórico e especificamente burguês –, é o movimento constante de manutenção da ideologia determinante do próprio modo de produção

---

[61] Ver Friedrich Engels e Karl Kautsky, *O socialismo jurídico*, cit.; Adriano de Assis Ferreira, *Questão de classes: direito, Estado e capitalismo em Menger, Stutchka e Pachukanis* (São Paulo, Alfa-Ômega, 2009).

[62] Ver Márcio Bilharinho Naves, "A democracia e seu não lugar", *Ideias*, Campinas, IFCH-Unicamp, v. 1 (nova série), 2010, p. 61-9; idem, "Os silêncios da ideologia constitucional", *Revista de Sociologia e Política*, Curitiba, UFPR, v. 6-7, 1996, p. 167-71.

[63] Ver Nicole-Édith Thévenin, "Ideologia jurídica e ideologia burguesa (ideologia e práticas artísticas)", cit.

[64] Ver Celso Naoto Kashiura Jr., *Sujeito de direito e capitalismo* (São Paulo, Outras Expressões/Dobra, 2014).

capitalista. Assim, as lutas transformadoras não podem deixar de lado nem apenas tangenciar a crítica ao direito e à ideologia jurídica. O golpe de 2016 é um dos frutos dessa ignorância. A luta atual só se pode retificar com base num acurado avanço para a incorporação de uma filosofia crítica ao direito.

Proponho em minhas obras, particularmente em *Filosofia do direito*, que a compreensão contemporânea da filosofia do direito se estrutura por três caminhos[65]. O primeiro deles, o dos juspositivismos. O segundo, o dos não juspositivismos. O terceiro, o das filosofias do direito críticas. A primeira das leituras é errônea e falseada. A segunda, relativamente verdadeira, embora incompleta e frágil de proveitos. A terceira, alcançando então a determinação específica e a materialidade do direito, fornece os subsídios científicos para que se possa compreender seu papel na sociabilidade capitalista. Com base nesse quadro, podem-se perceber a limitação e a tragédia do pensamento político e jurídico juspositivista das esquerdas brasileiras, que são aqui um caso da própria esquerda mundial, ressalvadas raras exceções.

Os juspositivismos dominam a formação teórica dos juristas pelo mundo. Minha proposição é a de que a Idade Contemporânea conhece, em seu decorrer histórico, três modalidades de pensamento juspositivista: o eclético, que toma o direito positivo como herdeiro ou canalizador de valores que lhe são prévios, sobretudo no século XIX; o estrito, que se reduz à consideração do direito como normatividade estatal posta, posição que floresce no século XX; o "ético", que considera o direito, por sua forma, portador de valores de democracia e dignidade humana, leitura dita inovadora que adentra o século XXI[66]. A atual configuração do pensamento jurídico brasileiro é majoritariamente distribuída entre esses três eixos internos dos juspositivismos, de tal sorte que juízes, promotores e advogados se veem ou como técnicos guardiões da moral (juspositivismo eclético), ou como técnicos neutros, a serviço de uma ciência necessária (juspositivismo estrito), ou como agentes políticos cuja prática é investida de qualidades sociais efetivamente superiores (juspositivismo ético). Aquilo que o juspositivista Habermas chama de virtudes jurídicas intrínsecas ao espaço público, o vulgo jurídico no Brasil hodierno chama de "o bem", contrário "ao mal". No todo, trata-se de uma leitura ideológica e errônea: o direito é forma específica de articulação de sociabilidade decorrente da exploração do trabalho de modo assalariado e da circulação mercantil, estrutura de dominação social. Considerar tal fenômeno social como técnica, neutralidade, ciência, ética ou valor é apenas afirmação ideológica em favor da exploração e da dominação.

Leituras jusfilosóficas não juspositivistas se identificam não por uma perspectiva comum acerca do direito e da política, mas por variadas proposições de que o

---

[65] Ver Alysson Leandro Mascaro, *Filosofia do direito* (6. ed., São Paulo, Atlas, 2018), p. 310-9.
[66] Ibidem, p. 320-72.

direito não se encerra em quadrantes institucionais estatais nem pode ser pensado como técnica científica nos moldes de normas postas. Afastando as ideologias liberais e éticas do campo jurídico, desnuda-se, então, a manifestação de poder como núcleo do direito. O fenômeno jurídico passa a ser pensado de modo existencial, a partir de sua natureza decisória, hermenêutica, casuística, de força e poder. Desde Nietzsche até Heidegger, de Schmitt a Gadamer e a Villey, são múltiplas as leituras que apontam para uma fenomenologia do direito para além da normatividade. Não há que se falar, aqui, de um direito ideal – normativo ou legalista –, mas de uma juridicidade efetiva, plantada no solo do poder, do preconceito, da decisão soberana. Somam-se ainda a tal campo, embora partilhando de vertente filosófica própria, pensamentos como o de Foucault. O direito se perfaz por uma rede microfísica de poder e de decisões, inescrutáveis a uma pretensa legalidade estatal controladora e imparcial, gestando, por meio de suas práticas, hierarquias relacionais e sociais. Tais visões não juspositivistas, por mais distintas entre si e ainda que insuficientes, já possibilitam compreender o direito de modo mais apropriado, a partir do poder, da dominação, da luta[67]. Raramente a política de esquerda, fincada nas instituições e no respeito à tecnicidade da democracia e do republicanismo (liberal, portanto, ainda que se repute progressista), consegue alcançar tais parâmetros de realidade e trabalhar a partir deles. Partidos e grupos de direita – do Partido Republicano nos Estados Unidos aos fascistas brasileiros que hoje emulam Bolsonaro – pensam de modo não juspositivista: a efetividade do poder passa por sobre qualquer pretensa legalidade; a direita ainda denuncia algumas insuficiências da democracia liberal e eleitoral. Quando a esquerda é juspositivista e a direita, não juspositivista, ocorre que aquela porta um discurso falseado sobre a política, enquanto esta repõe seus termos no chão de uma verdade, ainda que parcial ou horrenda. Algo da inclinação atual de eleitores de muitos países pela direita advém dessa aproximação à crua verdade do poder, castigando a democracia idealizada e falsa de uma esquerda que acaba por ser, ao fim, mistificadora.

Somente o conjunto de leituras jusfilosóficas críticas, assentadas nas descobertas científicas de Marx, dá conta de entender o direito como fenômeno social específico, cuja forma social, derivada da forma-mercadoria, é necessária para a própria estruturação das relações de compra e venda da força de trabalho, garantindo, por meio do vínculo contratual, a exploração e a apropriação privada. Stutchka, já no albor da Revolução Soviética, antecipava que o direito exprime a luta de classes, jamais uma tecnicidade imparcial ou à igual disposição de todas as classes. No entanto, foi Pachukanis quem alcançou a compreensão da forma social do direito como forma de subjetividade jurídica. Toda a realidade jurídica, então, é capitalista. Não

---

[67] Ibidem, p. 373-447.

apenas o domínio direto pela classe burguesa torna o direito burguês. A própria existência da forma jurídica constitui a sociabilidade capitalista: por direito, o capital é do capitalista e não dos trabalhadores; e o são também por direito a prisão e a segregação dos indesejados; tudo o que circula só se o faz mediante deveres e obrigações. O mundo da mercadoria é jurídico; a equivalência a tudo preside. Não há outro direito que não o capitalista. Outras sociedades tiveram e terão outras formas de regulação, que podem até denominar-se direito, mas não são uma forma social de subjetividade jurídica. Nenhum modo de produção que não o capitalista regula seus vínculos intersubjetivos pela forma do direito. Nessa chave, então, fundam-se as leituras críticas do direito[68].

O combate à leitura científica, plena e radical do direito, que somente o marxismo logrou alcançar, começa já no mundo soviético, quando Stálin e Vychínski se opõem às ideias jurídicas de Pachukanis, resgatando, ao cabo, um normativismo juspositivista que foi a tônica soviética pela maior parte de sua existência. Ao mesmo tempo, por todo o mundo, a estratégia do capital para sua reprodução é apenas aceitar as lutas políticas de oposição quando estas se encontrarem aclimatadas no solo da aceitação das instituições estatais e jurídicas postas[69]. De tal modo, as esquerdas do mundo, à exceção de momentos revolucionários, operam sob as formas da sociabilidade burguesa: forma de subjetividade jurídica e forma política estatal. Em assim o fazendo, toda a reprodução política da dominação de classe está garantida.

Em *Estado e forma política*, insisto na ideia de que o Estado só pode ser compreendido a partir de sua historicidade e sua especificidade. É preciso ultrapassar a noção do Estado como mera arena política de forças em disputa. É verdade que ele se apresenta imediatamente assim, mas sua forma de arraigamento social é, em si, uma forma capitalista. Assim, o Estado não é burguês apenas quando seus governantes e seus burocratas são burgueses ou governam em favor destes. Ele é burguês pela forma. Um poder político terceiro aos agentes da sociedade em interação somente se estabelece quando a exploração de classe capitalista se assenta. O capital não é mais garantido pelo capitalista, e sim pelo aparato terceiro, estatal, que, *manu militari*, sustenta uma ordem de dominação em favor da valorização do valor e da reprodução dos termos da acumulação. Todas as conquistas e as múltiplas variantes políticas dentro dos Estados contemporâneos são modalidades possíveis de sociabilização capitalista. Ditaduras e democracias, continuidades legais e golpes, exploração contratual e espoliação, em todos esses termos há a dinâmica do capital[70].

---

[68] Ibidem, p. 448-606.
[69] Ver Bernard Edelman, *A legalização da classe operária* (trad. Marcus Orione, São Paulo, Boitempo, 2016).
[70] Ver Alysson Leandro Mascaro, *Estado e forma política*, cit., caps. 1-3.

O capitalismo é o problema nodal do campo político. O Estado e o direito, como formas sociais, são elementos centrais da dominação especificamente burguesa. Disso decorre que as lutas sociais, quando se aferram ao republicanismo, ao respeito às leis e às sentenças, à liberdade de opinião da burguesia, à democracia, não conseguem outra coisa a não ser subsumir-se aos termos da própria reprodução capitalista, ficando à mercê de suas crises inexoráveis e de suas estratégias tanto de manutenção quanto de fratura da ordem burguesa. Lutar no campo das instituições, sob argumento de ainda não haver outro, não deve ser, então, louvar o espaço onde se pisa, mas buscar agir para rompê-lo radicalmente. Para tanto, é preciso uma ciência da transformação social, que só pode ser fundada se se superar a ideologia jurídica.

A crise da forma-mercadoria e da valorização do valor, tragando junto a si a crise da forma política estatal no Brasil, encontra uma afirmação da forma jurídica e da ideologia jurídica como substrato tanto das forças governantes e judiciais usurpadoras quanto das usurpadas. Da Lava Jato ao PT, há preitos de respeito ao direito. Nisso está o cerne do golpe sobredeterminado juridicamente no Brasil atual. A forma social, então, não tem contratendência a sua crise. As modulações da forma jurídica para o câmbio político e a resolução da exploração econômica farão o direito da ideologia da legalidade ser o direito da prática do golpe.

Conclusão – Estratégias em balanço

O atual golpe, com o fracasso de mais uma estratégia politicamente indutora do capitalismo brasileiro, é tanto sintoma de uma insuficiência própria das posições estatal e burguesa do país nos âmbitos interno e internacional e no arranjo de suas frações burguesas quanto uma específica homogeneização de possibilidades e interdições, funcionalidades, disfunções e repressões da acumulação em modos de regulação capitalistas pós-fordistas.

No que tange à falência de mais um projeto de afirmação nacional, revela-se a posição-chave das massas como garantidoras dos processos de transformação social. Exatamente sua desmobilização e o descuido com sua formação ideológica – do que resulta sua constituição sob moldes conservadores e reacionários – implicam a queda do único bastião que garante solidez a movimentos de mudança dos padrões econômicos e políticos. Contra o capital, contra as armas e contra os aparelhos ideológicos, somente as massas, por sua imensidão e pela condição de classe trabalhadora, produtora da vida social, podem servir de contraponto transformador. Abandoná-las e não as formar politicamente é decretar o fracasso de qualquer ação superadora das condições da sociabilidade presente. Os reiterados golpes a governos e políticas progressistas pelo mundo são indício de que uma ação revolucionária é sempre a guarda e a *ultima ratio* de qualquer câmbio social duradouro.

Afirmo que a conjunção entre forma mercantil e forma política estatal, no caso brasileiro, resulta em um arranjo de insuficiência para o pleno desenvolvimento capitalista e em uma contradição para as estratégias de transformação socialista. Quanto à segunda dessas possibilidades – a contradição das formas –, rejeito com veemência que se tenha visto, no panorama brasileiro do petismo, algo que pudesse se inscrever como luta socialista. Em relação à primeira dessas possibilidades de arranjo – a insuficiência das formas –, não seria de todo impossível que um modelo progressista capitalista, liderado pelo Estado, viesse a se assentar no país. Nesse caso, a mudança seria de posição relativa do Brasil no quadro do capitalismo internacional, portando suas contradições a outro patamar. Fases da economia nacional pelos séculos XX e XXI demonstraram a fresta de tal hipótese, uma vez que seus desmontes quase nunca foram naturais, mas mediante oposição e golpe. Ocorre que essa constante baixa capacidade de resiliência em face de investidas contrárias é que leva a compreender a demanda por uma envergadura política maior que as engendradas até agora na história do país. O golpe contra o modelo de desenvolvimento capitalista liderado pelo Partido dos Trabalhadores representa a fragilidade e a insuficiência das estratégias de acomodação entre classes e frações e do mecanismo estatal de indução econômica do capitalismo nacional. Tal quadro, cujas dificuldades, em que pesem seus particulares, repetem algo de outro modelo – o de Vargas, Juscelino e Jango –, demonstra que a ausência de um amálgama entre Estado, classes, instituições políticas, meios de comunicação de massa, ideologia e cultura nacional impede a formulação de substratos capazes de perenizar políticas. Estas, quando despontam, são rapidamente combatidas por setores conservadores e concorrenciais afetados, nacionais e internacionais. Uma estratégia nacional capitalista progressista só poderia surgir com um amálgama muito distinto entre Estado, setores burgueses, classes médias e classes trabalhadoras, meios de comunicação de massa, campos jurídicos e militares. Sua âncora são as massas. Para esse bloco histórico, é necessário forjar outro grau de interesses, visões de mundo, sociabilidade. Até hoje, no Brasil, os modelos tentados não alcançaram tal dimensão; demonstraram-se insuficientes.

O capitalismo porta crises, e suas disfuncionalidades ganham configuração específica com o regime de acumulação e o modo de regulação pós-fordistas, de cariz neoliberal. Revelam-se aqui, ainda mais precisamente, as dificuldades dos projetos capitalistas nacionais em se sustentar de modo progressista. O enfraquecimento relativo das decisões políticas estatais diante dos movimentos dos mercados, o agravamento das misérias sociais, do perecimento do bem-estar social e a majoração das repressões demonstram, ao cabo, que se o modelo de capitalismo de consumo inclusivo ou desenvolvimentista postulado pelas ditas esquerdas nos governos estabelecidos é uma hipótese, combatida sempre por seus opositores, ela deve ser tomada, acima de tudo e então, como a realidade de uma hipótese político-econômico-jurídica e seu correlato e inexorável bloqueio. Isso significa que os planos de indução ao capitalismo não se podem esgotar nas instituições, nas competências estatais, nos mandatos e na democracia como se firma. O bloqueio e a reação, gerando a crise, são seus corolários imediatos. A forma vagueia, então, entre os fios da navalha da insuficiência e da contradição.

No quadro presente da modulação das formas sociais, a demanda por um bloco histórico e por uma racionalidade dos agentes sociais em favor de um capitalismo progressista tem pouca possibilidade de prosperar perante as estratégias efetivas de acumulação e regulação social se isso se toma como promissor receituário estatal para a situação de queda moral ou imperícia das lutas até aqui postas. A crise capitalista não exsurge apenas de uma reiteração de estratégias falhas, o que geraria a esperança de que uma acertasse imperiosamente, de tal sorte que se diga que o remédio da indução política ao capital é bom. É na tentativa de ingeri-lo que sempre se erra. Da Rússia ao Brasil, dos países árabes à América Latina, as décadas neoliberais têm feito escombros por meio de perseguições a quaisquer lógicas políticas autônomas. É até possível que, virtualmente, algumas tentativas não venham a falhar, mas a fraqueza é o próprio sintoma das estruturas históricas presentes. Muito mais que eventuais estratégias de governabilidade por sobre o capital, ainda, e mais uma vez, é o capitalismo que está em xeque.

Vive-se, ao fim e ao cabo, exatamente uma crise que é do capitalismo. Não se busque idealmente o mecanismo político, jurídico ou social de sua recuperação ou salvação: o capitalismo é a crise. Vive-se hoje no Brasil um golpe. Não se busque oniricamente o restabelecimento da ordem jurídica. O republicanismo, a legalidade e a democracia não são golpeados só de quando em quando: o Estado e o direito são o golpe. São a forma social pela qual o povo não toma o poder nem a condução de seus afazeres produtivos e suas possibilidades econômicas diretamente nas mãos. Vive-se um reacionarismo de valores e de sociabilidade. Não se busque pontuar o retrocesso apenas para que o futuro venha a aprender melhor com o passado. Pouco há de educação diretamente na empiria da dor; o que foi, o que é e o que será são contados por uma máquina de aparelhos ideológicos, nas mãos do poder do capital. Tomem-se os aparelhos e se os transformem, e não simplesmente se lhes peça que no futuro reconheçam seu erro e nosso acerto. Há cem anos, a sociabilidade já poderia ser outra. No entanto, não há linearidade nem teleologia no devir social. O futuro ou contará nosso tempo como derrocada à barbárie e ao fascismo, ou louvará as lágrimas do presente como germe que impulsionou a saída do horror capitalista e a chegada a uma humanidade socialista, isso se cambiarmos as formas de sociabilidade. O presente vive mais uma das dolorosas crises da longa travessia da história: o capitalismo é uma reprodução imperfeita, mas onde há falha há luta.

2. Sobre o golpe

Golpe: bases teóricas

Compreendem-se golpes como mudanças bruscas no controle, na estruturação, no funcionamento ou na dinâmica do campo político e social ou no arranjo relativo de poder entre classes, frações, grupos, corporações, instituições ou indivíduos, advindas de causas comissivas. Via de regra, são gestados e desferidos no Estado ou a partir dele, de tal sorte que sua expressão mais típica é "golpe de Estado". É verdade que o golpe de Estado concentra o núcleo da tipologia, ao manejar e alterar alguns dos dispositivos fulcrais da sociabilidade capitalista, pois a forma social estatal aglutina, como elemento terceiro aos agentes da produção, a institucionalização e a violência dita legítima da política. No entanto, é errôneo considerar o golpe de Estado a única manifestação desse modelo de disrupção ou câmbio social, ou, ainda, considerar que os golpes de Estado não são, também, consolidações de fenômenos mais amplos que seus próprios eventos políticos distintivos.

Golpes sociais não são necessariamente golpes de Estado porque a relação entre classes, suas frações, seus grupos e indivíduos se baseia em concorrências, acoplamentos, coesões, conflitos, antagonismos, instituições e estruturas que podem ser golpeados socialmente: fomentos de crises, especulações, espoliações, locautes sistemáticos, violências variadas. Mas, ainda que comportem ou se iniciem de tais fenômenos paraestatais, golpes passam por repercussões na dinâmica estatal. Nesses casos nos quais são forjados ao largo do Estado, implicam reações e redundam em mudanças no campo da política institucionalizada. Por isso o golpe de Estado é a figura típica dos golpes. Tomando-se por outro ângulo, no mais das vezes golpes não se esgotam em golpes de Estado, mesmo quando desencadeados no seio das próprias rupturas de mandatos, instituições e controle do aparato estatal. Eles repercutem na sociedade. O Estado é forma política da sociabilidade do capital; as mudanças naquele representam movimentações deste ou para este.

Em um quadro de crise característica do capitalismo – modo de produção que se organiza a partir da exploração e da dominação –, conflitos, antagonismos, lutas e insuficiências da reprodução social geram constantes ensejos e fluxos de mudanças que não encontram guarida em formas, instituições e representações já estabelecidas. Os golpes são um dos modelos possíveis de reconfiguração da dinâmica social capitalista. Sua posição está entre o extremo comissivo da alteração social revolucionária e as quase sempre omissivas ou tendenciais situações de crise e colapso[1].

Os três caminhos da filosofia do direito contemporânea[2] são também três modelos de compreensão quanto ao conceito de golpe. Proponho que a escala de capacidade de entendimento e articulação das determinações sociais pela filosofia do direito revela a limitação ou a abrangência das visões a respeito. Na primeira das leituras, juspositivista, o golpe é considerado fundamentalmente uma quebra do ordenamento jurídico. A pertença ao arcabouço normativo, ou a ruptura com ele, é o critério pelo qual se aferiria a existência de uma situação golpista. Na segunda das leituras, não juspositivista, o direito é pensado a partir de relações efetivas de poder, para além da normatividade jurídica. O golpe é, nesse caso, uma mudança na forja estrutural do poder ou no balanço relativo entre as forças no poder. Na terceira e mais elevada das leituras, crítica, marxista, o golpe é pensado no todo estruturado das relações sociais capitalistas: o direito é tomado a partir da especificidade da forma da subjetividade jurídica, derivada da forma-mercadoria, e o Estado, a partir também de sua condição de forma política específica do capital. Como direito e

---

[1] Sobre a conceituação de golpe, ver Álvaro Bianchi, "O que é um golpe de Estado?", *Blog Junho*, 26 mar. 2016. Disponível em: <http://blogjunho.com.br/o-que-e-um-golpe-de-estado/>. Acesso em: 1º ago. 2018. Ver também Danilo Enrico Martuscelli, "O golpe de Estado como fenômeno indissociável dos conflitos de classe", *Demarcaciones: Revista Latinoamericana de Estudios Althusserianos*, Santiago, v. 6, 2018, p. 1-15; Camilo Onoda Caldas, *Teoria geral do Estado* (São Paulo, Ideias & Letras, 2018), p. 119-22. Acerca das definições tradicionais de golpe, Curzio Malaparte discorre: "O problema da conquista e da defesa do Estado não é um problema político, mas técnico, a arte de defender o Estado é regulada pelos mesmos princípios que regulam a arte de conquistá-lo, e as circunstâncias favoráveis a um golpe de Estado não são necessariamente de natureza política e social e não dependem das condições gerais do país". Em *Técnica do golpe de Estado* (Mem Martins, Europa-América, 1984), p. 163. Ver, ainda, Gabriel Naudé, *Considérations politiques sur les coups d'État* (Caen, ERA-CNRS, 1989); Karl Marx, *O 18 de brumário de Luís Bonaparte* (trad. Nélio Schneider, São Paulo, Boitempo, 2011, Coleção Marx-Engels); François Saint-Bonnet, "Technique juridique du coup d'État", em Frédéric Bluche (org.), *Le prince, le peuple et le droit. Autour des plébiscites de 1851 et 1852* (Paris, PUF, 2000), p. 123-60; Edward Luttwak, *Golpe de Estado: um manual prático* (Rio de Janeiro, Paz e Terra, 1991); Mário Ferreira e Roberto Numeriano, *O que é golpe de Estado?* (São Paulo, Brasiliense, 1998).

[2] Ver Alysson Leandro Mascaro, *Filosofia do direito*, cit., p. 310 e seg.

Estado são formas sociais determinadas pela forma-mercadoria, tal mirada crítica marxista identifica, então, golpes como câmbios advindos da resolução das lutas e das contradições na reprodução social capitalista, concorrencial e conflituosa no que diz respeito à relação entre classes, frações de classe, grupos e indivíduos. Tomando-se os modos de produção como métrica, golpes podem ser pensados, nesse caso, como mudanças políticas e sociais de grau menor que uma alteração social revolucionária – cuja mudança profunda substitui as formas e as estruturas do capitalismo –, sendo, no entanto, maiores que meros câmbios possíveis ou frequentes dentro das próprias instituições já dadas ou das dinâmicas recorrentes da sociabilidade.

Pelo juspositivismo, golpe é ruptura normativa ou institucional. O juízo a seu respeito é legalista[3] – ou mesmo, em algumas de suas franjas, moralista. Pelo não juspositivismo, é alteração brusca do poder. O juízo a seu respeito é político, decisionista, estratégico[4]. Pelo marxismo, é a alteração de padrões sociais que, em última instância, repercutem ou são determinados pelas dinâmicas do capital. Seu juízo – em que pese poder e dever conter análises legalistas ou políticas – é da materialidade das relações sociais, de suas forças em disputa, orientadas para a acumulação e a exploração, numa totalidade estruturada[5]. A reprodução social capitalista entra em cena. Aqui, o núcleo do golpe deixa de ser o Estado e passa a ser o capital, ainda que representado, em sua ação golpista, pela classe, por suas frações ou por seus agentes.

Em tais chaves distintas de leitura sobre o direito e a política, variam a identificação e a abrangência do conceito de golpe. Não juspositivismos e marxismos se aproximam quando da análise do golpe para além de critérios jurídicos, de tal

---

[3] "A norma funciona como esquema de interpretação. Por outras palavras: o juízo em que se enuncia que um ato de conduta humana constitui um ato jurídico (ou antijurídico) é o resultado de uma interpretação específica, a saber, de uma interpretação normativa." Hans Kelsen, *Teoria pura do direito* (Coimbra, Armênio Amado, 1984), p. 20.

[4] "O caso de conflito extremo só pode ser resolvido pelos próprios envolvidos entre si; isto é, cada um deles só pode decidir ele próprio se o caráter diferente do desconhecido significa, no existente caso concreto de conflito, a negação do próprio tipo de existência e, por isso, se será repelido ou combatido a fim de resguardar o tipo de vida próprio e ôntico." Carl Schmitt, *O conceito do político / Teoria do Partisan* (Belo Horizonte, Del Rey, 2008), p. 28.

[5] "A sociedade de classes não é apenas um mercado no qual se encontram os possuidores de mercadorias, mas é, ao mesmo tempo, a arena de uma feroz guerra de classes, na qual o aparato do Estado é uma arma poderosa. [...] O Estado como fator de força tanto na política interna quanto na externa foi a correção que a burguesia se viu obrigada a fazer em sua teoria e prática do 'Estado de direito'. Quanto mais a dominação burguesa for ameaçada, mais comprometedoras se mostrarão essas correções e mais rapidamente o 'Estado de direito' se converterá em sombra incorpórea até que, por fim, o agravamento excepcional da luta de classes force a burguesia a deixar completamente de lado a máscara do Estado de direito e a revelar a essência do poder como a violência organizada de uma classe sobre as outras." Evguiéni B. Pachukanis, *Teoria geral do direito e marxismo*, cit., p. 151.

sorte que ambos se reúnem numa mesma distinção – relacional/material – em face de avaliações juspositivistas – normativas. Nítidos golpes que se travestem de legalidade com algumas pífias solenidades – como aquelas do teatro institucional dos primeiros dias de abril de 1964 no Brasil – resistem por algum tempo a ser considerados golpes por alguns parâmetros juspositivistas. Já outras rupturas da legalidade flagrantes, decorrentes de meros câmbios imediatos das figuras ou das normas que dominam a testa política do Estado, são considerados, pelas leituras juspositivistas, gravíssimos golpes, mas, tomados numa chave de entendimento mais estrutural do poder e das relações econômicas e materiais da sociedade, são mais bem representados como golpes palacianos, autogolpes, quarteladas, sedições etc. A mesma diversidade de identificações se dá em fenômenos aproximados ao de golpe – ainda que tomados por ângulos no mais das vezes distintos –, como os de revolução, insurreição, motim, rebelião e subversão. As chaves de leitura juspositivistas costumam distinguir-se, para erigir tais acepções, daquelas não juspositivistas e marxistas, de métricas do poder ou das estruturas e determinantes sociais materiais.

Golpe brasileiro e validação normativa

Embora leituras juspositivistas tendam a ser politicamente conservadoras e leituras marxistas se alinhem a um posicionamento político crítico, as três chaves de visão filosófica do direito, do Estado e da sociabilidade contemporânea permitem compreender a situação de golpe do caso brasileiro atual a partir de variados diapasões em torno de sua existência, natureza e sentido. Não se há de dizer que uma leitura juspositivista não habilitaria o entendimento do quadro atual como golpe e somente uma leitura crítica assim o ensejaria. O emparelhamento entre considerações teóricas e posicionamentos jurídicos e políticos não é imediato. Há até setores que, mesmo se arrogando posições progressistas, tendem a diminuir o peso das mudanças do presente sob argumentos comparativos – sua diferença em relação a 1964, por exemplo. De outro lado, leituras que se poderiam considerar conservadoras ou meramente liberais até podem ver o hodierno caso golpista como uma investida central contra a legalidade – tendo em vista argumentos como o de uma espécie de ditadura do judiciário.

Mesmo que todas as leituras contenham variadas possibilidades de conclusão sobre a situação de golpe presente, seu talhe revela suas premissas e suas preocupações. Visões não juspositivistas e críticas se inclinam a compreendê-lo como mudança forçada de poder e de correlação institucional, de classes e grupos, enquanto os prismas juspositivistas, adstritos ao manejo da legalidade, tendem a adotar considerações restritas acerca do fenômeno político brasileiro atual, a partir das instituições e de seu funcionamento, se respaldados em competência normativa para tanto. Por perspectivas não juspositivistas e marxistas, o *impeachment* de 2016 estabelece um câmbio brusco de governantes, políticas e interesses de frações de classes. Passado pouco mais de um ano da eleição que conduziu Dilma Rousseff ao segundo mandato, todo o Executivo, a partir da Presidência da República, põe-se a ditar um horizonte distinto – derrotado nas urnas de 2014 –, simbolizado pela *Ponte para o futuro*, de neoliberalismo ainda mais pronunciado e regressista.

Quanto a leituras juspositivistas, que não enxergam câmbios políticos nem golpes de frações de classes, é preciso investigar suas limitações e suas próprias contradições, na medida em que, até sob seus próprios prismas, não restam incólumes as invalidades quanto a processos e casos como o do *impeachment* de Rousseff ou o da dita Operação Lava Jato. Muito da parcial avaliação juspositivista sobre a inexistência de uma quadra golpista na realidade brasileira atual se lastreia na própria dualidade do conceito de validade das normas e dos atos jurídicos. Pela tradição da teoria geral do direito, elevada a paradigma no pensamento de Hans Kelsen na *Teoria pura do direito*, a validade jurídica é um conceito relacional e dependente de duas facetas de apreciação: a formal e a material. Não se podem analisar as normas jurídicas e os atos jurídicos com base em suas próprias virtudes; a validade é relacional, dependente de normas hierarquicamente superiores que lhe deem guarida[6]. Assim, o arcabouço jurídico é necessariamente invocado para dar ao Congresso Nacional a competência para mover o processo de *impeachment*. O ordenamento jurídico servirá, ainda, de norte interpretativo sobre a natureza de atos como aqueles da presidenta da República aos quais se imputaram crime de responsabilidade – denominados vulgarmente "pedaladas fiscais". O *impeachment* só foi votado e gerou efeitos porque se escorou nas bases de tais imputações de crime político.

Uma leitura juspositivista altamente parcial considerará válidas a votação do *impeachment* e a subsequente deposição de Dilma Rousseff porque os trâmites foram cumpridos, e as competências, respeitadas. Trata-se de uma análise da validade desse processo apenas pelo ângulo formal: ressalta-se a competência formal do Congresso Nacional para tanto. O respaldo normativo constitucional à abertura e à tramitação do processo de *impeachment* pelo Congresso Nacional, sob comando, no julgamento no Senado Federal, do presidente do Supremo Tribunal Federal (STF), investe sua autoridade. Por isso os que não aceitam tratar o *impeachment* como golpe parlamentar arguirem a validade formal do processo.

Ocorre que a validade, como conceito relacional, é dupla em seu necessário respaldo em normas jurídicas que lhe sejam hierarquicamente superiores ou balizadoras. De um lado, há a validade formal, que assegura a competência e a autoridade.

---

[6] "O fundamento de validade de uma norma apenas pode ser a validade de uma outra norma. Uma norma que representa o fundamento de validade de uma outra norma é figurativamente designada como norma superior, por confronto com uma norma que é, em relação a ela, a norma inferior." Hans Kelsen, *Teoria pura do direito*, cit., p. 267.

De outro, há a validade material, que chancela a subsunção normativa ao conteúdo e ao mérito do que se julga ou analisa[7]. Nos termos desta última acepção, trata-se do respaldo factual ou objetal ao alegado crime de responsabilidade que enseja a deposição presidencial. As acusações de desrespeito à Lei Orçamentária e à Lei de Improbidade Administrativa, que motivaram a denúncia por crime de responsabilidade recebida pela Câmara dos Deputados e julgada pelo Senado Federal, têm escopo bastante vago. As chamadas "pedaladas fiscais" são de nula ou baixíssima tipificação no ordenamento jurídico brasileiro. A acusação criminal imputada não se subsume a um tipo penal claro. É verdade que o *impeachment* tem por base não apenas matéria penal, mas também política; ainda assim, não se trata de critério aberto. Na Constituição Federal de 1988, em seu artigo 85, estipula-se um conjunto de crimes de responsabilidade: contra a Constituição e outras hipóteses previstas expressamente nos incisos desse mesmo artigo. Combinando-se o artigo 85 da Constituição Federal com a Lei n. 1.079/1950, depreende-se o caráter comissivo – doloso – do crime de responsabilidade passível de julgamento de *impeachment*, afastando-se a omissão ou a culpa[8].

Mesmo que o julgamento do crime de responsabilidade não esteja atrelado à tipologia penal, ele não pode desconhecê-la como parâmetro geral do juízo político para essa situação. Em se tratando especificamente de direito penal, não é possível que se proceda a argumentação extensiva ou ampliadora. Os crimes não podem ser construídos com base em aproveitamentos de frestas penais em situações distintas. Já como princípio que remonta ao Iluminismo, o campo penal não admite a criminalização daquilo que não esteja cominado. Ainda, também em termos de organização sistemática do direito, a acusação de crime de responsabilidade contra Dilma Rousseff não encontra correlação sistemática com outros casos que se situem no mesmo grau de existência fática e que tenham merecido semelhante julgamento; a construção do crime e do remédio de grau impactante exigiria o mesmo a todas as demais condutas dos agentes políticos nacionais, fato esse inexistente e mesmo de impensável aplicação[9]. A validade do crime de pedalada fiscal, em uma interpretação sistemática, é desprovida de qualquer fundamento.

Pelo sistema escalonado e hierarquizado de controle das normas e dos atos jurídicos – conforme proposto por Kelsen e de algum modo símile ao arranjo das

---

[7] Ver Alysson Leandro Mascaro, *Introdução ao estudo do direito*, cit., p. 136.
[8] Ver Gilberto Bercovici, *Parecer à defesa de Dilma Rousseff* (São Paulo, 2016, *mimeo*); idem, "O golpe do *impeachment*", *Caros Amigos*, São Paulo, ano XIX, n. 229, abr. 2016; Marcelo Campos Galuppo, *Impeachment: o que é, como se processa e por que se faz* (Belo Horizonte, D'Plácido, 2016).
[9] Ver José Augusto Fontoura Costa, "Onde os fracos têm vez", *Carta Maior*, 19 abr. 2016. Disponível em: <www.cartamaior.com.br/?/Editoria/Politica/Onde-os-fracos-tem-vez/4/35992>. Acesso em: 1º ago. 2018.

instituições da maioria dos Estados contemporâneos, como o Brasil –, deposita-se no tribunal hierarquicamente máximo a palavra final quanto à validade. Nos dizeres vulgares, o tribunal constitucional seria o guardião da Constituição. Por tal viés, então, ainda que flagrantes a inexistência ou a desproporção sistemática na interpretação do crime que dá base ao processo, o STF, ao se pronunciar sobre a propriedade normativa do julgamento, respaldaria a validade do *impeachment*. Tal procedimento, que, quando ocorrer, deverá julgar o mérito do crime imputado, levaria a chancelar, sob o manto de juridicidade plena, a situação do golpe[10]. E, se o STF assim proceder, e as visões juspositivistas considerarem então o *impeachment* respaldado, restarão apenas provadas a insuficiência e a miséria das leituras jurídicas juspositivistas.

O mesmo cotejamento de validade formal e material, aplicado às considerações sobre o *impeachment*, pode ser aplicado aos campos das investigações da Polícia Federal, do Ministério Público e do poder judiciário em casos como o do chamado Mensalão e o da Operação Lava Jato[11]. A validade de seus atos, perquisições e julgamentos, quase sempre considerada a partir das competências estabelecidas pelo ordenamento jurídico, do mesmo modo deve ser visualizada a partir do mérito dos fatos com os quais trabalha, e na consideração de tal mérito também está envolvida a sistematicidade da tipificação e da subsunção para outros casos similares. Em tais casos, tanto a validade formal quanto a validade material do desenrolar jurídico em torno do processo político atual são bastante contestáveis. A consolidação de uma competência altamente ampliada da justiça federal de primeira instância de Curitiba, a reiteração de condenações por teses de domínio dos fatos, o abalo político de divulgação de conversas telefônicas sigilosas entre Rousseff e Lula, a rapidez peculiar dos julgamentos e, ainda, a grande seletividade das investigações e condenações, tudo isso constitui um conjunto de fatos a demonstrar tanto a invalidade formal quanto a material de boa parte de tais operações. Além disso, a noção de golpe jurídico fica ainda mais pronunciada, no campo do próprio direito positivo, quando se olha a sistematicidade das condenações. A seletividade é sua marca patente[12].

---

[10] Ver Alexandre Bahia, Diogo Bacha e Silva e Marcelo Andrade Cattoni de Oliveira, *O impeachment e o Supremo Tribunal Federal: história e teoria constitucional brasileira* (Florianópolis, Empório do Direito, 2016); Wanderlei Guilherme dos Santos, "Grande dúvida constitucional de que o Supremo fugirá", em Carol Proner et al. (orgs.), *A resistência ao golpe de 2016* (Bauru, Praxis, 2016), p. 414-5.

[11] Ver Nilo Batista, *Crítica do Mensalão* (Rio de Janeiro, Revan, 2015); Paulo Moreira Leite, *A outra história do Mensalão: as contradições de um julgamento político* (São Paulo, Geração, 2013).

[12] Ver Cristiano Zanin Martins, Valeska Teixeira Zanin Martins e Rafael Valim (orgs.), *O caso Lula: a luta pela afirmação dos direitos fundamentais no Brasil* (São Paulo, Contracorrente, 2017); Rafael

Quanto às implicações jurídicas da aplicação do conceito de golpe à situação presente, sua mais sensível extração se dá na esfera da possível invalidade dos atos praticados sob sua égide. Aqui se explicita o cerne do incômodo. Caso haja definição assentada de que o momento presente de fato representa golpe, é possível vislumbrar a reversão de atos judiciais e policiais que foram causa e se aproveitaram de tal ensejo; assim também o é no que tange aos atos do poder executivo, cujos condutores, ao se considerar a existência de um golpe, passam a ser tomados por usurpadores. Possíveis crimes ainda aí se subsumiriam.

Num caso muito específico, tal disputa sobre o golpe se revela mais factível de obter impactos: o das privatizações em curso e, consequentemente, da invalidade dos atos governamentais que as sustentam. A entrega de patrimônio nacional – como os exemplos da Petrobras, dos campos de pré-sal, da Eletrobras e da Embraer – apresenta táticas e modelos de vínculo negocial que, se tomados em termos como os do direito privado, demonstram, incontornavelmente, vícios do negócio jurídico que dariam causa a sua nulidade contratual. Competências fragilmente validadas para dispor do patrimônio, vendas a preço vil, destruição de padrões de garantia do interesse nacional, tudo isso permite vislumbrar que uma efetiva aceitação jurídica do momento presente como golpe geraria, necessariamente, algum grau de reversão do quadro de capitalismo de choque dos últimos anos[13].

Valim, "O caso Lula e o fracasso da Justiça brasileira", em Luiz Inácio Lula da Silva, *A verdade vencerá: o povo sabe por que me condenam* (São Paulo, Boitempo, 2018), p. 177-84.

[13] "O que está ocorrendo com a Petrobras e outros ativos estatais estratégicos (fala-se até na privatização dos Correios, de satélites, concessões de lavra mineral em terras indígenas ou de fronteira etc.) pode, portanto, ser equiparado ao crime de receptação. Afinal, um bem público foi subtraído do patrimônio público de forma ilegal, sem licitação, e vendido a preço vil, no caso 20% do valor de mercado. A empresa compradora obviamente sabe que está adquirindo um ativo valiosíssimo por 20% do preço e sem concorrência pública. Ou seja, não há nenhum terceiro de boa-fé envolvido nesse tipo de negócio. [...] Há regras e argumentos mais do que suficientes para apoiar, com clareza, a tese de que tais 'investimentos' não são mais do que aventuras sabidamente à margem da ética e do direito. Há, para tanto, apoio tanto no ordenamento brasileiro quanto nos padrões internacionais de proteção de investimentos. A rigor, as posições jurídicas não podem ser transferidas nessas condições, as operações não são válidas nem podem ser eficientes. Por conseguinte, a nacionalização de tais ativos não pode ser equiparada a qualquer forma de desapropriação, expropriação ou confisco. Não se pode tirar algo de quem não é possuidor, dono ou titular. A exploração de recursos nacionais e outros benefícios abocanhados ao arrepio da lei está longe de ter fundamento jurídico. É de natureza precária e ilegítima. É também injusta. Consequentemente, não há nenhum dever do Estado de indenizar de maneira pronta e eficaz, a partir do valor de mercado anterior ao anúncio da desapropriação. Há, se tanto, a pretensão a receber os valores escriturais efetivamente pagos, de modo a evitar que o Estado se beneficie de vantagens ilegítimas. De tais montantes, por óbvio, é perfeitamente razoável abater quaisquer lucros que o possuidor ilegítimo tenha auferido." Gilberto Bercovici e José Augusto Fontoura Costa, "Os aproveitadores, os entreguistas e a receptação internacional", *Conversa Afiada*, 8 maio 2017. Disponível em:

Golpe brasileiro e luta pelo sentido

O mesmo processo que forjou o golpe brasileiro atual desencadeia, também, uma disputa de narrativas acerca de sua natureza. Os setores que o produziram, e que detêm a primazia do controle da informação nos meios de comunicação de massa, logrando modular todo o processo de crise política e *impeachment* e sustentando pautas sociais reativas[14], conseguem gestar um bloco de opiniões contrárias à leitura da existência de um golpe no caso presente – e tal linha condutora segue por perseguições de órgãos estatais contra afirmações políticas ou cursos universitários que apresentem tal nome, ameaças de cerceamento à própria mandatária máxima deposta por propagar o conceito de golpe no exterior etc. Mesmo assim, a noção de golpe depende menos da autodeclaração dos agentes e das instituições que o produziram que de uma decantação histórica a seu respeito, realizada de modo científico. Ainda que as opiniões públicas sobre a existência do golpe sejam fundamentalmente manejadas pelos meios de comunicação de massa, também estes serão, em algum momento, mais um dos objetos centrais de análise para uma ciência social e histórica sobre o golpe que, propriamente, seus controladores[15].

Uma acirrada disputa acerca da existência ou não de um golpe no momento brasileiro presente se deve não a preciosismos ou a caprichos classificatórios na ciência política, mas ao fato de que o reconhecimento de uma situação golpista repercute diretamente nos planos jurídico e político. No âmbito da estrita implicação jurídica está um de seus efeitos centrais – pois, em caso afirmativo, ensejar-se-iam medidas de reversão de atos como os de privatização em curso. Mas a disputa contra o golpe se dá ainda em outro campo: aquele que gera, a partir do conceito, referências políticas de combate, permitindo situar num plano de imediata inteligibilidade histórica o momento presente; o golpe gera o desmonte dos direitos trabalhistas e sociais, amplia o neoliberalismo, majora processos de machismo, racismo, homofobia, transfobia e perseguição a comunidades indígenas e quilombolas, aniquila juridicamente ações eleitorais das esquerdas. O dizer sobre o golpe unifica, então, inteligibilidades e forças sociais para resistência e combate. Nesse caso, afirmar o golpe é construir uma linha mestra para as narrativas e o sentido das lutas atuais. Então, a história não

---

<www.conversaafiada.com.br/economia/nao-compre-nada-do-parente-vai-ser-tudo-renacionalizado>. Acesso em: 1º ago. 2018.

[14] Ver Luis Felipe Miguel, "Da 'doutrinação marxista' à 'ideologia de gênero' – Escola sem partido e as leis da mordaça no parlamento brasileiro", *Direito e Práxis*, Rio de Janeiro, Uerj, v. 7, n. 15, 2016, p. 590-21.

[15] Ver Flávia Biroli e Luis Felipe Miguel, *Notícias em disputa: mídia, democracia e formação de preferências no Brasil* (São Paulo, Contexto, 2017); Bianchi Agostini Gobbo, José Eduardo Pimentel Filho e Max Gonçalves (orgs.), *O poder da mídia no Brasil: (re)editando outras verdades* (Rio de Janeiro, Lamparina, 2016).

apenas interferiria no golpe *a posteriori*. Escrever a história enquanto ela acontece reforça possibilidades de luta no presente[16].

O embate entre classes, frações, grupos e movimentos políticos e sociais se dá também, e inexoravelmente, a partir de grandes eixos de compreensão da história e de seu fluxo. Em tal delineamento, marcam-se eras, afastam-se, rechaçam-se, defendem-se e propõem-se ideais, bandeiras, conceitos e posições específicos, ocorrem continuidades e rupturas, ganhos, resistências, perdas, hecatombes e vitórias. Portanto a disputa do sentido amplo dos atos políticos é central para as lutas de classes e grupos. A força ou o enfraquecimento da investida de classe burguesa no Brasil atual se alimenta, em alguma medida, da opinião sobre as virtudes de agentes como os magistrados e procuradores paranaenses, sobre os vícios da esquerda, sobre a ameaça comunista e, em especial, sobre a dita legitimidade ou normalidade de todo o desenrolar dos fatos políticos e jurídicos dos últimos anos. Declarar golpe, de algum modo, desfavorece o arrojo e a sagração moral de classes, grupos e instituições que têm direcionado a presente investida de classes.

Está no cerne da disputa política quanto ao golpe de 2016 a leitura de seus fatos e seu desenrolar como uma possibilidade legítima de resolução de crises prevista na Constituição Federal de 1988. Ao contrário de rupturas institucionais anteriores, que tiveram em algum momento de se valer da quebra do padrão constitucional vigente e do contraste com a ordem rompida, o golpe de 2016 quer escorar-se num ordenamento jurídico cujas normas-vértice sejam exatamente aquelas da Carta vigente. O solavanco político brasileiro atual buscaria ser lido, então, não como um abalo na ordem constitucional, mas como uma das variantes possíveis dela.

Trata-se de uma visão juspositivista edulcorada, cujo sentido histórico foi reiterado por juristas, políticos e mesmo entre o povo por três décadas: a Constituição Federal de 1988 seria a melhor que já houve no Brasil, empreendendo progressos e permitindo, com o passar do tempo, aperfeiçoar as instituições políticas nacionais[17]. Ela deve ser paulatinamente experimentada em um processo de ampliação de direitos e de conquistas. Fatos novos e atípicos no sistema jurídico são melhorias de uma Constituição que enseja sua própria expansão. O ativismo judicial se explicaria, assim, por uma razão progressista. Fazer cumprir o espírito de 1988 seria buscar arrancar cada vez mais avanço de uma Carta patentemente progressista, mas

---

[16] Ver Hebe Mattos, Tânia Bessone e Beatriz G. Mamigonian, *Historiadores pela democracia. O golpe de 2016: a força do passado* (São Paulo, Alameda, 2016); Ivana Jinkings, Kim Doria e Murilo Cleto (orgs.), *Por que gritamos golpe: para entender o impeachment e a crise política no Brasil* (São Paulo, Boitempo, 2016).

[17] Ver Gilberto Bercovici, "A Constituição brasileira de 1988, as 'constituições transformadoras' e o 'novo constitucionalismo latino-americano'", *Revista Brasileira de Estudos Constitucionais*, Belo Horizonte, Fórum, v. 26, 2013, p. 285-305.

que não pôde revelar todo seu potencial porque ainda estava presa aos ditames de uma sociedade pós-ditatorial. Tal narrativa alimentou, até muito recentemente, o discurso judicial e mesmo o pensamento jurídico universitário. As políticas públicas possibilitadas por 1988 seriam imperfeitas, mas o espírito constitucional permitiria uma luta por seu progresso. O caso constitucional brasileiro seria um dos típicos – quiçá dos exemplares – modelos de racionalidade e operacionalidade do neoconstitucionalismo[18]. Com essa chave interpretativa, o golpe poderia ser compreendido – e o foi por muitos – como um modelo de arrojo jurídico e judicial em benefício de práticas boas e novidadeiras: fim da corrupção, prisão de poderosos etc.

Ao se ler 1988 como o trampolim histórico para lutas progressistas – somando no mesmo bloco políticas públicas, consolidação do Sistema Único de Saúde (SUS), combate à corrupção –, oblitera-se o fato de que a Constituição Federal resultou de um pacto entre classes e grupos dominantes do país, mantendo, em linhas gerais, o arranjo institucional e social da ditadura militar. Não só a Constituinte de 1988 foi convocada pelas autoridades competentes a partir do ordenamento jurídico anterior, ditatorial[19], como também sua amplitude de atuação foi tolhida institucional e socialmente por partidos, interesses, disputas e meios de comunicação de massa fomentados pela ditadura. Logo, pensar o golpe de 2016 a partir de sua relação com a Constituição de 1988 necessariamente ensejará uma crítica à transição entre ditadura militar e democratização civil e à continuidade de tal arranjo de classes e instituições até o presente. Com isso, virtuais inspirações da hermenêutica que possibilitou o golpe de 2016 deverão ser ironicamente reconhecidas em 1988 não pelas virtudes progressistas

---

[18] Ver Alysson Leandro Mascaro, "Os horizontes filosóficos do neoconstitucionalismo", em José Carlos Francisco (org.), *Neoconstitucionalismo e atividade jurisdicional: do passivismo ao ativismo judicial* (Belo Horizonte, Del Rey, 2012), p. 35-45.

[19] "O caminho adotado para a convocação da Constituinte da Nova República: Emenda constitucional regularmente votada pelo Congresso Nacional alterou o processo de modificação previsto na Emenda n. 1/69, convocando uma Assembleia Nacional Constituinte. Com efeito, a Emenda Constitucional n. 26, de 17 de novembro de 1985, estabeleceu as normas que regulariam, como regularam, a Assembleia Nacional Constituinte que convocou. Esta seria, de acordo com o seu art. 1º, composta pelos membros da Câmara dos Deputados e do Senado Federal, e se reuniria em 1º de fevereiro de 1987. Isso queria dizer, na prática, que a integrariam os deputados eleitos em fins de 1985, os senadores eleitos nessa mesma ocasião, mas também os senadores que haviam sido eleitos em 1981, que ainda gozavam de mandato. Portanto, ninguém pode sustentar que haviam recebido do eleitorado o poder constituinte originário, mas simplesmente detinham como membros do Congresso Nacional poder derivado. [...] Indubitavelmente, a nova Constituição foi obra de um poder derivado, conquanto a paixão política levasse muitos a sustentar o insustentável – ser uma Constituinte, convocada por uma emenda à Constituição então vigente, composta inclusive por senadores eleitos havia quatro anos, poder originário... Crendo-se detentora de poder originário, a Constituinte editou até novas cláusulas pétreas... Assim se elaborou a Constituição promulgada a 5 de outubro de 1988." Manoel Gonçalves Ferreira Filho, *O poder constituinte* (São Paulo, Saraiva, 1999), p. 169-70.

desta, mas por se ver desdobrar, nela, o arcabouço da própria ditadura militar pretérita, para a qual a resolução política mediante golpe – mascarado como legal – paira como efetiva hipótese política e de poder, a ser repetida até os dias de hoje[20].

A narrativa em relação às heranças recebidas e legadas pelo quadro institucional da Constituição Federal de 1988 está, pois, no centro da disputa sobre a existência do golpe. Em termos de marcações históricas conceitualmente médias, países como a França costumam contar fases, como a da Quinta República, datada a partir de sua Constituição de 1958. Também no Brasil, a Constituição de 1988 é tomada por símbolo de fechamento de um ciclo ditatorial decorrente de um golpe militar e de sagração do que se chama de redemocratização. O atual momento do país, cujo símbolo é o *impeachment* de Rousseff em 2016, é então propagandeado pelos setores do capital, da política de cariz direitista e pelos meios de comunicação de massa como fenômeno normal do quadro institucional – do mesmo modo como se pensa o *impeachment* de Collor – ou até uma prova superior do bom funcionamento das instituições. Mesmo empreendendo o esfacelamento da Constituição em projetos normativos como o de teto de gastos com saúde e educação, ainda se reclama a existência de uma continuidade e de certa herança emedebista entre Ulysses Guimarães e Eduardo Cunha e Michel Temer.

A busca por validar o momento político presente a partir do quadro dito normal do funcionamento das instituições democráticas de 1988 é central para o esclarecimento do golpe. A arguição conservadora, de respaldo constitucional do processo político atual, não pode ser ignorada; pelo contrário, deve-se filtrá-la pelo prisma de sua natureza material, não apenas pelo de sua idealista manifestação institucional normativa. Se 2016 está no espírito de 1988, é porque 1988 é uma variante do espírito de 1964[21]. Proponho que os quase trinta anos que separam 1988 de 2016 sejam lidos, na verdade, como modulação de um processo estrutural que remonta a 1964, quando se dão as bases definitivas da relação de dependência entre capital nacional e capital externo, uso do Estado por setores burgueses e políticos assentados em modelos específicos de corrupção na interação entre os negócios públicos e privados, repressão e efetiva militarização do controle das populações e

---

[20] "Sobre o golpe civil-militar de 1964 e alguns aspectos da ditadura militar que ele inaugurou [...], reitero meu entendimento de que é fundamental sublinhar o papel desempenhado pela 'utopia autoritária', mais do que pela chamada 'Doutrina de Segurança Nacional', sobretudo no que diz respeito à constituição de uma 'voz autorizada', guardiã dos fundamentos da 'Revolução', essencial no processo que levou à constituição das 'comunidades de segurança e informações'." Carlos Fico, *Além do golpe: versões e controvérsias sobre 1964 e a ditadura militar* (Rio de Janeiro, Record, 2014), p. 113.

[21] Ver Edson Teles e Vladimir Safatle (orgs.), *O que resta da ditadura: a exceção brasileira* (São Paulo, Boitempo, 2010, Coleção Estado de Sítio). Ainda, Décio Saes, *República do capital: capitalismo e processo político no Brasil* (São Paulo, Boitempo, 2001), p. 33-47.

dos movimentos políticos, concreção do judiciário como instrumento do capital e do poder militar, tecnificação acrítica e conservadora dos agentes do Estado[22]. O golpe de 2016 não é o fim de 1988, que por sua vez teria acabado com 1964: este último vive até hoje, 1988 foi apenas sua atualização variante, que ora chega ao cabo, restabelecendo um padrão de sociabilidade similar àquele de um povo marchando contra a corrupção e o comunismo e pela família cristã e que construía grandes e estranhas catedrais[23]. A nuance de 1988 é que, sendo uma tênue fresta entre as nuvens autoritárias do modelo de capitalismo dependente brasileiro, ela agora se fecha.

A luta contra o golpe de 2016 não pode ser o pleito pela restauração fantasiosa ou sebastianista de 1988, mas a efetiva superação de uma sociabilidade capitalista, consorciada entre setores burgueses nacionais e internacionais, que tem o autoritarismo como marca patente na administração política, jurídica e institucional de suas próprias contradições insolúveis, porque estruturais. O termo grande é capitalismo; um termo médio é o modelo que vem de 1964 até hoje. Em todo esse quadro, a disputa sobre o golpe de 2016 é apenas a disputa em torno de um termo pequeno.

Golpe brasileiro e política

O golpe brasileiro de 2016 é determinado economicamente e sobredeterminado juridicamente. Com isso, a política é reclamada de dois modos: pela economia, para solucionar uma crise de acumulação; pelo direito, para reelaborar, em termos próprios, as perseguições judiciais aos governos petistas e a partes do mundo político. Então, em que pesem sua determinação e sua sobredeterminação, o golpe se manifestar de forma epidérmica e imediata como político, tendo por evento cata-

---

[22] "Cheguei a designar a Constituição vigente de 'Constituição inacabada'. Ela não responde a necessidades vitais da nação como um todo; não solta as revoluções e reformas capitalistas interrompidas, persistindo à altura dos interesses estreitos das classes dominantes e das nações capitalistas centrais; não atende à humanização das classes subalternas e dos excluídos (a começar da educação, das oportunidades de trabalho e nível de vida à saúde, à habitação etc.); e retêve privilégios que deveriam ter sido expurgados da herança constitucional brasileira, deixando o Estado e o governo como *bunkers* dos que mandam. [...] Sem uma *boa* Constituição, o país fica à mercê da dominação externa e de ondas de pseudomodernizações e 'privatizações'. Essa é a herança dramática de uma contrarrevolução e de uma ditadura militar, que viraram o país de cabeça para baixo e forjaram uma concepção que insiste em enxergá-lo nessa condição degradada. A ditadura, como constelação social de um bloco histórico de estratos militares e civis, não se dissolveu", Florestan Fernandes, "O significado da ditadura militar", em Caio Navarro de Toledo (org.), *1964: visões críticas do golpe – Democracia e reformas no populismo* (Campinas, Editora Unicamp, 2014), p. 180.

[23] Ver Pedro Henrique Pedreira Campos, *Estranhas catedrais: as empreiteiras brasileiras e a ditadura civil-militar, 1964-1988* (Niterói, Eduff, 2014).

lizador o *impeachment* de Dilma Rousseff, desenrolando-se nos palcos legislativos e na relação conflitiva dos parlamentares com o poder executivo. Eduardo Cunha é o símbolo de sua condução. Nesse sentido, ele é ao mesmo tempo produtor e produto em face tanto dos interesses das variadas frações do capital quanto de outra movimentação institucional estatal, aquela advinda do poder judiciário e dos campos do Ministério Público e da Polícia Federal, agrupados em torno da assim chamada Operação Lava Jato, simbolizada na figura de Sérgio Moro.

No plano da política estatal, o golpe é um combate ao modelo petista de administração da crise institucional. No governo Rousseff, mediante políticas como as do Ministério da Justiça, capitaneadas por José Eduardo Cardoso, postulava-se um discurso de franquia de espaço para a ação da Polícia Federal, de inspiração republicana. A Operação Lava Jato, alcançando diretamente o governo petista, também envolve em suas investigações boa parte do sistema político consorciado ao PT na administração executiva do país. Desgastando sua relação com as frações do capital, na medida da impossibilidade de entregar resultados numa situação de crise de acumulação brasileira e mundial, perdendo base social, com políticas neoliberais no segundo mandato de Rousseff destoantes daquelas de seu primeiro mandato, carecendo de pontes com os meios de comunicação de massa, os quais alinhavaram a opinião pública nacional em sentido contrário a ele, o PT não representa, para a classe política, o polo de aglutinação e de liderança suficiente para sua manutenção no poder. O partido deixa de ser desejado pela imediata opinião popular – explodem um antipetismo e um antiesquerdismo –, de modo que a estratégia de associação política a ele se torna eleitoralmente prejudicial, e também de ser institucionalmente capaz de conter com eficácia a investida do mundo jurídico e judiciário aos setores políticos tradicionalmente enraizados no Estado, exemplificados de modo mais patente pelo PMDB[24].

O movimento político do golpe de 2016 se direciona à reorganização da classe política em termos de autossalvação. A recomposição do mundo político brasileiro, para fins de manutenção de seu modo de apropriação do Estado, não pode mais se dar sob a condução do PT, assim demandando, na prática, sua expulsão do sistema político, eleitoral e institucional vigente. Gravações telefônicas – posteriormente reveladas – de Romero Jucá, tratando do engendramento de um grande acordo político que contivesse até mesmo o STF, dão dimensão de um amplo maneio de

---

[24] Ver, em chaves distintas, Marcos Nobre, *Imobilismo em movimento: da abertura democrática ao governo Dilma* (São Paulo, Companhia das Letras, 2013); Wanderley Guilherme dos Santos, *À margem do abismo: conflitos na política brasileira* (Rio de Janeiro, Revan, 2015); Leonardo Avritzer, *Impasses da democracia no Brasil* (Rio de Janeiro, Civilização Brasileira, 2016); Marcelo Paula de Melo, *Brasil neoliberal: dos anos Lula ao golpe de 2016* (Rio de Janeiro, Consequência, 2017); Jessé Souza, *A elite do atraso*, cit.; André Singer, *O lulismo em crise*, cit.

dinâmicas políticas para seu posterior restabelecimento, tendo à frente, para essas novas bases, uma troca de atores[25].

As corporações judiciárias são o pano de fundo para a reorganização dos estratos políticos nacionais. Ressalvam-se os setores enraizados de direita, protegidos pelos agentes judiciários e simbolizados pelo PSDB – minha hipótese, a partir de uma chave de leitura material da determinação econômica, é a de que seu núcleo seja de setores dos capitais nacional e internacional que se perfilaram nos grandes negócios das privatizações da década de 1990 e que, tendo interesses econômicos intimamente ligados ao Estado ou a suas concessões desde então, circundam o PSDB e seus próceres envolvidos diretamente em tais negócios, portando força decisiva no capitalismo brasileiro presente e em suas instituições. Os demais campos fisiológicos dos partidos políticos nacionais, porém, sofrem diretamente a repercussão de investigações, acusações e julgamentos de atos de corrupção que, se tinham por alvo petistas, passam também, necessariamente, por uma miríade de outros políticos e partidos, na medida da estrutura de relação empresarial-estatal e de cargos e votos para a governabilidade, historicamente assentada há muitas décadas. De algum modo, o *impeachment* foi a tentativa de poder conter as corporações judiciárias com novas estratégias de pacto político, na expectativa de que a entrega do bode expiatório contivesse a sangria.

A relação entre os setores políticos dominantes do país e a corporação jurídico-judiciária, cujo poder e cuja influência são crescentes, é ao mesmo tempo de combate e de tentativa de composição. Em termos de combate, o golpe busca controlar instituições como a Polícia Federal, nomear aos tribunais superiores ministros alinhados aos políticos tradicionais, desgastar investigações e destruir o louvor às míticas conduções republicanas e olímpicas do processo político pelo judiciário.

---

[25] "Tão logo foi consumada a mudança de governo, começou a se abrir um antagonismo entre setores do Estado envolvidos nas investigações e processos anticorrupção e os elementos que ascenderam com a deposição do governo eleito e que são expressão do *lumpen* político que domina o parlamento. Até então, as ações desses setores do aparelho repressivo, sobretudo no que se refere aos contingentes localizados em Curitiba, demonstravam uma nítida seletividade contra o PT, que era colocado como o alvo principal. E, nesse sentido, resultava uma convergência política entre o movimento desses setores policiais e judiciais, os protestos de rua durante os anos 2015 e 2016 e as ações midiáticas e parlamentares que acuavam o governo federal. Os possíveis elos subterrâneos não ficam à mostra, além do que, numa conspiração, não é imperioso que todos os conspiradores se conheçam nem mesmo que tenham idênticas motivações, desde que o conjunto das ações aponte no mesmo sentido. Porém, também nos bastidores já se planejava a imposição, por cima, de um ponto final para as investigações e os processos que atingiam políticos e empresários, mas que vinham sendo taticamente úteis contra o PT. As revelações, em maio de 2016, da gravação de uma conversa em que foi flagrado um ministro de Estado do novo governo [...] revela[m] a conspiração para dar um termo negociado à Operação 'Lava Jato'", Marcus Giraldes, *O acaso e o desencontro: das manifestações de 2013 ao golpe de 2016* (Rio de Janeiro, Garamond, 2017), p. 100.

Volta-se a não temer afirmar que sentença se discute. Em termos de composição, figuras-chave da cúpula do poder judiciário, como Gilmar Mendes, e também da base do mundo jurídico, como aqueles agentes públicos louvados sob o nome de "República de Curitiba" – numa relação no mais das vezes eivada de conflitos entre Brasília e Paraná, mas em grandes linhas concorrendo aos mesmos propósitos estruturais –, servem de elos para a repactuação do poder político, alijando o PT do governo, mantendo a seletividade das investigações e punições e validando grandes câmbios governamentais que seriam tidos por inconstitucionais ou ilegais em outras circunstâncias.

No ambiente estatal do golpe, o mundo político consegue, efetivamente, abrir portas e escudar-se em relações particulares com as corporações jurídico-judiciais. Ao mesmo tempo, há um antagonismo estrutural entre política e direito devido à majoração do papel e do peso político do poder judiciário. Em termos relativos, a política tradicional, mesmo que salva com o golpe e o afastamento do PT e das esquerdas das esferas de governo, tem menor prestígio e passa a estar sob a mira de uma governabilidade judiciária bastante casuística, caprichosa e seletiva, que se pode voltar, quando quiser, contra esses próprios setores do poder político há muito assentados. Muda-se então a intensidade da relação entre a política tradicional e o judiciário agora requalificado. O golpe busca cercear o mundo jurídico tanto quanto seu contexto permitiu a conquista de quantidades de poder efetivo e de privilégios ainda maiores por parte do poder judiciário, dos ministérios públicos e das polícias, que avançam em termos de obtenção de salários, sinecuras e respaldos formais e populares aos seus atos. No fim, ao custo de um câmbio de graves consequências econômicas e sociais, o golpe consegue de algum modo reacomodar a política tradicional, ainda mais inclinada para partidos e políticos de direita, sob tutela do setor judiciário, também de direita em sua tradição e em sua reafirmação presente[26].

A dimensão política estatal do golpe delineia movimentos que não se limitam a uma discussão jurídica, tipicamente juspositivista, quanto à validade dos atos que levaram ao *impeachment* de Rousseff. Visões teóricas não juspositivistas permitem reconhecer, no âmbito decisório, da afirmação e da tomada do poder, o cerne da disputa política. O golpe é maior que uma técnica jurídica; e, para além disso, também não se restringe às movimentações do poder estatal. Ele encontra no Estado um elemento de transmissão e requalificação de forças, interesses e estratégias que advêm do capital e da relação e da luta entre as classes e suas frações. Como para todas as demais situações, a legalidade é usada instrumentalmente no golpe, aqui com focos específicos. Em *Estado e forma política*, proponho que institutos como o

---

[26] Ver Celso Rocha de Barros, "O Brasil e a recessão democrática", *Piauí*, Rio de Janeiro, Alvinegra, ano 12, n. 139, abr. 2018. Disponível em: <http://piaui.folha.uol.com.br/materia/o-brasil-e-recessao-democratica>. Acesso em: 1º ago. 2018.

da legalidade sejam tomados a partir da conformação entre a forma política estatal e a forma de subjetividade jurídica, do ponto em que estas derivam da forma-mercadoria[27]. Assim, modulações bruscas da legalidade, de resultado estrutural, como o golpe brasileiro de 2016, são, ao cabo, repercussões de variações na reprodução econômica, nos modos de acumulação e nos regimes de regulação do capital, compreendendo, com isso, o eixo da determinação social no capitalismo. Insisto na autonomia relativa do Estado em face dos agentes da produção, de tal sorte que o golpe brasileiro é perpassado por posições políticas, limitações e possibilidades institucionais, disputas, vontades e caprichos variados. Há no golpe uma quantidade de politicidade. No entanto, tal autonomia relativa se dá sob estruturas necessariamente derivadas do capital. Se visões não juspositivistas alcançam as disputas do poder – chegando até mesmo em parte às classes em conflito e em luta –, é preciso ler sob lentes críticas e marxistas os fenômenos do golpe, inscrevendo-os nas determinações da sociabilidade, erigindo, assim, a compreensão dele como golpe de classe e, em especial, como uma derivação insigne da crise de reprodução do capital.

Golpe brasileiro, capitalismo e classe

A mais radical e materialista inteligibilidade sobre o golpe brasileiro de 2016 está em atrelá-lo especificamente à reprodução do capital. Nos movimentos da mercadoria, das estratégias de acumulação, dos interesses, das ações e das lutas de classes e nas crises do capital estão fatores determinantes dos câmbios políticos nas sociedades capitalistas. Claro está que não se trata de um processo mecanicista, linear nem lógico. A mercadoria não dá golpe; classes, frações, grupos e indivíduos o fazem, mediante agentes políticos, jurídicos, militares, civis etc. Mas – afastando-se agora de leituras politicistas – nenhuma alteração substancial dos padrões estatais ou sociais se faz sem engendramento econômico. O peso do capricho ou da vontade tem limites quando se defronta com a coerção das formas sociais. Desse modo, em casos como o de golpe, a reprodução do capital cria conjuntura; a classe, política e socialmente, dá a resolução.

A crise do capitalismo mundial que eclode em 2008 é a imediata causa econômica determinante que esgarça os parâmetros de ação política institucional em variados países do mundo[28]. Em economias centrais do capitalismo, como as dos

---

[27] Ver Alysson Leandro Mascaro, *Estado e forma política*, cit., p. 39-44.
[28] "Elaborar uma teoria macrossociológica da crise e uma teoria social da democracia sem referência à economia enquanto atividade político-social tem de parecer absolutamente errado, tal como o pareceria qualquer concepção de economia na política e na sociedade que ignorasse a sua organização capitalista atual. Ninguém pode – depois daquilo que aconteceu desde 2008 – compreender a política e as instituições políticas sem as pôr numa estreita relação com os mercados e os interesses

Estados Unidos e da China, o movimento de crise é diretamente sentido no plano econômico, mas o peso político de tais países e a plena imbricação entre capital e Estado tornam suas crises políticas menos evidentes. Nos demais países, o peso da crise econômica se faz acompanhar por crescentes dificuldades em sustentar os modelos políticos estatais e institucionais já assentados[29]. Desde 2008, o modelo político neoliberal esgarça-se em uma série de pontos, e os governos tecnicistas, favoráveis a um mercado mundial, buscam reciclar seu poder e suas estratégias de acumulação com novos ardis[30]. De nacionalismos variados a um crescimento das extremas direitas e de partidos fascistas, de instabilidades de ditaduras e governos eleitos a golpes – Primaveras Árabes, *impeachments* na América Latina –, a crise de 2008 fará com que o sistema político até então assentado não consiga mais dar conta de uma instabilidade que é, fundamentalmente, a de acumulação do capitalismo internacional. Trata-se, pois, de uma crise capitalista estrutural, insuficientemente satisfeita por modelos da forma política estatal como aqueles do fordismo (já nesse tempo havia muito em derrocada), mas também por aqueles do pós-fordismo até então conhecido, baseado em mera técnica eleitoral, escorado em argumentos de respeito a direitos individuais e perda de direitos sociais, com uma gestão mais passiva dos conflitos sociais. É preciso inscrever uma nova modulação no neoliberalismo,

---

econômicos, assim como com as estruturas de classe e os conflitos que dela resultam." Wolfgang Streeck, *Tempo comprado*, cit., p. 20.

[29] "A crise de 2008 teve efeitos devastadores tanto em nível global quanto no reduto neoliberal. Além disso, seus efeitos permanecerão nos acompanhando por muito tempo. Na Grã-Bretanha, provavelmente não há registro anterior de outra crise que tenha realmente atingido as regiões mais ricas do sul do país. Nos EUA, embora tenha começado em regiões mais empobrecidas, a crise do *subprime* espalhou-se pelos recantos das privilegiadas classes médias, em seus condomínios fechados, seus subúrbios arborizados e nas universidades da Ivy League onde os ricos se reúnem, fazendo fila para alcançar melhores posições socioeconômicas. Na Europa, o continente todo reverbera com uma crise que se recusa a ir embora e que ameaça as ilusões europeias que haviam permanecido incólumes por seis décadas. Fluxos migratórios foram revertidos, com trabalhadores poloneses e irlandeses abandonando Dublin e Londres por Varsóvia e Melbourne. Até a China, que reconhecidamente escapou da recessão com uma taxa de crescimento saudável em uma época de encolhimento global, encontra-se em dificuldades devido à queda da porcentagem de rendimento global dedicada ao consumo e sua grande dependência de projetos de investimento estatais que estão alimentando uma preocupante bolha – dois presságios que não trazem boas perspectivas numa época em que se se questiona a capacidade do resto do mundo para absorver os excedentes comerciais no longo prazo." Yanis Varoufakis, *O minotauro global*, cit., p. 32.

[30] "Apesar do bem-vindo crescimento das 'economias emergentes', ainda vivemos em um mundo dominado pelo Ocidente. Numa fase pós-minotauro, isso significa que nossas vidas são governadas pelos serviçais sobreviventes do minotauro global: Wall Street, Walmart, o mercantilismo provincial da Alemanha, a pretensão absurda da União Europeia de que uma união monetária possa prosperar sem um mecanismo de reciclagem de excedentes, as desigualdades crescentes nos EUA, na Europa, na China, e assim por diante. Um mundo sem o minotauro, mas governado por seus vassalos, é um lugar absurdo e ilógico." Ibidem, p. 288.

mais ativa em termos de arbitramento dos conflitos, escolhendo lados e desgraçando outros: nacionais contra estrangeiros, finanças contra produção, partidos de direita contra os de esquerda, canibalização de empresas e ativos de países que sucumbirem nessa escalada de crise, austeridade dos Estados como forma de reverter lucros a bancos e especuladores[31]. Assim, estratégias como as da espoliação passam a ter peso maior na resolução da crise de acumulação de 2008: é necessário fazer com que países, povos, classes, empresas e interesses percam para que outros possam ganhar e contrabalancear suas quedas econômicas. Técnicas já aproveitadas na primeira fase do capitalismo neoliberal, como a das intervenções humanitárias ditas de salvação de povos – Iugoslávia na década de 1990, Iraque no início dos anos 2000 etc. –, em benefício de expansão geopolítica ou de espoliação direta de mercadorias como o petróleo, passam a ser incrementadas nesse segundo momento, mediante controles da opinião pública de países a serem espoliados. O capitalismo do choque, nos termos de Naomi Klein[32], firma nisso uma de suas formas típicas de ação. A atual técnica do golpe de Estado então se desenvolve: sem precisar no mais das vezes recorrer aos Exércitos, o controle da opinião social conduz a *impeachments*, que, por sua vez, levam a choques neoliberais extremados, com quebras de direitos sociais e privatizações a custo baixíssimo. Completa-se o circuito da espoliação e da acumulação com extração de mais-valor ainda maior como forma de resolução da crise de 2008 do capitalismo. Seus moldes políticos funcionais enfim se assentam.

É fundamental compreender o golpe brasileiro de 2016 como golpe de classe, numa movimentação de suas frações, e, para tanto, enraizá-lo ainda mais na reprodução dos capitais mundial e nacional. Tal processo é bastante contraditório, atravessado por antagonismos e disputas, de sorte que se pode até vislumbrar as estratégias de alinhamento das frações brasileiras do capital a suas consortes internacionais, com pleitos por abertura de mercados, transparência nos negócios, fim da corrupção etc., abrindo as portas do capital nacional a sua canibalização internacional. A história e a reprodução social não são transparentes para seus agentes, tampouco há uma central de inteligência dos capitalismos nacionais, ou mesmo mundial. Nesse processo de disputas, competições, construções de sentidos ideológicos e lutas sociais, manipulações ideológicas propositais do povo podem emparelhar-se com voluntárias simpatias de submissão das frações burguesas nacionais ao concerto geral da exploração econômica mundial. Nesse caso, o golpe de 2016 resulta em um processo de ganhos e perdas apenas parcialmente claro a

---

[31] Ver Mark Blyth, *Austeridade: a história de uma ideia perigosa* (trad. Freitas e Silva, São Paulo, Autonomia Literária, 2017); Yanis Varoufakis, *E os fracos sofrem o que devem? Os bastidores da crise europeia* (trad. Fernando Santos, São Paulo, Autonomia Literária, 2017).
[32] Ver Naomi Klein, *A doutrina do choque: a ascensão do capitalismo de desastre* (trad. Vania Cury, Rio de Janeiro, Nova Fronteira, 2008).

seus agentes, que controlam muitas de suas variáveis, mas não todas. Quanto mais a crise de 2008 se avolumava e o Estado brasileiro não conseguia satisfazer a queda de acumulação dos capitais nacionais e internacionais – e as demandas das classes trabalhadoras e médias –, mais o sistema institucional se abeirou de uma decisão que seria advinda dos poderes das frações sociais em jogo. O golpe realinha os termos dessa disputa relativa[33].

Tomando-se a dimensão do golpe de 2016 como um novo e distinto arranjo da economia e da política no Brasil, vê-se que ele está crivado de demandas tanto mundiais quanto nacionais de conflitos e resoluções imperiosas. Por se tratar de uma crise interna do capitalismo, que não põe em causa suas estruturas últimas, e sim tenta resolver seus impasses mantendo suas formas sociais gerais, ela será uma crise de relações entre frações e classes, instituições e agentes, que devem mudar para que se mantenha o fundamental. Assim, a crise e o golpe dentro de um mesmo padrão de estruturação capitalista, mas com novas modulações na relação entre as frações de classe burguesas brasileiras e exteriores, levam a perdas e ganhos que geram linhas de reacomodação do capitalismo. A natureza do golpe presente será, então, intimamente ligada às próprias estratégias da acumulação, tanto do capital nacional quanto dos internacionais, e das eventuais fissuras entre seus interesses específicos.

O movimento de industrialização e nacionalização da economia brasileira remonta a Getúlio Vargas, em impulsos políticos contraditórios e eivados de contra-

---

[33] "Os desafios da política econômica eram imensos. Eles exigiam desde logo uma nova coalizão social capaz de dar suporte ao projeto. Há evidências suficientes para concluir que uma proposta desenvolvimentista fundada, de um lado, em fortalecimento e diversificação produtiva e dos setores empresariais nacionais e, de outro, em políticas ativas do Estado e aumento do seu protagonismo não encontrou apoio suficiente na sociedade. Não há mais, *tout court*, Estado desenvolvimentista no Brasil e muito menos uma classe empresarial cujos interesses estejam atrelados ao destino do país. O fracasso do experimento desenvolvimentista sugere uma financeirização e internacionalização elevada dos segmentos produtivos. Por sua vez, uma parcela muito expressiva da sociedade, em particular a classe média, tem um perfil de consumo predominantemente globalizado e define seus apoios e preferências políticas de forma muito pragmática e baseada em critérios de curto prazo. Alguns equívocos na operação da política econômica devem ser registrados, os quais terminaram por agravar o quadro apontado acima. Uma baixa capacidade de negociação dentro e fora da coalizão foi uma característica importante do governo Dilma Rousseff. Mudanças frequentes no manejo dos preços macroeconômicos terminaram por gerar incertezas. A incapacidade de deslanchar uma ampliação da infraestrutura revelou-se crucial. Por fim, o uso inadequado de dois instrumentos poderosos como o BNDES e a Petrobras contribuiu para a perda de sentido estratégico das propostas. Ao fim e ao cabo, a opção errada de 2015 também colaborou para deixar a impressão de que os equívocos de política econômica foram os únicos responsáveis pelo fracasso desse experimento desenvolvimentista. Mas, como se procurou demonstrar, essa é uma visão incompleta e superficial." Ricardo Carneiro, "Navegando a contravento: uma reflexão sobre o experimento desenvolvimentista do governo Dilma Rousseff", em Ricardo Carneiro, Paulo Baltar e Fernando Sarti (orgs.), *Para além da política econômica*, cit., p. 50.

fluxos[34]. Períodos como o de Juscelino Kubitschek e mesmo o de ditadores como Emílio Médici e Ernesto Geisel já são atravessados por um grau maior de determinação do capital internacional. A ditadura de 1964, em que pesem variantes em suas fases e estratégias internas[35], orienta-se por um anticomunismo e por algum grau de alinhamento ainda mais imediato com os interesses do capital externo, liderado pelos Estados Unidos. De lá até hoje, mudam-se estratégias de relação dependente do capital brasileiro, mas se mantêm, por outro lado, padrões de relativa dependência[36]. Investidas dos governos do PT não deram conta de uma alteração estrutural de tal quadro: no contraponto, incentivos às empresas ditas campeãs nacionais abriram um pouco mais de mercados exteriores a setores como o da construção civil; no padrão, a desindustrialização nacional seguiu em trajetória similar àquela que vinha de Collor e Fernando Henrique Cardoso, neoliberais.

Se o quadro geral do modelo de acumulação brasileiro não encontra grandes mudanças desde o golpe de 1964, as fissuras se dão, de um lado, na relativa interação com os capitais internacionais e, de outro, no arranjo interno do poder político e no imediato proveito da política para o interesse econômico, despontando aqui as concorrências entre frações da classe burguesa nacional. Os governos Lula e Dilma marcam uma ruptura parcial no plano externo com as políticas anteriores de Collor e Cardoso, na década de 1990. Inserção externa mais proeminente com Celso Amorim, relações Sul-Sul, o surgimento do bloco dos Brics, abertura de negócios de empresas brasileiras em variados países são alguns de seus exemplos[37]. Efetivamente, frações do capital brasileiro, como as da construção civil, as de alimentos – carnes, frango, soja – e, incidentalmente, a Petrobras, a Embraer e algumas empresas estatais, como bancos, se fazem mais presentes na concorrência capitalista internacional[38]. Nesse campo, o golpe de 2016 é a busca de restabelecimento de um modelo anterior. A quebra das empresas nacionais se apresenta como uma inegável

---

[34] Ver Francisco Pereira de Farias, *Estado burguês e classes dominantes no Brasil (1930-1964)*, cit.
[35] Ver Adriano Nervo Codato, *Sistema estatal e política econômica no Brasil pós-64* (São Paulo, Hucitec, 1997).
[36] "As décadas de 1980 e 1990 trouxeram uma nova configuração no bloco burguês dominante, na qual as novas frações não apresentam interesse imediato de conseguir mercados externos, mas sim de se associar com o capital internacional no espaço econômico brasileiro. Uma mudança importante ocorre na década de 2000, em que se consolida uma fração da burguesia local que retoma o interesse no mercado externo por meio da *exportação de capitais*, principalmente na forma de investimentos diretos." Fábio Marvulle Bueno e Raphael Lana Seabra, "A teoria do subimperialismo brasileiro: notas para uma (re)discussão contemporânea", em Andréia Galvão et al. (orgs.), *Capitalismo: crises e resistências* (São Paulo, Outras Expressões, 2012), p. 121.
[37] Ver Tatiana Berringer, *A burguesia brasileira e a política externa nos governos FHC e Lula* (Curitiba, Appris, 2015).
[38] Ver Caio Martins Bugiato, *A política de financiamento do BNDES e a burguesia brasileira* (Tese de doutorado em Ciência Política, Campinas, IFCH-Unicamp, 2016).

oportunidade estratégica de acumulação por parte de capitais competidores externos, seja por meio de espoliação – como no caso da tomada de campos de pré-sal das mãos da Petrobras –, seja por meio da reconquista de espaços comerciais a partir da quebra das construtoras brasileiras e de sua correspondente inação no exterior[39].

No plano interno, também as estratégias de acumulação de diferentes frações do capital e seus antagonismos se tornam evidentes. O processo de financeirização da economia, tendencial na dinâmica geral do capitalismo, é majorado no tempo de Cardoso, na década de 1990. Em face desse quadro, os pontuais contrapontos dos governos Lula e Dilma se dão no fortalecimento de bancos públicos – Banco do Brasil, Caixa Econômica Federal e BNDES –, mesmo mantendo política estrutural de juros altos e lucros garantidos aos bancos privados[40]. Uma das estratégias de acumulação do capital financeiro nacional com o golpe de 2016 foi exatamente inviabilizar o contraponto dos bancos públicos, que passam a ser combalidos e deixados a definhar[41].

Uma eventual concorrência – com estratégias divergentes de acumulação – entre o capital financeiro e os setores do capital produtivo brasileiro pode ter ensejado um emparelhamento de interesses entre os mercados financeiros e o antipetismo (simbolizado pelo PSDB). Estes antagonizaram parcialmente com os grandes setores de comércio, serviços ou produção – beneficiados pelo PT, mas sem maiores vínculos orgânicos ou estratégicos com o partido, na medida em que atravessados

---

[39] Ver André Biancarelli, Renato Rosa e Rodrigo Vergnhanini, "O setor externo no governo Dilma e seu papel na crise", em Ricardo Carneiro, Paulo Baltar e Fernando Sarti (orgs.), *Para além da política econômica*, cit., p. 91-126; Pedro Paulo Zahluth Bastos e Celio Hiratuka, "Notas sobre a política econômica externa do governo Dilma Rousseff e o contexto global", ibidem, p. 207-44.

[40] Veja-se esta análise sindical dos trabalhadores do setor financeiro no período de auge das políticas governamentais do PT: "O ciclo de crédito recente realçou a importância de um sistema bancário com peso significativo do sistema público com presença expressiva de instituições públicas, fundos públicos de origem parafiscal e exigibilidades sobre os bancos privados, todos elementos constitutivos do crédito direcionado. Isso por três razões distintas: em primeiro lugar, pelo papel anticíclico, mormente nas fases de desaceleração. Em segundo lugar, pelo financiamento de setores e atividades específicas, em consonância com as prioridades da política de desenvolvimento. Em terceiro lugar, pelo papel na regulação dos *spreads* praticados pelos bancos privados. Este último papel assume particular relevância devido ao patamar elevado das taxas de juros das operações de crédito, decorrentes, em boa medida, dos altos *spreads*. Para que esse e os demais papéis das instituições públicas se mantenham, é crucial preservar o caráter público delas, evitando a ampliação da participação de acionistas privados no capital do Banco do Brasil e a abertura do capital da Caixa Econômica Federal". Luiz Cláudio Marcolino e Ricardo Carneiro (orgs.), "Apresentação", em *Sistema financeiro e desenvolvimento no Brasil: do Plano Real à crise financeira* (São Paulo, Publisher Brasil/Atitude, 2010), p. 13.

[41] Ver Fernando Nogueira da Costa, "Variedades de capitalismo e bancos públicos", em Emir Sader (org.), *Se é público é para todos: defender as empresas públicas é defender o Brasil* (Rio de Janeiro, Eduerj-LPP, 2018), p. 23-88.

ideologicamente pelos horizontes políticos produzidos no entorno do próprio mundo financeiro. Tal antagonismo, de grau menor em termos de clareza de estratégias e mesmo de lideranças, ações e estruturas de condução dos processos políticos, também se resolve, com o golpe de 2016, em favor do mercado financeiro e contra os setores de produção, serviços e comércio[42].

O golpe de 2016 consegue tanto instaurar mais e maiores espaços de acumulação ao capital internacional no país quanto reposicionar as frações do capital nacional em torno do mercado financeiro, liderado por grandes bancos e especuladores. Além disso, e talvez como símbolo mais espetacular da clivagem na relação entre classes, o golpe reposiciona a situação relativa entre as classes burguesas nacionais e as classes trabalhadoras. Em tal processo, a estratégia de acumulação burguesa passa também pela extração de maiores taxas de mais-valor, pelo rebaixamento das condições do trabalho, pelo cerceamento de aparelhos de luta dos trabalhadores – partidos de esquerda, sindicatos e, incidentalmente, intelectuais e universidades etc. – e pela mercantilização ainda maior de esferas da vida comum – perecimento da educação, da saúde e da previdência públicas em favor da expansão de serviços privados nessas mesmas áreas. O papel da investida da luta de classe burguesa contra a classe trabalhadora é vital no atual processo de golpe brasileiro como movimentação de classes. Assim, o golpe de 2016 é tanto um rearranjo no seio da concorrência entre as frações do capital internas e internacionais quanto, ainda, um golpe de classe burguês contra as classes trabalhadoras[43].

A presente realidade brasileira encontra uma situação de golpe derivada de uma ofensiva da luta de classes burguesa em crise em suas estratégias de acumulação. Sendo um golpe da classe burguesa, não organiza uma mudança estrutural das condições de reprodução social[44]. Já dominando a acumulação e as instituições

---

[42] Ver Eduardo Costa Pinto et al., "A guerra de todos contra todos: a crise brasileira", *Texto para Discussão*, Rio de Janeiro, IE-UFRJ, n. 6, 2017. Sobre a crítica do predomínio da finança no capitalismo mundial: "Depois do fim do século XX, os 'excessos da finança' e da 'criação de valor para os acionistas' são uma das fontes do crescimento da desigualdade entre as classes sociais. Mas se a crítica dessa 'patologia' se refere ao que poderia ser um papel mais equilibrado das operações financeiras, ela se esforça por definir uma norma somente para a finança. Como diz Marx, há somente um capital, sob duas formas diferentes. A acumulação derivada da concorrência faz com que o capital produtivo, apesar das diferenças ou das contradições secundárias, tenha parte ligada à finança. Ele deve obter todo o lucro possível para se afirmar na concorrência interna e internacional. A regra geral é a compressão dos custos salariais e das despesas da proteção social dos Estados. Que essas exigências capitalistas sejam plenas de contradições é certo, mas isso não se relaciona com uma regra de equilíbrio do capitalismo ou do papel econômico 'normal' da finança". Suzanne de Brunhoff, "Finança, capital, Estados", em Suzanne de Brunhoff et al., *A finança capitalista* (São Paulo, Alameda, 2010), p. 59.
[43] Ver Armando Boito Jr., *Reforma e crise política no Brasil*, cit., p. 289-302.
[44] "Na perspectiva de elaborar um conceito específico de crise política, é necessário extrair das reflexões de Lênin a ideia de que, numa situação de crise revolucionária, emerge uma força social com

políticas, jurídicas e sociais, a burguesia, em tal modelo de golpe, mais atualiza suas possibilidades que propriamente altera suas bases. Por isso, trata-se, muitas vezes, de um golpe quantitativo. Os bancos privados já tinham primazia no modelo de acumulação brasileiro; agora têm mais. O mundo político corrupto e parasitário do Estado já imperava; agora não é mais freado por impulsos contestadores ou republicanismos. O ambiente policial e judiciário sempre fora seletivo; agora o é ainda mais.

Um golpe altera de modo substancial as instituições quando seus grupos, classes ou frações de classe são cambiados. Se o golpe for de reacomodação de frações das classes já dominantes e de investida contra os já dominados, ele é mais quantitativo que qualitativo. As instituições e os aparatos da sociabilidade burgueses já se encontram com a burguesia; a facilidade de investida da luta de classes burguesa contra a luta de classes dos trabalhadores se dá em razão do domínio do sistema já nas mãos dos que o erigem. Os meios de comunicação de massa, as religiões, o direito, a política, a geopolítica dos Estados Unidos, todo esse complexo é de formas sociais do capital e enseja sua reprodução. Quando a luta da classe trabalhadora e dos despossuídos enfraquece, não há motivo para o capital não avançar ainda mais em sua exploração e em seu domínio. O capitalismo se orienta à acumulação e não se limitará jamais por republicanismo, institucionalidade, imparcialidade, bom senso, piedade ou humanidade. Todas as formas de hecatombe e de fascismo são seus limiares possíveis, se assim e para isso se encaminhar a marcha da mercadoria e da exploração.

A quantificação das mudanças sociais do golpe de 2016 é sempre maior que zero e menor que um efetivo câmbio de poder entre classes. Se a acumulação pudesse se resolver com as mesmas figuras e estratégias do PT, o custo de sua mudança

---

capacidade de realizar mudanças nas relações de classes vigentes para transpô-la para um sentido mais amplo e geral, o que nos permite aplicar a ideia de crise política não somente aos processos de transição social, mas também aos processos de reprodução social. Assim sendo, o conceito de crise política num sentido mais geral pode ser empregado para caracterizar tanto a situação de duplo poder, na qual uma nova classe emerge como força social com capacidade de substituir a velha classe dominante, podendo vir a engendrar uma mudança do tipo de Estado (fenômeno que caracteriza a crise política no processo de transição social), quanto para caracterizar as crises políticas 'positivas' às classes dominantes, processos nos quais uma determinada classe ou fração de classe constitui-se como força social, mas possui capacidade restrita para realizar mudanças nas relações de classe existentes, ou seja, a existência dessa força pode provocar no limite mudanças na hierarquia interna do bloco no poder, nas alianças de classes constituídas entre setores (ou mesmo o conjunto) das frações que integram o bloco no poder e parcelas (ou mesmo o conjunto) das classes dominadas, nas relações políticas estabelecidas no âmbito da cena política que abrange os partidos e os grupos de interesse etc. Nesses casos, o processo de crise política não logra colocar em questão o tipo de Estado, como nos processos de transição social, mas pode provocar alterações na forma de Estado, na forma de regime político ou na forma de governo." Danilo Enrico Martuscelli, "Sobre o conceito marxista de crise política", cit., p. 25.

não seria pago. Há um golpe na medida em que Lula e Dilma não foram capazes de entregar a solução da acumulação desejada pelas frações dominantes do capital. Também não se trata de um golpe extremo, na medida em que a burguesia não está retomando um poder perdido, mas apenas realinhando um poder que já possuía e do qual nunca se privou, rearranjando frações em disputa, concorrência e domínio. Absolutamente nada erodiu ao capital nem nas décadas da Constituição de 1988 nem nos anos de PT. Assim sendo e ao mesmo tempo, o golpe presente não pode deixar de ser considerado como tal, mas tampouco inaugura um sistema de exploração, dado que ele já existia. Trata-se, quantitativamente, de um golpe cuja métrica é média, de algum índice entre extremos que será mensurado conforme sua dinâmica se assentar.

Tal como em 1964 não se deu apenas um golpe estritamente militar, mas um golpe de classe[45], também em 2016 não se dá apenas um golpe jurídico ou político, mas um golpe de classe burguesa que realinha frações dos capitais nacional e internacional para a acumulação numa situação específica de crise do capitalismo mundial e brasileiro, pós-fordista e neoliberal. Acima da disputa sobre a contundente declaração jurídica de um golpe de Estado, o momento presente encontra a quebra de uma estratégia de acumulação em favor de outra, ambas olhando para um mesmo horizonte, uma ainda mais quantitativamente perversa que outra. Mais uma vez, as formas sociais do capitalismo se modulam para sustentar a valorização do valor, na marcha da mercadoria.

---

[45] "O que ocorreu no Brasil em 1º de abril de 1964 revelou que o fato mais óbvio e, no entanto, talvez o mais negligenciado diz respeito à noção de luta de classes. [...] A história do bloco de poder multinacional e associado começou a 1º de abril de 1964, quando os novos interesses realmente 'tornaram-se Estado', readequando o regime e o sistema político e reformulando a economia a serviço de seus objetivos." René Armand Dreifuss, *1964, a conquista do Estado*, cit., p. 488-9.

3. Golpe e exceção

Nos termos de uma visão juspositivista do direito, situações de golpe representam um tipo específico – virtualmente máximo – de exceção. Para uma pretensa ciência jurídica calcada na normatividade, a exceção, é seu momento extremo e mesmo intolerável. Nessa explicação, a exceção, na medida em que nega os fundamentos da própria norma jurídica, extrapola o âmbito de possibilidade técnica do direito. No entanto, leituras não juspositivistas – cujo representante mais conhecido é Carl Schmitt – e leituras concretas e materialistas do fenômeno do direito – a partir de Pachukanis – compreendem a exceção como momento central da mesma tessitura das relações sociais na qual a normatividade opera. Os vínculos, as hierarquias, os constrangimentos e o poder se dão a partir de distintas modulações, combinadas, entre legalidade e exceção[1].

A interação entre a norma e sua negação não se faz, no capitalismo, como primazia total de uma em relação à outra. Mesmo que a exceção esteja presente, boa parte – virtualmente a maior parte – do cálculo capitalista se faz com a legalidade. A forma-mercadoria e a dinâmica da forma-valor estruturam, necessariamente, uma forma política estatal, terceira aos agentes da produção e concentradora do poder

---

[1] Ver Alysson Leandro Mascaro, *Filosofia do direito*, cit., p. 310 e seg. Em variadas chaves, Carl Schmitt, *Teologia política* (Belo Horizonte, Del Rey, 2006); Giorgio Agamben, *Estado de exceção: homo sacer II, I* (trad. Iraci D. Poleti, São Paulo, Boitempo, 2004); Gilberto Bercovici, *Constituição e estado de exceção permanente: atualidade de Weimar* (2. ed., Rio de Janeiro, Azougue, 2012); Marie Goupy, *L'état d'exception ou l'impuissance autoritaire de l'État à l'époque du libéralisme* (Paris, CNRS Éditions, 2016); Edgard Logiudice, *Agamben y el estado de excepción: una mirada marxista* (Buenos Aires, Herramienta, 2007); Daniel Arruda Nascimento, *Do fim da experiência ao fim do jurídico: percurso de Giorgio Agamben* (São Paulo, LiberArs, 2012); Walter Pedrozo Parente de Andrade, *Liberdade ou estado de exceção? O direito em Kant, Schmitt e Benjamin* (Tese de doutorado em Direito, São Paulo, FD-USP, 2017).

político, e uma forma de subjetividade jurídica, fazendo com que os vínculos sejam estabelecidos mediante uma equivalência de direito. A legalidade é uma resultante da conformação entre forma de subjetividade jurídica e forma política estatal: a propriedade e os vínculos contratuais de exploração estão garantidos por uma normatividade estatal que também instaura a constrição de possibilidades do próprio Estado[2]. Assim, o capitalismo opera necessariamente na legalidade: tal normatividade arraigada e sistematizada é o solo no qual as previsões e as reiterações das interações sociais se enraízam[3]. Ocorre que a exceção também está presente para o cálculo da legalidade[4]. Tal noção de cálculo na decisão jurídica se afirma numa dúplice implicação. De um lado, há uma reiterada exceção em favor do capital, do poder, dos círculos de influência e interesse, do que concorda com a ideologia reinante; nisso, é possível vislumbrar que, em dadas situações típicas, a exceção imperará sobre a legalidade, permitindo o cálculo do custo da previsibilidade e das opções entre ambas. De outro, há a exceção como ruptura ou como câmbio tanto da legalidade quanto da própria exceção típica; nisso, o cálculo capitalista se faz pelo custo da disrupção em face do custo da crise do modelo então assentado.

Não se pode tomar a situação de golpe e exceção no Brasil como uma disfuncionalidade total do cálculo já existente da reprodução do capital. Antes, no caso presente, a ruptura é apenas o cálculo de mais uma variável no uso da mesma modulação consagrada da legalidade. Não se trata de novidade política, jurídica ou institucional. No máximo, uma subsunção recaída sobre distintos pacientes ou situações sob exceção. Por isso, a atualidade não representa a inauguração da exceção no caso brasileiro. Não basta estabelecer a luta social nos polos exceção e legalidade, denunciando a primeira e louvando a segunda. A acusação de golpe e exceção à situação brasileira atual não permite ter, como horizonte de seu contraste, uma construção ideal de legalidade. A sociabilidade capitalista só é a legalidade se portar consigo a exceção. A força da mercadoria, do capital, dos vínculos de exploração e da acumulação são determinantes materiais maiores que a própria legalidade que é seu instrumento excelente, mas não único. Assim, a exceção não se combate com regra, mas com o fim da estruturação social que gera a exceção como variante inextricável da normatividade. A acusação da exceção não pode ser o louvor da legalidade, porque esta, também quando se afirma e não só quando se excepciona, é o modo de funcionamento da exploração da sociabilidade capitalista e das variadas dominações que o capitalismo comporta. O golpe não é a negação da política estatal, mas uma de suas formas de resolução de crise e de câmbio de forças sociais; portanto, a crítica ao golpe não pode ser o louvor de

---

[2] Ver Alysson Leandro Mascaro, *Estado e forma política*, cit., p. 39-44.
[3] Ver idem, *Crítica da legalidade e do direito brasileiro*, cit.
[4] Ver idem, *Introdução ao estudo do direito*, cit., p. 177-80.

certo republicanismo legalista imparcial. A exceção não é a negação do modelo de regramento institucional capitalista; a crítica da exceção tem de ser necessariamente anelada à crítica da legalidade.

Sendo legalidade e exceção fenômenos típicos da reprodução social capitalista, ambos estão atravessados pelo cálculo de seu proveito em situações arraigadas e reiteradas e, ainda, pelo cálculo de ruptura do assentamento típico de seu entrelaçamento. Entram em cena, então, as estratégias de classes, frações de classe, grupos e indivíduos. As seletividades jurídicas e políticas em relação a petistas e tucanos são exemplo, no Brasil, de estratégias distintas de uso de legalidade e exceção. Perpassando o uso da normatividade jurídica, as mudanças de padrão de reprodução política e jurídica nos atuais tempos de golpe no Brasil representam artifícios e tramas de poder e concorrência. Supremacia, domínio político, controle jurídico e acumulação são seus corolários, jamais o respeito às leis apenas como sagração de um altar institucional. Desse modo, nada há de concreto a não ser o próprio engano ideológico quando se pauta o clamor político e jurídico por questões como o restauro da legalidade ou a abominação da exceção. Uma disputa pela oposição entre legalidade e exceção é moralista e tecnicista; materialmente, são polos de um mesmo fenômeno. Legalidade e exceção são estruturais à exploração e à acumulação. O jogo entre Estado de direito e exceção se dá a partir de relações de força reais. Ao cabo, são tais forças que determinam o talhe e a localização da exceção e da legalidade. As disputas pela transformação social passam, então, pela conquista de polos de força, não pela lei que os proteja. Recaem sobre os polos políticos indesejados ou de esquerda, os pobres, as minorias, as classes e os grupos combatidos, tanto a partir da legalidade quanto da exceção, suas facetas de exploração, dominação e segregação[5].

Nas sociedades capitalistas, articulam-se vários e grandes complexos de modulação entre legalidade e exceção. Embora distintas em suas causas e razões imediatas, proponho que sejam lidas de modo especificamente articulado as exceções reiteradas, que permeiam o quotidiano da vida social sob o Estado e o direito, e as exceções excepcionais, ou de alcance político majorado, como o *impeachment* de Rousseff, o golpe de 2016 ou mesmo o combate jurídico à figura de Lula e sua prisão, caso mais evidente de *lawfare*[6]. Na reiteração da reprodução social comum capitalista, a interação entre forma de subjetividade jurídica e forma política estatal assenta padrões e modulações que revelam, então, a miríade da exploração e da dominação: perseguição aos pobres, aos trabalhadores e aos sindicalistas, racismo, machismo, homofobia, repressão a comunidades de subúrbio, indígenas e

---

[5] Ver Camilo Onoda Caldas, *Teoria geral do Estado*, cit., p. 91-5.
[6] Ver Pedro Estevam Alves Pinto Serrano, *Autoritarismo e golpes na América Latina: breve ensaio sobre jurisdição e exceção* (São Paulo, Alameda, 2016); Cristiano Zanin Martins, Valeska Teixeira Zanin Martins e Rafael Valim (orgs.), *O caso Lula*, cit.

estrangeiros, bem como a esquerdistas de modo geral. Cada uma dessas práticas remonta a causas particulares, mas todas se aglutinam em paradigmas sociais e institucionais que se orientam a uma funcionalidade geral, instaurando um sistema social estruturado[7]. Assim, racismo, machismo e homofobia são práticas que passam a se coadunar com aparelhos institucionais de repressão aos pobres, de defesa da propriedade privada e de manutenção do capital. Por tal coesão, que idealmente nada guarda de coerência institucional legalista, o policial negro e de periferia acaba por ser a ordem branca contra o negro; o homem violento e preconceituoso contra a mulher e o homossexual, rico ou pobre, se torna um braço armado do Estado capitalista contra o pobre suburbano. Mais que o juízo moral acerca de quem oprime, domina ou explora ou de quem se submete, trata-se de um maquinário de exploração, dominação e opressão, cujos polos hierárquicos são, via de regra, sustentados e demarcados pelas práticas que os constituem, gerando institucionalidades e, em subsunções particulares das normas a casos ou pessoas, normalidades. Forjam-se, assim, *modulações típicas de exceções reiteradas*.

Há de se dizer que as distintas modulações entre legalidade e exceção em casos e situações de grande repercussão institucional e social partem de estratégias e interesses não necessariamente similares àqueles empreendidos em casos quotidianos. Para tais casos de maior envergadura, os proveitos e as destruições são de monta econômica, social e simbólica maior, tanto quanto os aparatos de apoio. Se os atos triviais de perseguição policial se fazem atrelados a uma espécie de discurso policialesco em programas de rádios e jornais, situações como a do *impeachment* de Rousseff e do *lawfare* contra Lula se vinculam a um bombardeio de informações e opiniões sob controle quase total dos meios de comunicação de massa majoritários; igualmente, os interesses em jogo são de grau incisivo de determinação.

As dinâmicas das pequenas e das grandes exceções advêm de situações particulares, mas todas se articulam num quadro geral das modulações entre legalidade e exceção no capitalismo. Apesar de sua miríade de fatos, muitos deles contraditórios e antagônicos, as grandes e pequenas exceções compõem um todo estruturado, coeso no mais das vezes, ainda que não sempre, dada a variabilidade das funcionalidades na reprodução social capitalista. Proponho a leitura de que, na análise do capitalismo em termos médios, na história dos séculos XX e XXI, os modelos de acoplamento entre legalidade e exceção fordistas, que vão até a década de 1970, utilizavam estratégias e narrativas de legalidade e sua negação mais contrastantes: guerras contra situações de paz, arguições de liberdade *contra legem* em face de imputadas legalidades totalitárias; os modelos de interação entre legalidade e exceção pós-fordistas, de lá até hoje, menos contrastados no que tange às afirmações

---

[7] Ver Silvio Luiz de Almeida, *O que é racismo estrutural?*, cit.

e negações da legalidade, forjam-se com câmbios também menos expressivos – *impeachments* são os sucessores atuais de golpes de força; juízes legalizam seus próprios golpes e exceções em lugar das rupturas que, até então, militares ou revolucionários deixavam patentes[8]. A exceção tornada mais mascarada no capitalismo pós-fordista só significa que está mais entranhada numa reprodução geral que a contém em grandes e pequenas situações[9]. O fordismo se valia, preferencialmente, de cálices específicos de marcada exceção, dos quais se vangloriava; o pós-fordismo dilui a exceção em caixas-d'água, para uso crônico[10].

Pode-se imaginar que, no caso brasileiro atual, um golpe viesse a ser uma exceção insigne e bastante divergente daquela exceção medianamente arraigada. Seu maior exemplo seria um golpe militar. Em tal situação, ele abalaria as formas institucionais já existentes, mas seu custo seria operar sob contraste aberto. O golpe brasileiro presente – e seu modelo correspondente, como no caso dos atuais *impeachments* latino-americanos –, mesmo sendo exceção majorada em relação às exceções quotidianas, aproveita-se de procedimentos, táticas, técnicas e práticas nestas já reiteradamente realizados. Ardis processuais, torções regimentais, bloqueios e desqualificações de opiniões contrárias, tudo isso se requalifica para situações que demandam alto constrangimento das reiterações sociais, das instituições e da opinião social geral. Mesmo que o golpe seja uma exceção de grande monta, ele transcorre em uma articulação com a rede da modulação tradicional e reiterada entre legalidade e exceção, de tal sorte que fecha e consolida tal quadro. Trata-se, então, de um golpe plenamente estruturado socialmente. A possibilidade de reação a seus ditames e de contraste simbólico se torna frágil, na medida em que a totalidade da reprodução social capitalista

---

[8] Sobre Estado, fordismo e pós-fordismo, ver Alysson Leandro Mascaro, *Estado e forma política*, cit., p. 109-28.

[9] "No decorrer do século XX, portanto, a distinção entre estado de exceção e normalidade deixou de ser absoluta, com a inutilidade dos meios tradicionais de exceção diante da exceção econômica. [...] A ditadura constitucional deixou de ser temporária para se tornar uma estrutura permanente de governo para enfrentar crises. Ou seja, há a banalização do estado de exceção. Formalmente, vigoram os princípios democráticos, mas, na prática, são constantemente suspensos ou violados. [...] O estado de exceção, assim, não é um 'raio caído de um céu azul' (*ein Blitzstrahl aus heiterm Himmel*), expressão com a qual Marx descreve a imagem que os liberais franceses tinham do golpe de Estado de Luís Napoleão Bonaparte. Nem é o milagre de Carl Schmitt. Pelo contrário, de acordo com Giorgio Agamben, é o novo 'paradigma de governo'. [...] Da garantia do Estado, o estado de exceção passou a ser empregado na garantia da constituição e agora se consolida o modelo da garantia do capitalismo." Gilberto Bercovici, *Soberania e Constituição: para uma crítica do constitucionalismo* (São Paulo, Quartier Latin, 2008), p. 46 e 327-8.

[10] "Em última análise, *o estado de exceção é uma exigência do atual modelo de dominação neoliberal*. É o meio pelo qual se *neutraliza* a prática democrática e se reconfiguram, de modo silencioso, os regimes políticos em escala universal." Rafael Valim, *Estado de exceção: a forma jurídica do neoliberalismo* (São Paulo, Contracorrente, 2017), p. 34.

já opera assim. Da política ao direito e à ideologia, a mercadoria e a exploração são o sentido da sociabilidade. No caso presente, um golpe, menos que uma amarra institucional negada, é a destruição de alguns dos obstáculos para que, enfim, reine mais da única e indefectível legalidade capitalista: a acumulação, almejada virtualmente como cálculo universal sem nenhum contraste. Para além de ser exceção à norma, o golpe se orienta para o capital sem exceção.

4. Política e crise do capitalismo atual: aportes teóricos

A noção de crise política ou jurídica – exemplificada e vivida em países que vão da América Latina e seus atuais processos de *impeachment* aos do Oriente Médio e suas Primaveras Árabes, e mesmo nos Estados Unidos – costuma ser lida como crise moral, das instituições ou mesmo civilizacional, mas quase nunca como crise do capitalismo como modo de produção. Quando, raramente, o diagnóstico teórico alcança esse objeto, permanece refém dos horizontes ideológicos que o produziram. Da mesma forma que não se pode sair do poço puxando-se os cabelos, tampouco se pode ler a crise capitalista nos próprios termos teóricos que fundam sua reprodução. A consolidação das mais avançadas balizas teóricas críticas é tarefa necessária para confrontar a sociabilidade presente em termos estruturais. Isso exige rupturas metodológicas, deslocamentos e reelaborações do objeto teórico e investigações materiais que façam a compreensão da sociedade avançar de marcos ideológicos para científicos. Política, direito e instituições, como plexos centrais do capitalismo, devem ser lidos a partir de sua natureza concreta, de suas formas sociais e de suas determinações pela mercadoria.

O objetivo desta reflexão é encaminhar uma arquitetura dos horizontes teóricos do campo marxista que buscam fundar-se na própria materialidade da reprodução do capital, apontando para suas determinações e suas contradições. Se a esquerda tem atuado em uma confortável zona de trabalho reformista, é preciso extrair do marxismo aquilo que aponta para além de tais visões baseadas no Estado e no direito.

Por se tratar de visões construídas a partir de fundamentos independentes – e, mesmo, com pronunciadas contraposições entre si –, buscar-se-á uma junção específica de alguns campos teóricos marxistas contemporâneos que floresceram, quase todos, a partir do terço final do século XX. Tal amálgama, que se articula com a própria reflexão sobre a forma política estatal e a forma jurídica, poderá servir de ferramental relevante a esclarecer as perspectivas de luta da atualidade. O referencial teórico que unirá tais campos será a crítica do direito promovida por Pachukanis, bem como as contribuições de Althusser para a crítica da ideologia jurídica, avançando, então, no espaço teórico cada vez mais comumente intitulado "novo marxismo", do qual se desdobram importantes marcos para tais debates.

Da crise e suas leituras

As múltiplas leituras do quadro da crise capitalista atual representam interesses diversificados e sinceras dificuldades de análise e de estratégia. Via de regra, tem-se redobrado a aposta dos setores liberais, que dominam a produção da ideologia do saber econômico e dos meios de comunicação de massa que o difundem. De outro lado, setores críticos têm insistido em uma posição institucionalista de esquerda arraigada mundialmente desde as décadas finais do século XX, fundada em estruturas políticas democráticas, na ação por dentro do espaço das instituições e na resistência a desmontes neoliberais dessas mesmas esferas político-jurídicas. Nesse embate, a crise do capitalismo é lida, portanto, ou sem ser reconhecida como tal – por quem deseja mais mercado desregrado para curar o mercado –, ou como crise capitalista minorável ou domável – por quem deseja mais mercado regrado para curar o mercado. Reforma, seja para mais, seja para menos, tem sido o mote para a crise capitalista do final do século XX e do início do século XXI.

Em termos de massificação das leituras, não há equiparação entre o poder da visão liberal – que domina jornais, televisões, internet, universidades – e o das visões críticas – que, quando muito, ganham algum espaço em eventuais governos de centro-esquerda e em círculos intelectuais de resistência. No campo progressista e das esquerdas, leituras concretas e materialistas da dinâmica do capitalismo contemporâneo têm sido poucas, ainda constrangidas – indevidamente – por sombras do escombro soviético. Mas é preciso adotar uma visão aprofundada da atualidade, a ser necessariamente crítica, apontando para a contradição fundante da economia política presente – e, então, para o imperativo de superação dessa atual sociabilidade. Tal leitura desagrada aos tempos de reprodução capitalista entre margens máximas e mínimas de instituições e reformas e de ligeireza confortável das ideias estabelecidas.

Para além das clássicas proposições que versavam sobre outros momentos da reprodução do capital, o campo do marxismo tem desenvolvido, desde a década de 1970, diagnósticos a respeito da crise capitalista contemporânea[1]. Excluindo-se

---

[1] Como já se vê em Manuel Castells, *A teoria marxista das crises econômicas e as transformações do capitalismo*, cit. Ver outro balanço a respeito em Victor Vicente Barau, *Queda tendencial da taxa de lucro, forma política e forma jurídica*, cit.

leituras diretamente ligadas a velhas ordens políticas – como as que se gestaram, ao tempo, por interesse ou afinidade com o mundo soviético – e ainda aquelas, mais frequentes, que abusam de jargões marxistas para fins de reiteração de leituras tradicionais, resta então o vigor das visões radicais. Estas suscitam o incômodo de não parecerem politicamente plausíveis – dado que não jogam a partir das bases armadas pela sociabilidade atual – e, então, são tidas como impraticáveis mesmo pelas lutas progressistas e de esquerda que se empreenderam nesse tempo. No entanto, exatamente o incômodo que provocam e sua falta de condescendência são índices de que tais teorias se aproximam de um vigoroso diagnóstico científico acerca do capitalismo presente.

Sobre crise e superação do capitalismo, várias reflexões críticas, de searas independentes e relativamente divergentes entre si, foram gestadas nos tempos que se seguem ao desmoronamento do capitalismo de bem-estar social ocidental. Tais leituras, quando despontam, deparam com o crescimento de ideias conservadoras e a recusa de prestígio ao campo marxista, associado que foi, por grande parte do século XX, à experiência soviética. Por isso, apesar de seu vigor, são forjadas de modo minoritário na academia. Na América Latina, que conheceu alguma dose de vitalidade do pensamento e da ação de esquerda no mesmo período, também o marxismo, como denúncia dos limites e das contradições do capitalismo e apontamento da necessidade de sua superação, não alcançou grande afeição teórica. As posições de esquerda, mesmo que articulando alguns jargões marxistas, reiteram a defesa do reformismo e do desenvolvimento das próprias relações capitalistas. O louvor à democracia, aos direitos humanos, ao respeito às instituições e mesmo a certa escatologia humanista, muitas vezes religiosa, de inserção de grupos e minorias no quadro da sociabilidade capitalista, posicionaram variadas esquerdas latino-americanas num espaço similar ao dos grupos multiculturalistas ou ao daqueles que, na última década do século XX, intitularam-se terceira via.

Uma leitura do marxismo elaborada a partir do problema do direito permite entender as contradições das apostas reformistas – que são sempre estratégias jurídicas, lastreadas em aumentos e manejos de direitos subjetivos e no respeito a instituições – e, ao mesmo tempo, gestar ferramentas teóricas para encontrar-se com uma crítica marxista dos campos da economia, da política, da ideologia e da subjetividade. Com base em reflexões que se estabelecem claramente a partir de Evguiéni Pachukanis, muitos ambientes teóricos podem ser iluminados e mesmo reconfigurados por uma denúncia da juridicidade como símile do mundo da mercadoria, que porta contradição e exploração, e tem, portanto, a crise como regra.

Para o necessário diálogo com a crítica marxista do direito, aponto para alguns dos grandes horizontes de análise crítica contemporânea, todos de algum modo embebidos de marxismo: althusserianismos, pós-estruturalismos, derivacionismos, regulacionismos, altermundismos e críticas do valor[2]. O encontro de tais leituras fornece o mais vigoroso caldo de cultura para a crítica social atual. É certo que, de per si, são doutrinas que apresentam postulações específicas e, muitas vezes, irredutíveis. Mas, por partirem da crítica da sociedade da mercadoria, possuem um grande espaço comum para gerar as ferramentas teóricas necessárias para o diagnóstico do presente. Muitos denominam esse campo de teorias e teóricos de *novo marxismo*[3].

Marxismo: crise e crítica da forma jurídica

Tomarei como ponto de partida uma leitura pachukaniana radical sobre direito, política e economia[4]. Tal proposta de ampliação de horizontes, ainda que não fale diretamente de questões peculiares da crise do capitalismo presente – como o fazem as teorias da regulação, por exemplo, com seus termos médios, que dão conta de explicar os vários momentos históricos da produção capitalista, como o fordismo e o pós-fordismo –, tem, no entanto, o condão de assentar bases mais sólidas a respeito da reprodução social geral do capitalismo. É apenas se fundando nessa visão estruturante que, posteriormente, será possível chegar à singularidade do momento atual.

Evguiéni Pachukanis não funda sua leitura do direito diretamente nas instituições normativas, afastando, assim, o juspositivismo recorrente da autoexplicação dos juristas. Mas também não se situa no patamar intermediário das explicações do direito pelo poder. Esse campo vasto e altamente contrastante entre seus pensadores vai de um Carl Schmitt a um Michel Foucault e, insolitamente, congrega boa parte do pensamento jurídico da esquerda – daquela de um direito insurgente ou alternativo – e também do próprio marxismo – como é o caso de Piotr Stutchka. A esse espectro da filosofia contemporânea, denomino-o "não juspositivismo"[5].

Para além do juspositivismo e do direito como fenômeno de poder, Pachukanis alcança o direito como forma social de subjetividade jurídica. Nesse nível, funda-se a concretude material do direito. A forma social da mercadoria – com base no Marx de *O capital* – é, necessariamente, uma forma de relação entre sujeitos, que

---

[2] Em meu *Filosofia do direito*, cit., p. 589 e seg., proponho uma leitura desse novo quadro do pensamento marxista contemporâneo a partir de três eixos, derivacionismo, alternativismos políticos e nova crítica do valor, e um eixo de tangente, em que estão o pós-estruturalismo e o pós-marxismo.

[3] Ver Ingo Elbe, *Marx im westen. Die neue Marx-lektüre in der Bundesrepublik seit 1965* (Berlim, Akademie, 2010), p. 29.

[4] Ver Evguiéni B. Pachukanis, *Teoria geral do direito e marxismo*, cit.; Márcio Bilharinho Naves, *Marxismo e direito*, cit. Ainda, idem, "Evguiéni Bronislavovitch Pachukanis (1891-1937)", em *O discreto charme do direito burguês: ensaios sobre Pachukanis* (Campinas, IFCH-Unicamp, 2009), p. 11-9.

[5] Ver Alysson Leandro Mascaro, *Filosofia do direito*, cit., p. 310-9.

portam as mercadorias na condição de seus guardiões por direito, transacionando-as. Assim, está na mercadoria o fundamento da juridicidade, pois ela só o é porque transacionada, e o vínculo que se instaura entre os portadores de mercadorias é necessariamente de uma subjetividade jurídica[6].

Tal subjetividade jurídica é uma equivalência entre pessoas, generalizando suas condições na base de uma liberdade contratual, de uma igualdade jurídica e de uma apreensão das mercadorias mediante respaldo previsto pelo Estado. Tal equivalência intersubjetiva, que modela materialmente a subjetividade jurídica, é espelho da equivalência das mercadorias, que se trocam todas por tudo, tal como as pessoas se relacionam todas com todas e com tudo. Márcio Bilharinho Naves, definindo a forma de subjetividade jurídica, a chama de forma de equivalência subjetiva autônoma[7].

Pachukanis atrela o direito à mercadoria, uma vez que a forma social de uma é reflexo da outra. Com isso, pela primeira vez alcança a materialidade do direito como forma de sociabilidade necessária do capitalismo. As instituições jurídicas, assim, não derivam de um mero conjunto de decisões ou voluntarismos políticos nem de razões de justiça ou metafísica. O direito se assenta numa materialidade de sujeitos que transacionam. Nesse nível, não se pode considerar o direito uma mera derivação das trocas se as tomarmos apenas no momento da circulação. É quando as mercadorias alcançam o nível da produção que, então, a subjetividade jurídica se estabelece materialmente, porque os trabalhadores se vinculam ao capital mediante liames necessariamente jurídicos, contratuais. Com a subsunção real do trabalho ao capital, o primeiro se generaliza, e o trabalhador também se abstrai de suas próprias condições para então vender um dispêndio genérico de energia. Tal equivalência entre trabalhadores que se vendem enseja o sujeito de direito como forma social geral. Márcio Bilharinho Naves é quem aponta pioneiramente para o crucial nascimento da subjetividade jurídica não numa circulação simples – como havida no pré-capitalismo –, mas numa circulação lastreada na produção, a partir da subsunção real do trabalho ao capital[8]. Com isso, Naves também refuta uma eventual acusação a Pachukanis de que este teria estabelecido uma teoria circulacionista. A mercadoria só se constitui como forma social com a produção especificamente capitalista[9].

Decorre disso que a forma do direito é, necessariamente, uma forma social capitalista, guardando a característica de tal modo de produção, exploratória e voltada

---

[6] Ver Evguiéni B. Pachukanis, *Teoria geral do direito e marxismo*, cit., p. 117-37.
[7] Ver Márcio Bilharinho Naves, *A questão do direito em Marx* (São Paulo, Outras Expressões/Dobra, 2014), p. 87.
[8] Ibidem, p. 44 e seg. Ver, ainda, Celso Naoto Kashiura Jr., *Sujeito de direito e capitalismo*, cit., p. 195.
[9] Ver Márcio Bilharinho Naves, *Marxismo e direito*, cit., p. 53-78.

para a acumulação. A partir do referencial pachukaniano, o direito não é instrumento emancipatório nem pode conduzir à superação da sociabilidade capitalista, dado que é uma forma social necessária e estruturante do próprio capitalismo como modo de produção. Embora historicamente olvidada, uma reiterada ilusão jurídica para os lutadores de esquerda já há muito tem sido combatida – a começar por Engels e Kautsky, em *O socialismo jurídico*[10]. Pachukanis, por ter firmado a descoberta da natureza capitalista da forma jurídica, pagou com a vida seu contraste político com os tempos stalinistas, nos quais o Estado soviético proclamava um direito socialista e uma sociedade tal e qual.

A forma da subjetividade jurídica é que garante a exploração do trabalho mediante vínculos contratuais e, portanto, a riqueza do capital mediante extração de mais-valor. Também é num possuir por direito – a propriedade privada – que se garante o capital, não numa apreensão mediante a força direta do capitalista. Essa separação entre os capitalistas e uma entidade política distinta e terceira dos agentes da produção gera o Estado, cuja forma social é também necessariamente capitalista.

As radicais extrações políticas ensejadas pela leitura marxista sobre o direito permitem vislumbrar que as crises do capital estão perpassadas, necessariamente, por instituições jurídicas. Com isso, o direito não é uma possibilidade de salvação nem de superação do capitalismo, como se outro conjunto normativo pudesse transformar a reprodução econômica[11]. Quantidades distintas de direitos – como os direitos sociais – não logram se opor à qualidade capitalista da própria forma jurídica[12]. O direito participa, como forma estrutural, de uma dinâmica social que, plantada na exploração e na contradição, é por natureza portadora de crises. Não se pode, então, vislumbrar, pelo campo do direito, um potencial transformador nem superador do capitalismo. Os instrumentos jurídicos, quando muito, reconfiguram os termos da própria crise, dinamizando-a, alijando grupos, remediando ou protegendo outros, mas sempre promovendo um circuito infinito de trocas mercantis. Onde há mercadoria, nas bases específicas da produção capitalista, há direito e crise, e nenhum desses termos é oposto aos outros.

Marxismo: crise e sociabilidade

Com base numa crítica marxista do direito que alcança a forma jurídica como derivada da forma da mercadoria, é preciso então armar-se teoricamente com elementos de outras visões marxistas contemporâneas que também se assentam numa crítica da mercadoria e da materialidade de tal relação social.

---

[10] Ver Friedrich Engels e Karl Kautsky, *O socialismo jurídico*, cit., p. 17 e seg.
[11] Ver Carlos Rivera Lugo, *¡Ni una vida más al Derecho!*, cit., p. 11 e seg.
[12] Ver Alysson Leandro Mascaro, *Introdução ao estudo do direito*, cit., p. 7 e seg.

Louis Althusser representou, para o marxismo, um marco divisor no terço final do século XX. Ao privilegiar a leitura de *O capital* em vez de uma crítica humanista de esquerda que se baseava nas obras juvenis de Marx, como se viu em Roger Garaudy e tantos outros, Althusser repõe o marxismo como ciência da historicidade, numa chave de leitura radicalmente material e consequente. A sociabilidade capitalista é, então, percebida como um engendramento de interações nas quais há determinação[13].

De algum modo, a reflexão de Althusser a respeito da subjetividade e de sua especificidade no capitalismo se presta ao encontro com a questão pachukaniana da subjetividade jurídica[14]. Desvendando o campo da ideologia, Althusser reconhece no sujeito uma chave da reprodução capitalista. O sujeito é constituído por práticas materiais – há, nessa questão, um proveitoso diálogo do marxismo tanto com Michel Foucault quanto com a psicanálise –, e seu arcabouço de positividade é oriundo de uma interpelação ideológica. O sujeito o é porque as práticas materiais e estruturais do capitalismo assim o determinam. A ideologia, assim, não é uma vestimenta pessoal opcional nem uma deformação de uma visão de mundo verdadeira ou ideal. Ela é o substrato de constituição da própria subjetividade, agindo no mesmo nível do inconsciente; por isso, não é objeto de mera vontade libertadora individual nem se presta à transformação, como se fosse possível atuar no nível de conscientização de suas condições. Além disso, está arraigada em aparelhos ideológicos, que gestam a força, a dinâmica e o longo prazo de sua própria produção e continuidade.

Pela relação peculiar entre a consciência individual ou de classes e a dinâmica da reprodução capitalista, permeada pela constituição da subjetividade e pela ideologia, a ultrapassagem do capitalismo começa a ser entendida de modo extremamente mais exigente, e torna-se muito mais difícil a superação das próprias estruturas e práticas constituintes dos sujeitos e de suas interações. Quando aponta para as massas e não para os indivíduos como responsáveis por fazer a história, a teoria de Althusser tem o mérito de contrastar com visões humanistas e reformistas que investiam numa espécie de concórdia pela mudança social. No entanto, sua leitura se mantém generalizadora e refém de esquemas políticos revolucionários organicistas, carecendo de um aprofundamento da crítica da subjetividade e das massas.

---

[13] Ver Louis Althusser, *Aparelhos ideológicos de Estado*, cit.; idem, *Por Marx*, cit.; idem, *Posições 1* (Rio de Janeiro, Graal, 1978). Ainda, Pedro Eduardo Zini Davoglio, *Anti-humanismo teórico e ideologia jurídica em Louis Althusser* (Dissertação de mestrado em Direito Político e Econômico, São Paulo, Mackenzie, 2014); Juliana Paula Magalhães, *Marxismo, humanismo e direito: Althusser e Garaudy* (São Paulo, Ideias & Letras, 2018).

[14] Ver Silvio Luiz de Almeida, "Crítica da subjetividade jurídica em Lukács, Sartre e Althusser", *Direito e Práxis*, Rio de Janeiro, Uerj, v. 7, n. 4, 2016, p. 335-64.

A partir das bases lançadas por ele, um althusserianismo pôde avançar, fazendo empreender, no caso de Bernard Edelman, uma valiosa construção teórica sobre o fenômeno jurídico. A subjetividade capitalista tem, no direito, um constituinte decisivo. É porque se possui por direito, e porque formalmente há transações livres entre iguais, que a subjetividade se entende como tal. O caráter jurídico molda a subjetividade capitalista de modo fulcral e necessário. A ideologia capitalista é, assim, ideologia jurídica[15].

Na esteira do althusserianismo, uma série de reflexões – que não formam uma escola, e sim temários desenvolvidos com alguma similaridade – esparrama-se por pensadores aos quais foi atribuída a alcunha de pós-estruturalistas. Em suas obras, a subjetividade começa a ser investigada justamente no momento de sua constituição em termos de práticas ligadas a uma produção do desejo, nos termos de Gilles Deleuze[16]. Em outra chave, Žižek se dedica a extrair da ideologia sua materialidade, de tal sorte que – prosseguindo de certo modo a crítica de Althusser – não se pode tratar de um pretenso desvendar da ideologia como chegada ao real que então desalienaria. O próprio real é ideológico, porque, acima de uma oposição entre real e fictício ou errôneo, impera uma total identidade ideológica que esvazia o material de verdade. O espectro do real é também o deserto do real[17].

No meio desse processo, ainda, em termos de problematização da subjetividade no capitalismo, teorias não nascidas no seio do marxismo já apontam as incidências de uma subjetivação majorada de narcisismo – a partir de Christopher Lasch – e de uma razão cínica que se exacerba e se torna padrão na sociabilidade atual – num pensamento que se desenvolve em Peter Sloterdijk[18]. Acrescente-se a isso a proposição de Guy Debord – depois requalificada por Anselm Jappe – do espetáculo como forma privilegiada da ação social do momento presente[19]. Tais incorporações,

---

[15] Ver Bernard Edelman, *O direito captado pela fotografia: elementos para uma teoria marxista do direito* (Coimbra, Centelha, 1976). Ainda, Nicole-Edith Thévenin, "Ideologia jurídica e ideologia burguesa (ideologia e práticas artísticas)", em Márcio Bilharinho Naves (org.), *Presença de Althusser*, cit.

[16] Ver Gilles Deleuze e Felix Guattari, *Mil platôs: capitalismo e esquizofrenia*, v. 1 (trad. Ana Lúcia de Oliveira, Aurélio Guerra Neto e Célia Pinto Costa, São Paulo, Editora 34, 1995). Ainda, Lucas Ruíz Balconi, *Direito e política em Deleuze* (São Paulo, Ideias & Letras, 2018).

[17] Ver Slavoj Žižek, *Eles não sabem o que fazem: o sublime objeto da ideologia* (trad. Vera Ribeiro, Rio de Janeiro, Jorge Zahar, 1992); idem, "O espectro da ideologia", em *Um mapa da ideologia* (trad. Vera Ribeiro, Rio de Janeiro, Contraponto, 1996). Ainda, Marcelo Gomes Franco Grillo, *O direito na filosofia de Slavoj Žižek: perspectivas para o pensamento jurídico crítico* (São Paulo, Alfa-Ômega, 2013).

[18] Ver Christopher Lasch, *A cultura do narcisismo* (trad. Ernani Pavaneli, Rio de Janeiro, Imago, 1983); Peter Sloterdijk, *Crítica da razão cínica* (trad. Marco Casanova et al., São Paulo, Estação Liberdade, 2012).

[19] Ver Guy Debord, *A sociedade do espetáculo: comentários sobre a sociedade do espetáculo* (trad. Estela dos Santos Abreu, Rio de Janeiro, Contraponto, 1997); Anselm Jappe, *Guy Debord* (trad. Iraci D. Poleti e Carla da Silva Pereira, Lisboa, Antígona, 2008).

quando sob a percepção de uma crítica estrutural da sociabilidade capitalista, são fundamentais para afastar a pretensão de uma subjetividade com potencial de conscientização e de autonomia política emancipatória nos termos da democracia, do esclarecimento, do consenso e do jogo no espaço político institucionalizado.

A crise, na sociabilidade capitalista, não é necessariamente o evento traumático que encontra no aumento do sofrimento dos sujeitos um motor para um processo de ruptura. Se a subjetividade é constituída ideologicamente por uma aparelhagem material que advém de uma infinita cadeia de relações da mercadoria e a sustenta, então não há política que aposte na oposição realidade/esclarecimento como abertura concretamente revolucionária.

Marxismo: crise, economia e política

Procedimento similar ao realizado por Pachukanis ao extrair das categorias econômicas do capital a forma jurídica ocorreu no plano da teoria política a partir da década de 1970, quando uma série de pensadores – costumeiramente conhecidos por derivacionistas – buscou atrelar também a forma política estatal à dinâmica do valor. Esse elevado campo de compreensão política repôs o problema do Estado em termos materiais, mostrando o caráter indissolúvel da forma política estatal em face do capital[20].

De forma destacada no pensamento de Joachim Hirsch, tal visão derivacionista percebe a impossibilidade de uma política superadora a partir do espaço dos próprios Estados. Resgatando as proposições de Marx em sua obra política, aponta-se que a sociabilidade capitalista demanda a existência de um aparato político distinto dos agentes econômicos e que então, por sua forma, enseja e garante a reprodução social numa dinâmica de concorrência e de agentes que se vinculam por liames jurídicos. O Estado nem é instrumento neutro que possa ser conquistado pela classe trabalhadora em benefício da superação do capitalismo, nem é burguês por ser controlado diretamente por burgueses. Sua forma social é capitalista. É exatamente por institucionalidades políticas estatais que os circuitos da acumulação se gestam e se garantem. Além disso, a própria materialidade do Estado depende diretamente da acumulação – sua existência demanda tributação e expectativa de força econômica –, sendo sempre, então, instrumento de reforço da dinâmica do capital.

O contexto do debate derivacionista é o ponto alto da teoria política contemporânea. Seu pouco reconhecimento se deve ao fato de afirmar a mais radical leitura do marxismo em meio a um refluxo político conservador que pôs a metrificação

---

[20] Ver Joachim Hirsch, *Teoria materialista do Estado*, cit. Ainda, Camilo Onoda Caldas, *A teoria da derivação do Estado e do direito*, cit.

institucional como ciência por excelência da ação política atual. Joachim Hirsch e os derivacionistas apontam para a impossibilidade de conhecer o Estado a não ser como forma necessária da reprodução capitalista. Assim, a sorte do capitalismo também é a do Estado. O Estado não tem poderes salvadores durante a crise porque ela é exatamente um momento nodal das contradições da dinâmica de acumulação.

As leituras da derivação do Estado a partir da forma-valor, iniciadas em meados da década de 1970, superam os quadrantes de debates anteriores, como aqueles em torno das ideias de Nicos Poulantzas, para quem o Estado representava a condensação de relações de força. O horizonte de Poulantzas sobre o Estado em algumas das fases de seu pensamento apontava para um nível de politicismo. A derivação vai mais a fundo na determinação material da forma política[21].

Em especial a partir da década de 1980, visões que se opõem àquelas da derivação ganham peso no debate marxista. Na Inglaterra, John Holloway e Bob Jessop empreendem uma leitura da política que também prima por entender as relações sociais, de força e de luta. Tais proposições, ditas de um marxismo aberto, redundam, então, na busca da transformação social ao largo do Estado – mudar o mundo sem tomar o poder[22]. Em chave distinta, mas partilhando o mesmo horizonte da ação e da luta, estão posições como a de Antonio Negri e Michael Hardt em *Império* e *Multidão*[23].

Aproveita-se, do conjunto dessas visões críticas em relação aos derivacionistas, o importante reforço de que a derivação das formas a partir da forma-valor e a construção da forma política estatal não são procedimentos lógicos, mas derivações factuais, que ocorrem no solo das próprias formações sociais, atravessadas por contradições e peculiaridades políticas. Joachim Hirsch se destaca por incorporar claramente o papel da luta de classes no contexto da determinação das formas sociais, sem renunciar à primazia desta. Contudo, embora relembrem que a sociabilidade

---

[21] Ver Nicos Poulantzas, *O Estado, o poder, o socialismo* (trad. Rita Lima, Rio de Janeiro, Graal, 2000); idem, *Poder político e classes sociais* (Porto, Portucalense, 1971). Para uma análise do impacto das obras de Poulantzas no surgimento do debate da derivação, ver: Elmar Altvater e Jürgen Hoffman, "The West German State Derivation Debate: the Relation between Economy and Politics as a Problem of Marxist State Theory", *Social Text*, Durham, Duke University, n. 24, 1990, p. 151-2; Camilo Onoda Caldas, *A teoria da derivação do Estado e do direito*, cit., p. 150-7.

[22] Ver Alberto Bonnet, John Holloway e Sergio Tischler (orgs.), *Marxismo abierto. Una visión europea y latinoamericana* (Buenos Aires, Herramienta, 2007); John Holloway, *Mudar o mundo sem tomar o poder* (trad. Emir Sader, São Paulo, Viramundo, 2003); Bob Jessop, *State Theory. Putting the Capitalist State in its Place* (Cambridge, Polity Press, 1996); idem, *The Capitalist State* (Oxford, Martin Robertson, 1982). Ainda, Edvaldo Araujo dos Santos, *Cidadania, poder e direito em contradição: a teoria de John Holloway* (São Paulo, Novas Edições Acadêmicas, 2015).

[23] Ver Michael Hardt e Antonio Negri, *Império* (trad. Clóvis Marques, Rio de Janeiro, Record, 2001); idem, *Multidão: guerra e democracia na era do império* (trad. Clóvis Marques, Rio de Janeiro, Record, 2005).

capitalista se forja no seio de lutas e dinâmicas sociais de encontro e fratura, as visões de marxismo aberto, altermundistas e mesmo das multidões como agentes de superação capitalista padecem de chaves politicistas, na medida em que não incorporam a crítica das formas sociais e de sua determinação material ao fulcro da própria ação de luta.

No ambiente das décadas de 1970 e 1980, ainda, algumas leituras econômicas do capitalismo contemporâneo tornam-se conhecidas pela alcunha de escolas da regulação. A maior parte de seus pensadores não é marxista e, em boa medida, é francamente antimarxista. No entanto, alguns deles – Michel Aglietta, Alain Lipietz, Robert Boyer – estabelecem um grau de síntese ou ecletismo de outras visões da economia com o marxismo. Deve-se ao regulacionismo uma insistência em forjar termos médios para a compreensão do capitalismo. Tais ferramentas são mais amplas que aquelas da economia liberal e, ao mesmo tempo, trabalham com especificidades internas das estruturas gerais do modo de produção. Assim, marcações como fordismo e pós-fordismo, e ainda regime de acumulação e modo de regulação, permitiriam dar conta de mudanças dentro de um modo de produção e que, com maior nitidez, se faziam notar nas décadas finais do século XX[24].

É possível extrair, dos termos médios e das marcações de mudanças de regime de acumulação e modo de regulação, importantes balizas para dimensionar a dinâmica do capitalismo presente. Tais ferramentas revelam-se úteis – e foram mesmo pioneiras – para entender a ruptura do fordismo e o surgimento do pós-fordismo e do neoliberalismo. Mas a regulação, quando eivada de leituras intervencionistas ou keynesianas (e, no limite, até mesmo liberais, louvando a impossibilidade de construir outra sociabilidade), gera impasses que não podem ser aproveitados para uma crítica estrutural do capitalismo contemporâneo e suas crises.

Na década de 1980, surgem visões da crise capitalista que compreendem o momento de transição entre fordismo e pós-fordismo não apenas como mudança de acumulação e regulação, mas também como crise estrutural da própria sociabilidade capitalista. Leituras da nova crítica do valor firmam uma rigorosa retomada da análise das estruturas do capitalismo, apontando impasses insuperáveis na reprodução social presente. Em especial na obra de Robert Kurz, mas também, posteriormente, em Anselm Jappe, um grupo de pensadores avança pela constatação do

---

[24] Ver Michel Aglietta, *Macroeconomia financeira*, cit., v. 1-2; Robert Boyer, *A teoria da regulação*, cit.; idem, *Teoria da regulação: os fundamentos* (trad. Paulo Cohen, São Paulo, Estação Liberdade, 2009); Alain Lipietz, *O capital e seu espaço* (trad. Manoel Fernando Gonçalves Seabra, São Paulo, Nobel, 1988). Ainda, André Luiz Hoffmann, *Teoria da regulação e direito: horizontes de uma teoria jurídico-política crítica do capitalismo presente* (Dissertação de mestrado em Direito Político e Econômico, São Paulo, Mackenzie, 2013); Alessandra Devulsky da Silva Tisescu, *Aglietta e a teoria da regulação: direito e capitalismo* (Tese de doutorado em Direito Econômico e Financeiro, São Paulo, FD-USP, 2014).

colapso da modernização – apontando, sobretudo, para um circuito universal da mercadoria que gera, então, não crises localizadas, mas dinâmicas de crise estrutural, que começam pela periferia do capitalismo já nos anos 1970, chegam ao chamado Segundo Mundo, sob influência soviética, que era dependente e atrelado à mesma valorização do valor, para então alcançar o capitalismo central. Fatores como a determinação social pela mercadoria e, no caso de sua reprodução contemporânea, a queda tendencial da taxa de lucros ganham primazia nas análises da crítica do valor[25].

No plano da crítica econômica, é possível unir algumas ferramentas regulacionistas com as perspectivas estruturais da crítica do valor, na medida em que desde as últimas décadas do século XX trabalham com o mesmo fenômeno da crise do capitalismo. Como diferença, há, pelo regulacionismo, a ideia de um capitalismo de muitas fases e influxos, e, pela crítica do valor, a de um capitalismo que, se lido rigorosamente, seria apenas símile do fordismo, enquanto o pós-fordismo constituiria sua longa crise estrutural terminal. Para além dos termos econômicos, no entanto, outro grau de exigências se levanta a partir da crítica do valor: o esvaziamento da luta de classes como fenômeno capaz de levar a uma tensão superadora do capitalismo – dado que tanto as ações de resistência, antagonismo, contestação como o espaço da ação política se erguem a partir das formas do valor e da própria reprodução da mercadoria –, o que gera, então, novas exigências de luta para esse fim.

Na análise do capitalismo contemporâneo, forja-se o conjunto de ferramentas que deve apontar para a crise não como fenômeno passageiro – política ou juridicamente sanável – nem como espaço de ganho a partir de novos rearranjos do capital. O capitalismo pós-fordista, neoliberal, da crise da acumulação, não poderá reformar-se com as ferramentas que solidificaram, historicamente, a própria expansão da mercadoria no plano mundial. Quanto ao espaço para uma política revolucionária, o ponto alto de tais percepções é a constatação da impossibilidade de qualquer superação capitalista a partir dos termos e das formas sociais arraigados.

Em tal horizonte, leituras da economia e da política confluem com as leituras jurídicas marxistas[26]. Já em Pachukanis a forma jurídica, sendo espelho da forma mercantil, não permite que se empreenda, por seus quadrantes, a superação daquilo

---

[25] Ver Robert Kurz, *O colapso da modernização: da derrocada do socialismo de caserna à crise da economia mundial* (trad. Karen Elsabe Barbosa, Rio de Janeiro, Paz e Terra, 1992); Anselm Jappe, *As aventuras da mercadoria: para uma nova crítica do valor* (trad. José Miranda Justo, Lisboa, Antígona, 2006). Ainda, Joelton Cleison Arruda do Nascimento, *Ordem jurídica e forma valor: estudo sobre os limites da regulação jurídica no capitalismo contemporâneo* (Tese de doutorado em Sociologia, Campinas, IFCH-Unicamp, 2013).

[26] Ao que se somam, ainda, posições como a de David Harvey, *O novo imperialismo*, cit.

que ela própria funda. A crítica do direito se faz então presente, no contexto geral das ferramentas teóricas críticas, como rigoroso e exigente índice dos impasses e dos caminhos transformadores do capitalismo.

Democracia, instituições e direito

A crise presente do capitalismo mundial encontra nas instituições políticas, jurídicas e sociais pontos nodais que tanto dificultam sua dinâmica quanto constituem as próprias condições nas quais a reprodução social se assenta. No descompasso entre sua necessidade e seu incômodo estão os embates de largos setores a respeito das possibilidades da ação política no presente.

As lutas políticas presentes têm sido movidas num jogo de sístole e diástole. Em outras palavras, a dinamização da política tem ocorrido a partir da disputa entre quantidades de direitos e instituições, sem que se ponha em questão a qualidade jurídica e institucional da política, do Estado e do capitalismo. Movimentos liberais apontam para o combate a direitos e garantias sociais, enquanto forças populares e de esquerda atuam em sentido oposto. De outro lado, elementos do conservadorismo ou do reacionarismo político – peculiarmente, quase sempre atreladas a um liberalismo econômico – advogam por aumento da interferência estatal em repressões – ao envolvimento com drogas, a estrangeiros, desviantes, costumes –, enquanto suas contrapartes progressistas perfilham lutas liberais em termos de direitos civis, proteção de minorias etc.

Ao se limitar a movimentação política a disputas por vetores ou quantidades de direitos ou por modular instituições dentro da sociabilidade capitalista, esta última não é posta na berlinda. Suas formas sociais, suas estruturas e seus aparatos são ou naturalizados ou olvidados como objeto das lutas revolucionárias transformadoras. Com tal rebaixamento das possibilidades de compreensão das determinações materiais últimas do campo da política – seja esta a das classes em luta, a dos grupos em pleito ou a do próprio direito –, o espectro da ação contestadora aponta não para as contradições estruturais do sistema, mas para antagonismos que possam ser absorvidos em jogos de ganho e perda, com composição no interior das formas sociais existentes[27].

Das estruturas da sociabilidade presente, a democracia é, precisamente, o horizonte mais naturalizado e, com isso, mais esquecido pela teoria crítica ou pela ação contestadora. Seu louvor é feito em construções jurídicas que exprimem máximos morais – vontade da maioria, eventual respeito à minoria, competências estabelecidas previamente por norma jurídica, pluralismo, abominação a ditaduras etc.

---

[27] Ver Bernard Edelman, *A legalização da classe operária*, cit.

Opera nisso uma natureza dúplice. De um lado, a democracia age tanto conforme uma dinâmica concorrencial quanto como um instrumento suficiente para normatividades e exceções do capitalismo. De outro, o campo ideológico da democracia se assenta numa opinião social média produzida a partir de aparelhagens sofisticadas de entendimento de mundo.

No que tange a sua adaptabilidade à dinâmica capitalista, as democracias possibilitam, no plano político, um símile à concorrência de capitais, classes, grupos e agentes da produção. Com isso, interesses, necessidades, reclames, desejos e esperanças são processados como linhas de força de conquistas de apoio, modulando-se em faixas médias de agrado ao público eleitor. As contradições das sociedades concorrenciais têm, na democracia, uma forma suficiente de manutenção de antagonismos políticos e sociais, sem os resolver de todo. Nesse sentido, a democracia permite fugir do enfrentamento das questões estruturantes e das decisões extremas[28].

Exatamente porque dissolvida numa miríade de convencimentos e de opiniões médias que se aproximam, forjando alguma reiterada coesão, a democracia é permeada por mecanismos de exclusão, de afastamento dos extremos e de modulações da legalidade. Por um ângulo, constitui-se o campo do normal, que é produzido pelo Estado, pelo direito, pela economia, pela ideologia. Por outro, dentro do próprio normal, constantemente seu funcionamento é negado, com base em operações institucionais. Eventos como os *impeachments* dos últimos anos na América Latina mostram que a democracia é modulada de acordo com interesses muito diretos e imediatos da política e das classes capitalistas. Poderes judiciários, meios de comunicação de massa, forças militares, todo esse complexo atua dentro do campo democrático exatamente para constituir uma dinâmica que se possa chamar de típica, excluindo formas populares e anticapitalistas de poder[29].

Ainda, a democracia se enraíza em manifestações censitárias de opiniões que representam materialidades ideológicas. Estas, no entanto, não brotam espontaneamente das pessoas nem podem ser atribuídas ao costume ou a causas naturais. O pendor de países como os Estados Unidos ou o Brasil a religiosidades conservadoras, que deságuam em opções eleitorais de igual monta, não pode ser considerado uma inclinação típica. É no solo de uma historicidade e de uma sociedade constituída que se formam os horizontes ideológicos que então desembocam em opções eleitorais. Para tanto, aparelhos ideológicos são cruciais, mantendo a reprodução da sociabilidade capitalista também em termos eficientes. Desde velhos

---

[28] Ver Alysson Leandro Mascaro, *Estado e forma política*, cit., p. 84-90. Em outra chave, Ellen Meiksins Wood, *Democracia contra capitalismo: a renovação do materialismo histórico* (trad. Paulo Castanheira, São Paulo, Boitempo, 2003), p. 155 e seg.

[29] Ver, neste volume, capítulo 5.

aparelhos, como a família e a escola, até os mais recentes e atuantes na vontade imediata, como os meios de comunicação de massa – de televisões a redes sociais de internet –, a vontade popular nunca foi um fenômeno bruto e espontâneo. A democracia, assim, se sustenta como correlato do capitalismo exatamente porque o capital pode penetrar numa espécie de naturalização e de controle constituinte das subjetividades.

As teorias críticas atuais que se ocupam da sociabilidade capitalista e de sua produção de subjetividades tratam, precisamente, do ponto central pelo qual a política contemporânea, mesmo quando com intenções e ares progressistas, acaba por se reduzir a um jogo dentro das formas sociais e das instituições políticas e jurídicas existentes. Um cruzamento da política da subjetividade com a grande movimentação política do capital permite entender que democracia, Estado e direito são, ao mesmo tempo e necessariamente, forjados e forjadores da dinâmica do capital.

No campo da produção política das subjetividades, de suas vontades e de seu entendimento, bem como da democracia, da política e das instituições jurídicas, está também a chave para perceber as crises do capitalismo não como ausência de direito, política e democracia, mas como decorrência inexorável de tudo isso. No palco das explorações e opressões que permeiam as contradições do capitalismo, as formas políticas e jurídicas existentes são constituintes e moduladoras de seus termos.

Da teoria política à política da crise

Das crises, não se levantam respostas teóricas que, imediata ou inexoravelmente, lhes surjam como espelho contrafático. Muitas vezes, dinâmicas, tendências e antagonismos novos são explicados e resolvidos a partir de velhos esquemas. Não se pode esperar que contra a crise capitalista atual surja, de modo orgânico, uma crítica suficiente apenas porque as mazelas sociais e as dores da contradição se tornem mais agudas. Há uma história e uma relativa autonomia da leitura teórica, guardando graus próprios de adequação ou aderência às demandas sociais e à materialidade da reprodução social. Os espaços privilegiados de produção e os dutos de escoamento das leituras teóricas sobre a sociedade se fundam em interesses de classes, grupos e mesmo nações, gerando investimentos, patrocínios, interdições, cerceamentos, prestígios e desprestígios no mercado da opinião. Por isso, teorias políticas não necessariamente podem confrontar ou resolver o descalabro econômico, político, institucional e social.

Em relação à teoria do direito, os países da periferia do capitalismo – da América Latina em especial – realizaram, nas últimas décadas, uma espécie de chegada a um meio-termo, dialogando com as visões institucionalizantes, liberais, que louvam e mesmo sacralizam o direito, o espaço público estatal e as instituições postas como esferas inarredáveis e desejáveis para a ação política e jurídica.

Em consequência disso, a crise capitalista prospera enfrentando, da parte da crítica, um combate preso em seu próprio quadrante, ou moralista, ou em busca de sua maior eficiência. As esquerdas, ao reivindicar o espaço político institucional e ao jogar o jogo com base nesses termos, operam uma máquina da reprodução do capital, orientada à acumulação e ao valor. A impossibilidade material de superar tal padrão faz com que as leituras do fracasso dos governos de esquerda em face da crise sejam moralistas – resultando, por exemplo, na destituição de governos por crimes de responsabilidade – ou, ainda, se realizem nos exatos limites institucionais que geram a crise, creditando-a a estratégias ineficientes ou à ausência de reformas que venham a tornar tais engrenagens ótimas.

É verdade que a crítica da crise do capitalismo mundial precisa conhecer o nível econômico, político e cultural, as lutas e os específicos entraves e anseios das formações econômicas específicas. No caso da América Latina, seus caminhos passam por uma história de símbolos, combates, derrotas e esperanças que vai do colonialismo à escravidão, dos povos da terra à inserção subalterna no capitalismo mundial, do agrarismo à industrialização, das teorias de desenvolvimentismo ao dependentismo, de Bolívar a Zapata, de Perón a Vargas, de Fidel a Allende e, mais recentemente, de Chávez a Lula. Há uma história específica do capitalismo em solo latino-americano. E, em toda sua vida política, há contradições e potenciais que foram vistos na revolução e na reforma, no enfrentamento e na acomodação. O campo para a compreensão da crise, em regiões do mundo como a América Latina, vem permeado pela mirada de uma sociabilidade específica, concreta, que gera articulação, bloqueio, silêncio, fala, dor, derrota, esperança e ânimo.

Mas, para o vigor da crítica e da luta diante do momento presente, advogo um olhar tanto para o todo das formas sociais capitalistas como para sua relação dialética necessária com as formações sociais específicas, como as da América Latina. Somente com o entendimento de formas de sociabilidade determinantes do capitalismo – que alcança a tudo e a todos no mundo – será possível, então, uma ação de superação estrutural. As táticas e estratégias que miram o local e o regional meramente a partir de suas conjunturas não conseguem perceber a grande marcha mundial da mercadoria. A crise do capitalismo presente não é passível de remendos político-jurídicos voluntaristas. A política da crise, que se tem dado como alteração dentro dos mesmos quadros da sociabilidade presente, deve ser vislumbrada no plural, para ser manejada também a partir da chave da alteração revolucionária de suas estruturas. A urgência dessa perspectiva teórica abrangente para a ação transformadora de superação da sociabilidade presente não se deve apenas a uma crise atual, tampouco está em função do pedaço específico do globo em que se habita, e sim do capitalismo como etapa a ser superada na história humana.

5. Crise brasileira e direito

A atual crise brasileira é, ao mesmo tempo, uma crise do capitalismo mundial, uma crise das experiências de centro-esquerda latino-americanas do início do século XXI e, mais especificamente, uma crise de um modelo político nacional e de suas instituições correspondentes.

As múltiplas tramas resultantes dessa sobreposição de camadas são atravessadas pela contradição da própria reprodução econômica, política e social capitalista. São visíveis em tal tessitura a crise capitalista mundial e a fragilidade política doméstica. O oculto é a intermediação geopolítica do capital e a operacionalização das instituições estatais. O invisível é a maquinaria da ideologia, lastreada nas práticas do capitalismo, constituindo subjetividades, horizontes de compreensão e articulações sociais que reiteram seus próprios termos, mesmo nas condições em que a crise é estrutural e a ação política busca se legitimar como uma vontade de contestação progressista.

Nesse sentido, as camadas da crise no Brasil são um espelho privilegiado do que acontece, com variações, em modelos políticos como os da América Latina e mesmo os de governos de esquerda da Europa, em particular da Grécia. O peso econômico do Brasil, sua condição peculiar entre a periferia e o centro do capitalismo mundial, sua sociabilidade ao mesmo tempo universalista e particular e sua disputa política e ideológica bastante reflexa de uma média discursiva internacional tornam a crise brasileira um caso exemplar da crise mundial presente.

1. Da crise brasileira

1.1. Qual crise brasileira?

A natureza da crise brasileira exige, de início, uma identificação do que se pode chamar por crise. Isso porque, tomando-se um histórico recente um pouco ampliado, trata-se de uma narrativa de algum sucesso. Os anos de governo de Luiz

Inácio Lula da Silva tiveram destacadas etapas de crescimento econômico capitalista e de inclusão social, especialmente pelo consumo. Mesmo o governo de Dilma Rousseff, em seu primeiro mandato, manteve um ritmo de inclusão social, apesar da dificuldade de crescimento do PIB. Já no presente, tal quadro dá lugar a uma crise político-econômica. A princípio porque, como o país se baseia cada vez mais em um modelo de exportação de produtos primários, a crise econômica é internalizada em momentos de baixa dos preços no mercado internacional. No entanto, cabe ressaltar que a crise política instalada não começou agora, embora se esteja tornando cada vez mais intensa, a ponto de inviabilizar o segundo mandato de Rousseff. Ela remonta já ao primeiro mandato de Lula, que enfrentou dificuldades de apoio no Congresso Nacional e acusações de corrupção, as quais pautaram o combate das oposições e de amplos setores dos meios de comunicação. Assim, a crise política de 2015 é apenas uma amplificação extrema da mesma plataforma de contradições em que se baseou a experiência dos governos do PT.

No torvelinho dos êxitos e fracassos que se deram em conjunto, não é possível estabelecer um marco geral de crise para o Brasil. As datações e balizas são variáveis. Mesmo economicamente, a crise do país é relativa. Mirando-se o panorama internacional, a maré da recessão de 2008 foi enfrentada, pelo Brasil, com um pacote de políticas anticíclicas; só depois houve uma perda de fôlego mais consistente. Após o estouro da crise mundial, vemos que o final do segundo governo Lula foi de crescimento alto, o primeiro governo Dilma, de baixo crescimento, e o segundo, de recessão.

Tomando-se a crise pelo plano político, as práticas de governo petistas são basicamente iguais desde o tempo em que começaram as acusações de corrupção do chamado Mensalão, em 2005. Mesmo após a crise política decorrente desse evento, graças ao sucesso econômico e social do governo Lula as dificuldades políticas chegaram até a diminuir, em virtude do aumento da base aliada no Congresso Nacional. Já na metade do primeiro mandato de Dilma, tais dificuldades aumentaram relativamente, agravando-se no início do segundo. Assim, no plano político, não se pode datar um evento de virada da experiência petista brasileira para a crise. Em relação ao suporte político, as fissuras de franjas mais à esquerda advêm do começo do primeiro mandato de Lula, em razão da continuidade das políticas econômicas neoliberais do governo anterior, de Fernando Henrique Cardoso. No caso de grupos de direita, um combate mais consistente ao governo tomou corpo e definiu uma pauta já no tempo das denúncias do escândalo do Mensalão[1].

Quanto à coesão social que perdurou pelos anos de sucesso dos governos petistas, os primeiros grandes eventos simbólicos de contestação de massa e deterioração

---

[1] Ver Danilo Enrico Martuscelli, *Crises políticas e capitalismo neoliberal no Brasil* (Curitiba, CRV, 2015).

do modelo de amplo apoio se deram apenas em 2013, e desde lá se intensificaram[2]. O sentimento de que a crise econômica enfim chegava ao país e de que a experiência dos governos petistas se fragilizava surge exatamente nesse período, marcado por manifestações de rua e ampla crítica de setores de classe média. Os altos índices de aprovação do governo Dilma caíram rapidamente, até chegar, em seu segundo mandato, a níveis baixíssimos. Assim, no quadro geral de tais influxos, temos: uma intermitente crise política desde 2005, sopesada pela sequência de vitórias eleitorais; uma crise econômica mundial, com reflexos nacionais, a partir de 2008, contrastando com um forte crescimento em anos anteriores; uma crise social a partir de 2013, com uma correspondente narrativa de crise a partir de então; e, depois, um somatório dessas crises que chega a momentos agudos a partir do final de 2014.

1.2. O Brasil na geopolítica da crise latino-americana

Com um ciclo de crescimento econômico capitalista, um arranjo político de centro-esquerda e um sucesso geopolítico que teve seu auge na primeira década dos anos 2000, o Brasil está *pari passu* com o movimento de distintas experiências de esquerda em outros países da América Latina. Isso revela uma dinâmica comum a essa região do globo, da qual, aliás, o Brasil não é apenas caudatário, mas agente decisivo[3]. Se é verdade que os governos de esquerda latino-americanos do começo do século XXI se dividiram entre aqueles que enfrentaram com maior intensidade setores conservadores da burguesia nacional e internacional, como Venezuela, Equador e Bolívia, e aqueles mais destacadamente inseridos na lógica capitalista, como Brasil, Argentina e Chile, sua derrocada geral e, ao mesmo tempo, promovida por engendramentos particulares de cada país não torna possível, no momento de eclosão de tais processos, alinhar as experiências nacionais específicas e suas correspondentes crises em modelos mais amplos. Há países de maior enfrentamento de esquerda em que se mantém ainda coesão social (Bolívia), e outros com coesão menor (Equador), bem como há países de maior inserção no quadro geral do capitalismo nacional e internacional nos quais a resiliência cultural de esquerda parece maior que em outros – Argentina em comparação com o Brasil. Tanto o bolivarianismo, como símbolo de uma esquerda politicamente mais aguerrida, quanto o lulismo, como o de uma esquerda de consumo integrada ao capitalismo, têm sofrido processos de crise, mas no seio das especificidades nacionais.

---

[2] Ver David Harvey et al., *Cidades rebeldes: passe livre e as manifestações que tomaram as ruas do Brasil* (São Paulo, Boitempo, 2013, Coleção Tinta Vermelha).
[3] Ver José Luís Fiori, *História, estratégia e desenvolvimento: para uma geopolítica do capitalismo* (São Paulo, Boitempo, 2015).

Ainda na geopolítica dos governos de esquerda latino-americanos, o quadro social das oposições é bastante similar, baseado, em especial, em burguesias nacionais mais próximas econômica e culturalmente dos Estados Unidos, em grandes meios de comunicação de massa que agem em conjunto, em maiores influxos conservadores dos setores médios da sociedade e, por fim, em poderes judiciários protagonistas e refratários especificamente a ilegalidades e corrupções em governos de esquerda. Os casos de Honduras e do Paraguai são exemplos extremos dessa oposição a governos de algum modo nacionalistas ou mais à esquerda. O direcionamento da opinião pública e o direito são centrais para a condução de tal dinâmica. O relativo esquecimento da América Latina pela política internacional dos governos George W. Bush e Barack Obama não significa que os Estados Unidos não tenham algum papel – que o futuro poderá medir – nos combates aos governos de esquerda da região.

A experiência da esquerda latino-americana no início do século XXI representa uma novidade diante de um cenário político mundial marcado, ao mesmo tempo, pelo esvaziamento de lutas e ideias progressistas. A derrocada do mundo soviético gerou uma baixa também em setores marxistas e socialistas que não lhe eram afins. De modo similar, os modelos de centro-esquerda de bem-estar social naufragaram a partir das crises capitalistas da década de 1970 e, depois, com a ascensão do neoliberalismo como política econômica de impacto mundial, capitaneada pelos Estados Unidos desde Ronald Reagan. De forma peculiar, na América Latina, que saía de ditaduras e agudas contradições anteriores e que colheu diretamente o resultado dessas novas crises, os movimentos sociais e políticos e até setores da intelectualidade persistiram à esquerda, mesmo durante o apogeu do neoliberalismo, na década de 1990.

Os anos 2000 encontraram, em solo latino-americano, um passo político relativamente progressista em face da crise capitalista instalada no mundo todo. No entanto, por se assentar em uma plataforma de distribuição atrelada à reprodução capitalista, tal experiência termina por aumentar o poder de frações das burguesias nacionais, dando mais eco aos setores consumistas e de classe média. Hugo Chávez, na Venezuela, baseou-se em um nacionalismo de esquerda que advoga a retomada do controle sobre o petróleo. O lulismo, no Brasil, com o peso de ser este a maior economia latino-americana, reorganizou a dinâmica nacional mediante a forte expansão do consumo de massa. Assim, as experiências de esquerda latino-americanas estão diretamente condicionadas a uma expansão capitalista internacional e nacional, e, portanto, opõem-se de maneira apenas relativa a setores da burguesia e do capital. Em razão do formato em que se assentaram, nenhum desses governos tem o condão de superar as contradições capitalistas e de dar passos estruturais de chegada a sociabilidades socialistas[4].

---

4   Ver André Singer, *Os sentidos do lulismo*, cit.

Quando assumem governos latino-americanos, as esquerdas têm horizontes já relativamente enfraquecidos em função de seu próprio passado. Seu progressismo foi gestado, quase sempre, contra ditaduras militares ou regimes de alta exclusão que remontam à Guerra Fria. Sobretudo a partir da década de 1980, o combate a tais regimes deu força maior a grupos políticos e movimentos sociais de esquerda, legalizando partidos e fazendo-os avançar eleitoralmente em uma época em que a esquerda mundial entrava em refluxo. Mas, logo em seguida, na década de 1990, tempos de retrocesso sob o neoliberalismo fizeram com que a dinâmica das lutas sociais de esquerda arrefecesse. É só depois disso, no quadro contraditório das exasperações trazidas por governos neoliberais, que se dão as vitórias eleitorais majoritárias de forças de esquerda. Para tanto, porém, no Brasil a novidade contestadora de Lula de 1989 deu lugar, em 2002, a uma espécie de reformismo amainado, de que é exemplar a divulgação de sua *Carta aos brasileiros*, garantindo a manutenção da dinâmica capitalista em caso de vitória eleitoral[5]. Enfim, quando a esquerda sobe ao poder na América Latina, isso se dá no rescaldo das tragédias neoliberais – Néstor Kirchner, na Argentina, administra grave situação que vinha em um crescente desde os tempos de Carlos Menem. A plataforma da esquerda transforma-se, então, quase sempre, em resistência ao retrocesso[6]. O avanço se revelará mais em termos de luta por inclusão política ou social de consumo. Em sentido próprio, diferentemente da guinada conservadora do PT no Brasil, o chavismo, na Venezuela, foi a princípio uma experiência particular nacionalista provinda de setores militares para, depois, avançar a uma plataforma de esquerda em busca de horizontes socialistas. Mas seu lastro em uma economia capitalista dependente da exportação de petróleo impôs limites a tal projeto. O que se conheceu como alternativa de esquerda, na América Latina do início do século XXI, paira sob a sombra de um capitalismo inclusivo.

1.3. Crise e capitalismo

A crise brasileira não é distinta da sorte geral da crise no capitalismo. Suas especificidades revelam padrões estruturais de contradição. Os termos que a geraram são os que a corrigem. No mundo, a acumulação orientada pelo capital financeiro, já assentada por décadas neoliberais e responsável pela crise de 2008, não sofreu abalos posteriores. Do mesmo modo, no Brasil, a primazia de bancos e rentistas, majorada nos anos 1990, manteve-se inalterada nos anos 2000. Seus ganhos não se reduziram com o aumento da renda relativa de setores marginalizados e mesmo com o direcionamento de investimentos para a produção, o consumo e os inves-

---

[5] Ver Ricardo Antunes, *Uma esquerda fora do lugar*, cit.
[6] Ver Emir Sader, *A nova toupeira: os caminhos da esquerda latino-americana* (São Paulo, Boitempo, 2010).

timentos sociais – aquilo que se poderia chamar de um novo desenvolvimentismo brasileiro, vivido nos anos Lula. Personagens simbólicos dessa condução financista da política econômica nacional, como Henrique Meirelles, presidente do Banco Central nos dois mandatos de Lula, e Joaquim Levy, ministro da Fazenda do segundo governo Dilma, vêm de núcleos importantes do sistema bancário nacional e internacional. Guido Mantega foi um suspiro nessa dinâmica.

Para estabelecer os marcos da crise brasileira, é preciso indagar sobre o grau de distinção dos governos Lula e Dilma em relação ao modelo neoliberal mundial e sua contraface brasileira anterior[7]. É verdade que, em grande medida, os governos petistas estabilizaram em maior grau a reprodução do capitalismo nacional. A década prévia à de Lula, notadamente neoliberal, agravou o desarranjo produtivo e o desmonte da economia nacional lastreada em estatais. A estabilização econômica dos anos de governo do PT também contrasta com uma longa trajetória anterior de desarranjo social, do somatório do arrocho salarial da ditadura militar e de décadas subsequentes de ausência de crescimento econômico, que tiveram no neoliberalismo da década de 1990 seu momento crucial. Diante desse passado imediato, a experiência econômica do PT permitiu tanto algum fortalecimento de setores da burguesia nacional[8] quanto um arrefecimento parcial das contradições sociais[9].

A relativa estabilização capitalista brasileira da primeira década dos anos 2000 se deu em um modelo econômico mantido estruturalmente idêntico, sem alteração inclusive na correlação de forças entre classes e grupos sociais. A distribuição de renda não afetou os grandes rentistas e capitalistas nacionais. Ocorreu, ainda, um processo de desindustrialização e de concentração de capital nas finanças, nos serviços e no agronegócio. Nesse sentido, a experiência brasileira é similar ao padrão reiterado do capitalismo pós-fordista. A economia mundial, desde a década de 1970, apresenta uma dinâmica de maior concentração de capital em um circuito liderado pelas finanças. A dificuldade de acumulação em padrões de controle estatal da economia gera uma crescente fraqueza das políticas nacionais contra as estruturas de reprodução autorreferenciadas do capital. Em termos de distribuição de renda, as décadas de pós-fordismo são de exacerbação da concentração de capital e de falência de vetores políticos progressistas[10].

---

[7] Ver idem, *10 anos de governos pós-neoliberais no Brasil*, cit.
[8] Ver Armando Boito Jr., "Governos Lula: a nova burguesia nacional no poder", cit.
[9] Ver Walquíria Leão Rego e Alessandro Pinzani, *Vozes do Bolsa Família: autonomia, dinheiro e cidadania* (2. ed., São Paulo, Editora Unesp, 2014).
[10] Ver Ruy Braga, *A política do precariado*, cit.; idem, *A pulsão plebeia*, cit. Ver também Marcio Pochmann, *Desigualdade econômica no Brasil* (2. ed., São Paulo, Ideias e Letras, 2015); idem, *O mito da grande classe média: capitalismo e estrutura social* (São Paulo, Boitempo, 2014).

O Brasil parecia notabilizar-se, com a China e outros países ditos emergentes (alguns dos quais reunidos sob a alcunha Brics), por deixar entrever a hipótese de uma exceção à dinâmica geral do modo de acumulação e do regime de regulação do pós-fordismo. Retardatários em relação ao capitalismo central, até para a crise presente o Brasil e a China tiveram uma reação distinta, contando com induções governamentais para a expansão de seus mercados internos de consumo, o que permitiu um processo derradeiro de acumulação – no caso brasileiro, assentado em exportação de *commodities*; no chinês, em produção industrial. Tendo em vista os variados momentos de estagnação, declínio, recessão e crise no capitalismo central, a experiência chinesa, sobretudo, e, subsidiariamente, a brasileira permitiam vislumbrar ainda alguma primazia da política estatal diante do capital.

Contudo, as recentes dificuldades chinesas e o esgarçamento político do arranjo econômico brasileiro nos últimos anos mostram um padrão de enfraquecimento estatal que, ressalvados as peculiaridades locais e um eventual voluntarismo político maior, dá a dimensão de uma dinâmica estrutural do capitalismo mundial. A crise brasileira é uma prova tardia – e, quando advier, uma crise chinesa será a demonstração derradeira – de que a presente crise do capitalismo mundial não comporta excepcionalidades nem se nega por virtudes locais isoladas.

O capitalismo porta crises. Além disso, sua reprodução, assentada em termos de exploração, conflito e antagonismo, está lastreada em tendências de crise econômica, política e social que, por mais que encontrem contratendências, tornam as dificuldades de estabilização cada vez mais proeminentes. Acrescenta-se a esse quadro a ideologia como constituinte dos horizontes de compreensão da própria inteligibilidade capitalista. A crise recente, dados seu impacto e sua dimensão, foi a primeira das grandes quebras do capitalismo que não ensejou um pensamento crítico e contestador em seu seio. O Brasil, que no imediato pós-2008 viu a pauta da indução estatal ser capitaneada por Lula, não teve coesão suficiente para continuar a sustentá-la. A lógica dos mercados, reforçada pelos aparelhos ideológicos dos meios de comunicação de massa, penetrou mais uma vez na argumentação política brasileira, de modo idêntico a uma visão internacional média sustentada por financistas e seus porta-vozes. Dessa forma, a crise do capitalismo presente não foi capaz sequer de gerar um alto estoque de energias contestadoras.

2. O direito e a crise

2.1. A vetorização da crise

O direito não é causa nem o único vetor da crise brasileira, mas seu solo estratégico, condensado e simbólico, que permite extrair consequências para o jogo político, para as correlações econômicas e para derivações ideológicas. No palco da crise brasileira, ele entra como reputado remédio para a corrupção. É nesse campo, de uma legalidade dos negócios públicos ou dos atos administrativos, que surge um horizonte em que o direito é o restaurador da moralidade no governo e, portanto, condutor de alguma ordem de redenção nacional.

Para que o direito assuma tal papel, é preciso uma larga cadeia social de construção da corrupção como mazela icônica e insuportável, galvanizando a sensibilidade do imaginário coletivo nacional. O direito só logra assumir proeminência como combatente da corrupção e ativador de uma dinâmica social "ética" se estiver ao lado de uma articulação ideológica imediata que com ele conflua, empreendida por meios de comunicação de massa. Para tanto, quando da assunção dos governos petistas, a histórica resistência a governos de esquerda por parte dos meios tradicionais de comunicação – televisão, rádio, jornais, revistas – se consolidou em um bloco de visão política. Como novidade, deu-se um alinhamento de conteúdo e estratégia de empresas que até então concorriam pela diferença de visões, por alguma respeitabilidade, pela vanguarda de noticiário ou, simplesmente, pelo mercado. Em poucos anos, o discurso de imparcialidade e a parcimônia diante de distorções da imprensa tradicional deram lugar a uma cadeia de bombardeio ideológico e a uma radicalização de posições ainda mais à direita por parte de tais órgãos de comunicação.

Os governos petistas, assumindo mandatos depois de uma longa etapa de propaganda ideológica neoliberal para o público formador de opinião no Brasil, impõem-se a partir de soluções políticas com dosagens menos regressivas dentro desse espectro neoliberal, sem romper com seus paradigmas e chegando mesmo a perseguir dissidências à esquerda[11]. No primeiro mandato de Lula, o discurso político é claramente de rendição ao capitalismo e ao neoliberalismo como estruturas inexoráveis. No segundo, troca-se em parte o discurso de neoliberalismo pelo de desenvolvimentismo, mantendo-se o capitalismo como horizonte legitimado. Nesse contexto, o petismo eleva ao máximo contradições gestadas desde sua origem, quando se assume como partido de esquerda que, embora opere nas estruturas do capitalismo e defenda a democracia, a cidadania e os direitos humanos, ainda carrega consigo a bandeira de certa autenticidade da luta social – contra o velho trabalhismo de Getúlio Vargas, João Goulart e Leonel Brizola[12]. Além disso, assenta-se em uma plataforma de defesa da ética, da legalidade e do combate à corrupção. Foi justamente esse discurso que empreendeu um acoplamento parcial do PT, nas décadas de 1980 e 1990, a alguns órgãos de imprensa. Tal visão, que prestigiava a liberdade de expressão da mídia e a defesa das opiniões divergentes, somou-se à ausência de disputa ideológica quando do

---

[11] Ver Luciana Genro e Roberto Robaina, *A falência do PT e a atualidade da luta socialista*, cit.
[12] Ver Lincoln Secco, *História do PT*, cit., e Valter Pomar, *A metamorfose: programa e estratégia petista 1980-2016* (São Paulo, Página 13, 2014).

início do governo Lula. Nos termos consolidados da prática política do PT, os meios de comunicação de massa não poderiam ser cerceados. A crença em uma imparcialidade do noticiário – ou no triunfo social da verdade ao cabo das perseguições da imprensa – guiou a política petista nos anos de poder, em que pese o longo histórico de combates sofridos pela esquerda brasileira, como o golpe contra Jango em 1964 e as investidas contra Brizola nas eleições de 1982 e, de modo simbólico, Lula nas eleições de 1989.

O processo de acomodação ao horizonte ideológico de neutralidade ou de indiferença diante das modulações políticas dos meios de comunicação de massa se dará igualmente no que se refere às esferas do direito e das instituições estatais. Os governos petistas armam-se com uma estratégia de imobilismo ou de indiferença à tecnicidade de tais esferas, vangloriando-se, até, da não intervenção em suas práticas e costumes, sob argumentos de republicanismo e respeito à legalidade. Além disso, o histórico de nomeações a tribunais superiores revela sua ausência de estratégia política e mesmo de entendimento sobre horizontes ideológicos a serem disputados. A esfera do direito, os tribunais e órgãos como a Polícia Federal são, assim, naturalizados, e sua operação, respeitada como imparcial por estar lastreada na técnica jurídica. Assim, uma ideologia política liberal burguesa e jurídica permeou, de ponta a ponta, os governos petistas.

2.2. A corrupção e o caso brasileiro

A corrupção é estrutural do capitalismo. A mercadoria atravessa a tudo e a todos, e a intermediação dos vínculos jurídicos por estratégias de favorecimento pessoal é não uma negação da natureza desses vínculos, mas uma de suas possibilidades, sendo, aliás, em modelos médios de reprodução capitalista, sua possibilidade central e provável. Nesse nível estrutural, o capital, podendo a tudo e a todos comprar, apenas se confirma quando a corrupção é dada. Não há limites éticos, morais, culturais ou sociais ao moto-contínuo da determinação econômica capitalista – a acumulação não reconhece fronteiras.

Há uma especificidade da corrupção no capitalismo, na medida em que ela é, em alguma medida, uma negação da legalidade, que, por sua vez, é sustentada pela forma jurídica e pela forma política estatal, as quais espelham a própria forma mercantil. A corrupção, assim, é uma contradição necessária da reprodução capitalista, pois revela que as formas sociais pelas quais o capitalismo se estrutura não estabelecem um circuito lógico ou funcional de acoplamento. O capital só existe com o direito e o Estado – sendo a legalidade a resultante da conformação dessas formas[13] –,

---

[13] Ver Alysson Leandro Mascaro, *Estado e forma política*, cit.

mas, ao mesmo tempo, toda ordem estatal e toda legalidade só existem em função do capital. Com isso, o poder do capital e as estratégias da acumulação atravessam negativamente o solo da legalidade, que é, também, sua própria condição de existência. Tanto a forma de subjetividade jurídica quanto a forma política estatal se armam como derivadas da mercadoria, e a legalidade, derivada secundária dessas formas quando conformadas, arranja-se em uma tensão constante entre limitar o poder do capital ou da força bruta e apoiá-lo.

Com essa necessária e estrutural natureza da corrupção no capitalismo, sua contradição com a legalidade se resolve sempre na casuística, que tem no direito apenas um ponto de condensação, e não seu núcleo de resolução estrutural. A decisão de quantos e quais capitais, capitalistas, atos e negócios jurídicos serão acusados e combatidos como corruptos ocorre no campo das relações concretas de força econômica, política, ideológica e cultural, no seio das sociedades e de sua história. São luzes e sombras lançadas por fatos, notícias, reações sociais e decisões jurídicas e institucionais individuais e de grupo que sensibilizam de maneiras variadas a percepção das corrupções e de seus respectivos combates. É certo que uma dosagem minúscula de combate à corrupção não instaura condições suficientes à reprodução capitalista e que uma dosagem máxima desse mesmo combate enfrentaria tamanha reação contrária que inviabilizaria a estabilidade do poder de classe e das próprias explorações e opressões arraigadas. Mas no vasto campo possível entre os governos de papas Bórgia e os de Savonarolas está a múltipla dosagem da corrupção no capitalismo.

Em termos de limitação, seria possível vislumbrar, no grande capital determinante do processo de acumulação de uma sociedade, o teto do combate às ilegalidades e à corrupção. No entanto, esse teto pode ser ultrapassado por incitações ensejadas por razões concorrenciais – por exemplo, mesmo grandes capitalistas brasileiros podem ser submetidos ao direito e penalizados por corrupção, do que se aproveitam capitalistas estrangeiros, em um processo de atuação contraditória de forças múltiplas no seio da burguesia, em função de sua natureza concorrencial. Disso decorrem suas correlatas estratégias geopolíticas.

A quantidade variável de práticas de corrupção e as distintas modulações de seu combate no interior do capitalismo não negam o papel central de tais práticas na própria reprodução do sistema, perpassando empresas, governos, agentes privados e públicos. Nesse quadro, a reiteração da corrupção estabiliza formas médias de interação e vínculo social. No caso brasileiro, o Estado se materializa e orienta sua dinâmica permeado diretamente por acordos entre empresas e agentes públicos. Ele não é a única fonte de corrupção, dado que esse modelo é social, abarcando desde pequenas corrupções quotidianas a acordos de compras nos escalões gerenciais das empresas privadas. Mas, de modo geral, é a ele que a crítica à corrupção costuma circunscrever-se; com isso, considera-se razoável uma ordem privada de pequenos favores. Mesmo em se tratando da corrupção no seio do Estado, a crítica e a perseguição aos governantes e agentes públicos são preponderantes em relação aos corruptores, quase sempre grandes empresas. Na sociabilidade capitalista, os vínculos sociais corruptos quotidianos – que a todos perpassam – não são assim considerados pelas pessoas; a corrupção empresarial, em função de seu poder econômico central, não é denunciada nem muitas vezes compreendida como tal. Portanto a corrupção se circunscreveria ao Estado e seus agentes; ela é tida como tal de forma privilegiada – ou exclusiva – no campo da política.

A repetição do governo e da administração do Estado pelas classes e pelos grupos que costumam dominar faz com que suas práticas recebam chancelas institucionais de legalidade, reservando-se o controle, a denúncia e a penalização de crimes a instrumentos eminentemente políticos. Quase sempre, a incidência jurídica contra a corrupção ocorre em desfavor apenas de governantes frágeis ou de grupos opositores novidadeiros ou de menor inserção nas instituições estatais e sociais. Nos casos brasileiro e latino-americano, o combate à corrupção historicamente serve de arma a classes e grupos tradicionais, a serviço da restauração de velhas dominações políticas. Assim se fez o combate a Getúlio Vargas pela direita de seu tempo, encabeçada pela UDN. O mesmo se dá contra o PT, em campanhas dos partidos à direita. Nesses dois momentos, a imprensa teve papel fundamental na construção de uma sensibilidade contra os governos combatidos. O grau de seletividade dessa moralidade é espantoso – no passado udenista e na atualidade dos variados partidos de direita grassam as mais variadas experiências de corrupção, quiçá em grau até maior. Alta dose de cinismo preside as campanhas éticas no plano da política[14]. Ética é arma de disputa.

O caso das práticas de corrupção nos governos brasileiros do PT revela também a capitulação final da esquerda brasileira tanto ao modelo de política arraigado, de domínio do capital em conluio com o favorecimento dos detentores de cargos públicos, quanto ao horizonte da legalidade e da eticidade correspondente que o partido ajudou a gestar e não foi capaz de superar. Entre outros aspectos, a crítica à ditadura militar brasileira se fez também com a denúncia de sua corrupção e do uso do Estado, na época, para negociatas com interesses privados, de que as construtoras são o caso notório. O PT, em sua alvorada na década de 1980, encampou o discurso da ética pública nos termos de uma legalidade a ser plenamente cumprida. Como os governos civis brasileiros posteriores ao regime militar – de José Sarney, Fernando Collor, Itamar Franco e Fernando Henrique Cardoso – basearam-se no mesmo modelo de corrupção por simbiose com grandes empresas, acrescido de um jogo de costura constante de acordos políticos nas casas legislativas, foram naquele momento denunciados pela esquerda brasileira como símbolo da falência de um republicanismo legalista idealizado.

---

[14] Ver Vladimir Safatle, *Cinismo e falência da crítica* (São Paulo, Boitempo, 2008, Coleção Estado de Sítio).

Ao ganhar o poder federal, o PT se inseriu exatamente no mesmo quadro de governabilidade por práticas políticas de ganhos corruptivos ao grande capital e de construção de apoio político por favorecimentos estatais, nomeação a cargos públicos, porcentagens de contratos em licitações etc. As práticas de governo seguem um fio condutor que vai da ditadura militar à gestão do PT, estabelecendo-se, do mesmo modo, nos demais níveis administrativos da federação – estados e municípios. A corrupção por pressão de grandes empresas e como estratégia de favorecimento econômico imediato de políticos é o modelo específico de armação política do Brasil há décadas, sendo possível, se não se quiser remontar a uma longínqua sequência, apontar a ditadura militar brasileira como marco de sua nova estruturação junto às empresas privadas e o governo Sarney como padronizador da dependência corruptiva entre os poderes executivo e legislativo[15].

A tomada de poder no plano federal pelo PT foi acompanhada pela estratégia de composição política para a obtenção de maioria legislativa. Dos pequenos e médios partidos conservadores que, de início, entraram na base aliada até, posteriormente, o PMDB, a política dos governos petistas em nada diferiu dos hábitos arraigados na dinâmica da política brasileira[16]. No entanto, sua condição novidadeira em face do manejo das instituições jurídicas e policiais e seu proclamado respeito ao republicanismo dessas instituições tornaram tais governos reféns de uma reação jurídica respaldada e consequente que, no entanto, não ocorreu contra os demais. A luz da sala da corrupção se acendeu principalmente na hora em que o PT nela adentrou. Somando-se a esse quadro, a natureza conciliadora dos governos petistas, a ausência de disputa ideológica e a inação diante do controle da opinião pública avultam a desfiguração do balanço político resultante, na medida em que a sociedade se levantou com ódio contra a comprovada corrupção petista, mas não estendeu o mesmo ódio aos partidos mais à direita.

A corrupção é a prática recorrente e estrutural do modelo do capitalismo brasileiro, mas seu combate atua em favor de frações dos grandes capitais nacional e estrangeiro e em benefício dos agentes políticos tradicionalmente poderosos, mais conservadores e à direita. O discurso jurídico, o moralismo e o republicanismo, como ideologias de direita, têm, ao fim e ao cabo, apenas o proveito político que é de sua natureza.

No caso dos governos petistas, a corrupção não é seu problema central, mas deriva de sua materialidade político-econômica. Justamente por serem governos de larga composição com o capital – ainda que com algum direcionamento de inclusão

---

[15] Ver Pedro Henrique Pedreira Campos, *Estranhas catedrais*, cit. Ver também Larissa Bortoni e Ronaldo de Moura, *O mapa da corrupção no governo FHC* (São Paulo, Fundação Perseu Abramo, 2002, Coleção Brasil Urgente).
[16] Ver Marcos Nobre, *Imobilismo em movimento*, cit.

mediante o consumo, distinto da mera evolução inercial de sua dinâmica tradicional –, acabam reféns das próprias práticas deste último. Não podem enfrentá-lo em momentos de crise, dado que não se armaram discursiva e efetivamente para uma posição de combate, tampouco forjaram uma disputa ideológica que gerasse mobilização progressista de massas. A reprodução capitalista requer alguma sorte de corrupção em sua acepção jurídica; visto que os governos petistas se estabeleceram em simbiose com o capital – em seus termos econômicos, políticos e jurídicos já dados –, sem criar forças sociais de crítica e combate, eles pagam por si os custos das práticas gerais da contraditória e inexorável legalidade corruptiva que move, nos espaços da forma estatal, esse mesmo capital.

2.3. A esquerda e o direito

O caso brasileiro das últimas décadas é exemplar da assunção da ideologia jurídica como ideologia de esquerda, em termos estritamente normativistas, institucionais e ditos republicanos. Em meu livro *Filosofia do direito*[17], aponto para a existência de três horizontes do pensamento jurídico contemporâneo: juspositivista, não juspositivistas e crítico, sendo esta a perspectiva extraída do marxismo, cuja leitura mais profunda está em Evguiéni Pachukanis[18]. A esquerda brasileira – e, em alguma medida, boa parte da esquerda mundial recente – não é marxista, mas juspositivista, reconhecendo aí o espaço privilegiado da luta política e social. As considerações da esquerda brasileira em defesa cada vez mais aguerrida da Constituição Federal de 1988 dão mostras de seu legalismo derradeiro.

Ocorre que tal visão desconhece, materialmente, a realidade fenomênica do direito. Ao se ultrapassar o juspositivismo, chega-se ao entendimento da natureza reflexa e necessária das formas de sociabilidade capitalista. Ainda que não se alcance tal grau de crítica, a esquerda brasileira e mundial recente carece mesmo de passos rumo a horizontes primários de não juspositivismo – a ausência de compreensões básicas, como a de que *auctoritas, non veritas, facit legem*, é responsável pela chegada dos governos a um sonhado éden de instituições que comprova, por fim, apenas o descompasso profundo entre legalidade e realidade jurídica. Os não juspositivismos atentam para o fato de que manifestações de poder presidem o direito. Tal visão é um corolário necessário de governos em estratégia de poder. Os Estados Unidos sustentam o juspositivismo para o comezinho, mas, para além disso, alimentam também um vasto grau de não juspositivismo, em ações políticas e econômicas ilegais, como escutas telefônicas, artimanhas de inteligência e mesmo

---

[17] Ver Alysson Leandro Mascaro, *Filosofia do direito*, cit.
[18] Ver Evguiéni B. Pachukanis, *Teoria geral do direito e marxismo*, cit., e Márcio Bilharinho Naves, *A questão do direito em Marx*, cit.

guerras não respaldadas pelo direito internacional. Quanto mais importante o peso capitalista de um país, mais as práticas não juspositivistas avultam como mecanismo necessário para a acumulação, a concorrência e o empoderamento[19].

Em um longo processo de séculos de penetração da ideologia burguesa nas classes trabalhadoras e nas esquerdas, a legalidade apresenta-se como o imediato da defesa de direitos individuais e sociais, ensejando mecanismos institucionais de proteção dos explorados e oprimidos. Do *habeas corpus* aos direitos do trabalho, dos direitos políticos ao direito de greve, o campo jurídico apresenta-se como arena confortável para as lutas, chegando a ser considerado marco civilizatório inextrincável. Por isso a melhoria das condições sociais sob o capitalismo em termos ideológicos, de modo que as estratégias até mesmo de chegada ao socialismo seriam apenas somatórios de conquistas. Quantitativamente, o máximo de direitos no capitalismo levaria ao socialismo. Tal visão de mundo não consegue alcançar a natureza da forma jurídica como determinada pela forma-mercadoria. Quanto mais direitos, mais circulação mercantil, mais propriedade, mais acumulação. Nos séculos de capitalismo, no crescente universo da sociedade da mercadoria, a ilusão da ideologia jurídica ganha papel central.

A esquerda latino-americana pós-ditadura apostou no direito, na democracia e nas instituições. Seus marcos de compreensão vão desde considerar a democracia como valor universal e a cidadania como solo básico da civilização até insistir no direito como instrumento de transformação social. Tal aposta, devida ao desconhecimento da natureza do direito, do Estado e de seus aparelhos, arma estratégias de ação no interior da sociabilidade capitalista que apenas a reforçam e em função das quais as esquerdas, os trabalhadores, os explorados e os oprimidos sofrerão, necessariamente, maiores reveses. Sem um mínimo de enfrentamento das contradições do capitalismo, a sociabilidade deste traga avanços pontuais e até engendra uma variada gama de retrocessos. Em razão da ausência de uma estratégia crítica às instituições e ao direito, ainda que não juspositivista, não se logrou oferecer mecanismos simples de sustentação às esquerdas quando nos governos latino-americanos. Desde João Goulart e Salvador Allende, chegando a Manuel Zelaya, Fernando Lugo e Dilma Rousseff, a experiência governamental da esquerda não encontra respaldo no direito em ocasiões extremas.

Nas últimas décadas, enquanto algum grau de conquista política das esquerdas latino-americanas se fez com ideias, debates, justificativas públicas e disputa de sensibilidades e votos, o direito se armava como conhecimento ainda mais fechado e técnico, em um louvado horizonte de reconhecimento interno de seus agentes. Um tipo de saber jurídico tornou-se até mais esparramado – dadas a explosão de faculdades de direito e a tradicional cultura bacharelesca de países como o Brasil –,

---

[19] Ver Gilberto Bercovici, *Constituição e estado de exceção permanente*, cit.

mas, ao mesmo tempo, sua condução intelectiva ficou mais centralizada. O direito brasileiro deixou de se escorar nos grandes tratadistas nacionais para ser, cada vez mais, poroso às referências teóricas anglo-saxãs, em um processo que acompanha a dependência da economia brasileira de empresas e capitais estadunidenses.

Tal ampliação teórica é, ao mesmo tempo, uma sofisticação de seus argumentos, uma tomada de posição por uma universalização de direitos individuais e, em especial, um afastamento do direito em relação às lutas por transformação social. Nessa deriva jurídica recente, a revolução e a superação de contradições sociais são substituídas por políticas públicas. A exploração obnubila-se pela opressão. Justiça social transmuta-se em segurança jurídica. Preceitos ideológicos capitalistas são anunciados sem variantes nem subterfúgios como sentidos imediatos do direito. A quantificação econômica do direito é o corolário último dessa sofisticação teórica do saber jurídico brasileiro.

Soma-se a isso o fato de que a cultura jurídica é cada vez mais um conhecimento transnacional. Alcançando agora fenômenos econômicos e políticos capitalistas que perpassam países – como operações financeiras, fusões e aquisições de empresas –, essa materialidade jurídica internacional acarreta, também, a necessidade de uma prática jurídica para além do campo nacional, com um saber correspondente que se internacionaliza e que quase sempre é polarizado pelos agentes do direito dos países de capitalismo central. Operações de combate à corrupção fornecem ferramentas jurídicas hauridas de experiências internacionais e que passam a orientar práticas dos direitos nacionais. A autorreferência para a consecução dos direitos pátrios dá lugar, quase sempre, a uma heterorreferência. A analogia se baseia em um tipo de cultura capitaneada pela visão norte-americana e anglo-saxã. A ponderação de princípios se impõe sobre a decisão maiúscula entre princípios. Tais procedimentos jurídicos de hermenêutica principiológica amenizam eventuais escolhas político-jurídicas angulosas ou transformadoras. Com isso, um ativismo judicial baseado na *common law* se estende como modelo ideal para o direito da periferia do capitalismo.

Os agentes de cúpula do direito – magistrados, promotores, delegados etc. –, ao se firmarem como fórum de racionalidade técnica, confluem para um mesmo conhecimento, o que dá a seu horizonte de mundo uma unidade singular. Haurem todos das mesmas fontes de inteligibilidade – respeito à legalidade, louvada neutralidade jurídica, direito como instrumento de cidadania etc. Como consequência, juristas criam para si uma clivagem como grupo social de referências específicas e uníssonas, operando uma plataforma política comum, lastreada na legalidade como escopo necessário da ação. Tal bloco de compreensão transborda e afeta diretamente a sociedade, que não consegue opor crítica a essa ideologia jurídica reinante.

Por outro lado e de forma peculiar, o conhecimento jurídico autorreferenciado dos juristas não é distinto de uma visão geral de mundo correspondente a sua classe. O campo jurídico é estruturado por uma gama de agentes quase sempre de classe média. Suas balizas de mundo são aquelas de seus conviventes – *status*, símbolos, níveis e focos de consumo, valores e compreensões. Em particular, juristas, como médicos e outros profissionais de classe média, são muito mais sensíveis ao discurso moralista dos meios de comunicação de massa. A transformação dessa sensibilidade em ação, no caso dos juristas, é quase imediata[20].

O campo jurídico e os judiciários brasileiros e latino-americanos, sensibilizados, operam, então, contra as esquerdas, insolitamente respaldados em uma lógica que foi e é também delas próprias.

3. A ideologia jurídica

3.1. A naturalização da ideologia jurídica

O direito não é periférico no conjunto da reprodução capitalista. Uma medida de sua presença central na sociabilidade da mercadoria se dá, exatamente, em seu alto grau de naturalização ideológica. O sujeito é constituído, em sua materialidade e seu horizonte de compreensão de mundo, como sujeito de direito. Assim se percebe e é percebido. Variam as quantidades e os arranjos de direitos subjetivos, mas nunca a forma social necessária de subjetividade jurídica.

As lutas de esquerda, no mundo, têm dificuldade em se abeirar dessa crítica estrutural ao direito que é, por sua vez, um corolário inexorável da crítica ao próprio capitalismo[21]. A subjetividade portadora de mercadorias, juridicamente respaldada para tanto a partir da propriedade privada, transaciona mediante vínculos de vontade autônoma e é, por isso, justamente o motor da reprodução capitalista. Sem o enfrentamento a tal núcleo, as políticas de esquerda são necessariamente uma administração do capitalismo: novos arranjos de distribuição, nas exatas estruturas já dadas, passam a ser seus pisos e tetos.

A presença da ideologia jurídica é tamanha que as experiências presentes de esquerda no mundo operam sem conseguir romper com a naturalização de seus termos. Na Europa, o recente caso grego demonstra que a propriedade privada, os contratos e a segurança jurídica são suas balizas. Na América Latina e no Brasil das décadas recentes, a esquerda acomodou-se à ideia de que direito e cidadania são emancipatórios.

A crítica ao direito é um elemento central para o desarme dos atuais impasses da esquerda mundial. Enquanto houver sustentação ideológica do direito, da cidadania e da democracia como dados naturalizados, as lutas de esquerda administrarão o

---

[20] Ver, neste volume, capítulo 7.
[21] Ver Marildo Menegat, *Estudos sobre ruínas*, cit., e Paulo Arantes, *O novo tempo do mundo e outros estudos sobre a era da emergência*, cit.

capitalismo, e o farão estando institucionalmente fragilizadas, na medida em que há, na experiência política e de poder das variadas direitas, um grau maior de eficiência, por saberem que o direito não atua no nível institucional e normativo – e sim nas variadas entranhas do poder, que é não juspositivo – e agirem em conformidade com isso.

O direito se estrutura de modo técnico, a partir de formas sociais estabelecidas, mas em um processo contínuo de perfazimento político[22]. Se é verdade que grandes aparatos normativos e institucionais são levantados nas sociedades capitalistas contemporâneas, não menos verdade é que tais núcleos institucionais se comportam de acordo com uma multiplicidade de interesses concretos, de tal sorte que os constrangimentos sociais agem violentamente na constituição da multiplicidade de atos do mundo jurídico.

No campo estatal, tal processo ocorre de forma mais patente. Seus agentes são diretamente influenciados tanto pela ideologia jurídica como espelho da ideologia da mercadoria quanto pelas diferentes injunções ideológicas imediatas da sociedade, assim como pelas pautas dos meios de comunicação, pelos afetos médios que operam no tecido social, pelos valores pessoais e pelas relações sociais que estruturam as subjetividades. Em todo esse espectro de concreção jurídica, a pretensão de um direito técnico e puramente normativo é abstrata e desconhece a realidade social.

Mas não se pode compreender a realidade microfísica do mundo jurídico e dos poderes judiciários apenas por suas relações intersubjetivas específicas, como se elas fossem mera obra de acaso ou pendor exótico de indivíduos. Há grandes estruturas que perfazem a própria subjetividade, além de conexões sociais profundas de classe, ideologia, valores e interesses que se sobrepõem aos indivíduos. Entender tais conexões é fundamental para se saber também a respeito das luzes e das sombras lançadas sobre as informações do mundo jurídico, cujos proveitos políticos são notórios.

3.2. A concreção jurídica nos tempos atuais

Tenho insistido, em obras como *Estado e forma política*[23], que as formas sociais se constituem como determinantes das sociabilidades específicas. No capitalismo, a partir do núcleo da forma mercantil – todas as coisas, as pessoas e suas relações tomam forma de mercadoria –, a forma de subjetividade jurídica e a forma política estatal se fazem acompanhar como seus espelhos e correlatos necessários.

O campo processual judiciário e mesmo os campos administrativo e policial, ligados tanto ao próprio poder judiciário como também aos poderes executivo

---

[22] Incorporo aqui reflexões apontadas em meu artigo "A política jurídica hoje e sua captura pelos meios de comunicação", *Carta Maior*, 3 jun. 2014, disponível em: <www.cartamaior.com.br/?/Editoria/Politica/A-politica-juridica-hoje-e-sua-captura-pelos-meios-de-comunicacao/4/31079>, acesso em: 1º ago. 2018.

[23] Ver Alysson Leandro Mascaro, *Estado e forma política*, cit.

e legislativo, operam a partir de uma conjunção da forma jurídica com a forma política estatal. Chamo esse fenômeno – de imbricação de formas – de conformação. Assim, para que o direito se realize em termos processuais e procedimentais, ele, cuja forma advém diretamente da sociabilidade capitalista, é também estatal, não porque o Estado seja seu principal constituinte, mas porque o mesmo encadeamento de relações sociais do capitalismo demanda um terceiro em relação aos agentes sociais individuais, como controlador do sistema de julgamento, politicidade e força física de tal tipo de sociedade.

No seio de tais relações estruturais das formas sociais do capitalismo, cada momento histórico constitui redes específicas de valores, interesses, forças políticas e ideologias. Tais redes são, antes de derivações lógicas, relações materiais e, portanto, contraditórias. Entre Estado e direito há relações de conformação que não necessariamente garantem racionalidade ou plenitude funcional. Assim, diante da política, da economia, dos poderes e dos campos de luta social, o mundo jurídico e judiciário atravessa fases de resistência, submissão, alheamento ou mesmo de combate. Em *Crítica da legalidade e do direito brasileiro*[24], aponto para algumas dessas fases no caso brasileiro das últimas décadas, que constituem movimentos tendenciais majoritários dos operadores do direito.

Se é verdade que o direito brasileiro sempre formou uma elite jurídica tradicionalista, avessa a uma maior abertura aos interesses sociais, os tempos de ditadura militar e a transição para a democracia gestaram relativas contradições nesse quadro. Breves e pontuais experiências de juristas progressistas foram vistas nas décadas de 1970 e 1980, em movimentos como o chamado direito alternativo. Diante das legislações rígidas da ditadura, no campo judicial tentou-se flexibilizar a crueza normativa.

Mas, entre as décadas de 1980 e 1990, maiores ganhos institucionais foram obtidos por meio de legislações de conteúdo social e mesmo com a Constituição Federal de 1988. Nesse momento, a proeminência jurídica progressista esteve também no campo legislativo, e não apenas no judiciário. Ocorre que tais ganhos surgiram em um momento de véspera da chegada do neoliberalismo ao cenário político, econômico e social nacional. A partir da década de 1990, tal contradição se tornou explícita: há um direito relativamente desenvolvimentista e de bem-estar social contraposto a uma política econômico-governamental de tipo neoliberal.

Nesse quadro de contradição, desde a década de 1990 houve algum desmonte dos relativos ganhos do direito com base na revogação normativa, via legislativo. Mas os custos de tal caminho são altos, tendo em vista o desgaste político-eleitoral que envolve o retrocesso nos direitos. Então o campo judiciário, cujo conservadorismo latente sempre existiu, mesmo em momentos de pontuais experiências progressistas, torna-se

---

[24] Ver idem, *Crítica da legalidade e do direito brasileiro* (2. ed., São Paulo, Quartier Latin, 2008).

o espaço por excelência de uma conjugação conservadora entre um direito de potencial bem-estar social e uma demanda econômica, ideológica e valorativa neoliberal.

Esse cruzamento vem sendo realizado desde a década de 1990 até os dias de hoje. No campo dos costumes, há um tenso balanço entre conservadorismo e progressismo moral, como se vê em questões de família, minorias ou laicidade do Estado. No campo econômico, tenta-se a impossível arte de compatibilizar o cumprimento dos princípios constitucionais sociais com o atendimento à demanda neoliberal por ainda maior proeminência do capital. No campo político, ocorre o levante da moralidade pública com seu acoplamento à seletividade dos castigos.

No caso da moral, há prevalência, na base dos tribunais, de vieses conservadores, uma vez que o jurista, indivíduo de classe média, tem por leitura ideológica típica a importância da ordem e dos valores morais estabelecidos, quase sempre teológicos. Em contraposição, eventualmente se nota algum grau de progressismo nos tribunais superiores, muitas vezes no STF. No caso da economia, o peso da lógica econômica neoliberal é altíssimo, menos em julgados quotidianos que em grandes decisões. No caso da política, o controle do que é pauta jurídica se faz de forma externa ao mundo jurídico e judiciário, sobretudo pelos meios de comunicação de massa.

3.3. A política da informação jurídica

É verdade que, no estabelecimento do direito contemporâneo, a técnica determina ao jurista que esteja adstrito a atos e competências previstos pelas normas. Mas não se deve ignorar sua constituição subjetiva, visto ele ser atravessado, em termos ideológicos, por valores, informações e horizontes de mundo que são externos a si e mesmo a muitas das normas jurídicas com as quais lida. O jurista age no contexto de uma ideologia que o perfaz.

A ideologia se apresenta, nas sociedades capitalistas, não apenas como uma construção ocasional ou de relações idiossincráticas. Pelo contrário, ela opera a partir de grandes aparelhagens, cujo controle permite uma plena e quase imediata constituição das subjetividades. Louis Althusser chamava tais mecanismos de aparelhos ideológicos de Estado, por se basearem diretamente em campos estatais ou mesmo organizarem a ordem social pública, como no caso da escola[25].

Nas sociedades contemporâneas mais arraigadamente capitalistas, que já perderam muitas das referências tradicionais como família, vizinhança ou religião, os meios de comunicação de massa têm a primazia no talhe das subjetividades. São onipresentes, pois a informação sobre o que se passa no mundo – e mesmo sobre o que o mundo é – só existe nos termos em que tais meios a anunciam. O grau

---

[25] Ver Louis Althusser, *Aparelhos ideológicos de Estado*, cit.

de aderência a seus horizontes ideológicos é altíssimo, dado que a desconstituição daquilo que se vende como fato, verdade, boa opinião, bom senso ou melhor valor exige outra estrutura de informação e de visualização de mundo, o que demandaria outra totalidade. Nas sociedades contemporâneas, de multidões de classes e massas exploradas e sem capacidade crítica, tal desconstituição é, na prática, inexistente ou insignificante.

Os mecanismos ideológicos, controlados por meios de comunicação de massa, penetram por todos os campos da vida social, sendo o direito um deles, com práticas exemplares e eminentes nesse sentido. O jurista é afetado diretamente por pautas, valores, interpretações e horizontes daquilo que é notícia, porque sua informação sobre os fatos é, via de regra, a mesma dos meios de comunicação de massa. Até o jurista que atua mais na base dos fatos concretos – como o do mundo policial ou do Ministério Público – não consegue acesso maior ou distinto aos fatos, ou então, mesmo que o consiga, não resiste em sua leitura à interpretação bombástica da imprensa e ao espetáculo correspondente à narrativa desses mesmos fatos.

Duas grandes vertentes se abrem nessa imbricação de ideologia, aparelhos de comunicação de massa e prática jurídica. A primeira delas se descortina no próprio mundo do direito: a incorporação de tal conjunção como prática política do jurista. Um caso jurídico tem mais peso e ganha ares de importância quando a imprensa o anuncia. Isso faz com que haja um pendor por bons acessos dos operadores do direito aos meios de comunicação de massa. Essa política, que a princípio pode parecer útil aos próprios fatos em tela, por serem divulgados e levados a conhecimento público, faz também com que se perca uma isenção necessária diante de outros fatos semelhantes, obriga a alcançar pressões sociais que são, de início, desconhecidas dos fatos e, em especial, torna a maquinaria jurídica, acoplada aos meios de comunicação de massa, um jogo de sombras e luzes. O poder do arbítrio jurídico se majora quando amplificado, iluminado ou ocultado pela imprensa.

Ao mesmo tempo, uma segunda vertente se abre de forma peculiar: a captura do mundo jurídico e judiciário pelos meios de comunicação de massa. O mesmo jogo de sombras e luzes da simbiose entre juristas e imprensa faz com que a segunda se torne a *ultima ratio* da opinião pública, do julgamento "apropriado" e da constituição do que seja escandaloso ou normal. Com isso, o mundo jurídico não resiste a ser um terceiro diante dos aparelhos de comunicação. Trata-se de sua plena captura pela ideologia.

Como tantas outras áreas, a política da informação jurídica é constituída na atualidade por uma imbricação entre afazer jurídico e interesse dos meios de comunicação de massa. Lutas progressistas precisam, portanto, vencer duas barreiras – a do interesse dos juristas e a do interesse dos órgãos da imprensa – que se prestam quase sempre aos mesmos fins. É de se perguntar qual o poder do direito e do jurista, constituídos pela ideologia de massa, contra esse mesmo controle ideológico. O poder autônomo e técnico do direito nessa hora se esvai.

Para além de um pretenso avanço confinado ao mundo jurídico, a luta é ideológica, passando pelos próprios controles sociais dos meios de comunicação de massa. É de fora para dentro que o mundo jurídico se torna progressista. É por essa luta, ainda muito pouco enfrentada, que passa a definição de horizontes transformadores para nosso tempo.

3.4. *Summum jus, summa injuria*

A crise brasileira é exemplar de um mesmo processo de crise mundial. Em uma vasta gama de países centrais e periféricos, o capitalismo contemporâneo, pós-fordista e neoliberal, ensejou governos conservadores e reacionários e levou populações ao esgotamento de forças de resistência ou de enfrentamento. Nesse quadro, o Brasil se mostrava um caso peculiar, junto com alguns países da América Latina e de outras regiões do mundo, ao qual a última década trouxe esperanças e uma retomada de energias para a luta. A chegada da crise ao país é reveladora dos impasses estruturais do capitalismo presente, que tampouco se conseguem resolver nos frágeis caminhos de uma centro-esquerda reformista de mercado.

A economia capitalista brasileira perdeu sua pujança por razões estruturais do mercado mundial – baixa no preço dos produtos primários de exportação – e, ainda, porque o exato modelo político nacional é contraditório em seus termos. As classes burguesas e as elites políticas tradicionais não têm horizonte de inclusão social nem conseguem um grau de estabilização suficiente para permitir uma expansão econômica sustentável. Por sua vez, as forças mais à esquerda, que poderiam empreender tal papel, sofrem um combate violento de tais classes e grupos poderosos tradicionais, revelando incômodos ideológicos arraigados – desde paranoias anticomunistas até infames preconceitos – que são cultivados socialmente e, sobretudo, pelos meios formadores da opinião nacional.

Como a crise brasileira tem como plataforma de sensibilização a corrupção, o direito é seu ponto de condensação imediato. Em tal campo estão de procuradores a magistrados e tribunais que, com investigações seletivas e delações premiadas, estabelecem uma agenda afinada com os meios de comunicação de massa, chegando até à assunção de filigranas jurídicas que colocam em pauta o próprio *impeachment* de Dilma Rousseff.

Justamente pelo fato de a esquerda brasileira estar contida nos horizontes ideológicos capitalistas, cuja média de reprodução presente é sua base e seu fim, todas as formas sociais necessárias a essa reprodução são sua prática e também seu arcabouço de discursividade, valoração e entendimento de mundo. Não se fincando em mobilização social nem em disputa ideológica, os recentes governos brasileiros estão reféns de uma lógica que lhes dá teto e que, no limite, os destrói. Como especificidade da sociabilidade presente, a crise brasileira não consegue lograr nem mesmo energias contestadoras. Quanto mais ela se aprofunda, mais o horizonte de mundo dos que a combatem é entregar-se aos próprios fundamentos da crise – acalmar mercados, negar apoio popular, costurar apoio político nas elites, tornar-se refém dos meios de comunicação de massa tradicionais. Nesse sentido, do Brasil à Grécia, a fórmula é a mesma. As formas sociais do capitalismo, como ideologia, estão no horizonte constituinte da política presente.

A crise brasileira passa pelo direito, mas não é só jurídica. Passa também pelos meios de comunicação de massa, mas não é só da mídia. Passa pelo governo, mas não é só política. Passa pelo regime de acumulação e pelo modo de regulação, mas não é só econômica. A crise brasileira é mais um caso da crise geral da reprodução da sociabilidade capitalista. Ela passa, sim, pela exata composição de todos esses fatores, o que perfaz justamente o estrutural de tal sociabilidade. Não se trata de uma exceção. O capitalismo impõe a crise, que se manifesta de modo específico e com arranjos variados em sociedades e momentos históricos distintos.

Uma crise capitalista é necessariamente uma crise econômica e, por derivação, uma crise política e jurídica. O direito não é elemento de sua resolução, mas de sua constituição, na medida em que a reprodução capitalista é conflituosa, com o capital e os poderes estatais se assentando na legalidade e, ao mesmo tempo, se sobrepondo a ela. O direito não resolve tal quadro, apenas transforma ou encaminha seus termos. A contradição é a marca da crise capitalista.

A superação da crise brasileira só é possível com a abertura de caminhos para a superação das determinações gerais do capitalismo. O direito se insere na crise presente como último reflexo da sagração da democracia, da cidadania e da política eleitoral. Essas, por sua vez, são reflexo da sagração do capitalismo como horizonte único das ações. A esquerda, ao adentrar esse luxuriante e opressor templo do capital e nele reconhecer a imagem mitológica do direito, de olhos vendados e inserida num altar, reconfortou-se: imaginou nele uma imparcialidade que deveria respeitar e que a salvaria. Mas, mesmo sem a necessidade de ver, *Justitia* tem materialidade, lado, história, práticas e ideologia. Sua espada não faz outra ação que não seja a do comando de suas mãos: *summum jus, summa injuria*.

6. Políticas e geopolíticas do direito

Todo direito é um golpe. É a forma do engendramento da exploração do capital e da correspondente dominação de seres humanos sobre seres humanos. Tal golpismo jurídico se faz mediante instituições estatais, sustentando-se numa ideologia jurídica que é espelho da própria ideologia capitalista. Sendo o direito sempre golpe, a legalidade é uma moldura para a reprodução do capital e para a miríade de opressões que constituem a sociabilidade. Todo o direito e toda a política se fazem a partir de graus variados de composição entre regra e exceção.

Pelos espaços nacionais das periferias do capitalismo, cresce, no presente momento, a utilização dos mecanismos jurídicos e judiciais para estratagemas políticos e capitalizações ideológicas. Presidentes da República, como no caso do Paraguai, são alijados do poder em razão de artifícios jurídicos. No caso mais recente e talvez mais simbólico e impactante, Dilma Rousseff sofre processo de *impeachment* e é retirada do cargo presidencial no Brasil sob a acusação de crime de responsabilidade por "pedalada fiscal", um tipo penal inexistente no ordenamento jurídico brasileiro. Tal processo irrompe após anos de sangramento dos governos Lula e Dilma, mediante reiteradas investigações e julgamentos judiciais de corrupção que não se estendem a políticos de partidos mais conservadores e reacionários. O palco jurídico passa a ser exposto pela imprensa tradicional com requintes de espetáculo. O direito, jogando luzes e sombras na política do presente, faz, em alguns países periféricos do capitalismo, o mesmo que processos de insurgência popular promovem nos países da chamada Primavera Árabe ou na Ucrânia: destitui partidos, grupos, classes e facções do poder, engendrando realinhamentos internacionais e reposicionando, em patamar inferior, tais países no contexto geopolítico mundial.

A compreensão do papel do direito nas políticas de cada nação e na geopolítica atual exige uma mirada tanto em relação ao que o direito é estruturalmente, como forma social necessária e inexorável do capitalismo, quanto, também, àquilo que é seu talhe e sua manifestação hoje. Aponto cinco questões envolvendo o direito, sua política estrutural nos Estados capitalistas e na geopolítica presente:

A natureza capitalista do direito e do Estado

O direito é forma social capitalista. Sua materialidade se funda nas relações entre portadores de mercadorias que se equivalem juridicamente na troca. A forma jurídica é constituinte da sociabilidade capitalista. O mesmo se aplica à forma política estatal, um terceiro elemento necessário para os agentes da exploração capitalista. O Estado, mesmo quando governado por agentes e classes não burgueses, é capitalista na forma. Direito e Estado se arraigam nas relações sociais capitalistas, atravessados pelas vicissitudes e contradições de tal sociabilidade da mercadoria. Legalidade e política estão submetidas à dinâmica de acumulação, nacional e internacional.

Política, direito e formações sociais

Diferentes formações sociais do capitalismo instauram distintas instituições políticas e jurídicas pelo mundo. Há um vínculo necessário entre capital, Estado e direito, mas são variáveis os graus de enraizamento institucional, utilização da legalidade, segurança jurídica e mesmo de soberania nacional e estatal efetiva.

Embora todos os Estados contemporâneos sejam juridicamente soberanos, sua autonomia está condicionada à força econômica. As condições institucionais da política e do direito dão balizas à constituição de cada formação social específica, mas, sobretudo, são estabelecidas pela dinâmica das determinações materiais e econômicas.

Em países periféricos na economia capitalista mundial, como os da América Latina, as instituições nas quais eles se fundam política e juridicamente encontram-se menos assentadas. O horizonte principiológico e normativo que os guia tem limites e também contradições necessárias com a própria dinâmica do capital que os atravessa e os constitui. Nessas formações sociais, eventuais políticas de esquerda e juridicidades "independentes" enfrentam dificuldade de materialização.

Injunções jurídico-políticas neoliberais

Sendo Estado e direito formas sociais do capital, a força e a estratégia das burguesias nacionais e sua relação com as classes sociais locais e os capitais internacionais geram a coesão e o desenvolvimento institucional da política e do direito em cada país. Tal processo, no entanto, é plantado em contradições internas e internacionais.

As lutas de classes e grupos e as disputas entre frações do capital fazem com que as instituições políticas e jurídicas sejam atravessadas por tensões, antagonismos e contradições. Por isso, Estado e direito devem ser pensados não como aparatos consolidados, neutros ou técnicos, mas como correias de transmissão de movimentações gerais da dinâmica social. Havendo descompasso entre forças econômicas e posições político-jurídicas, a resolução da reprodução social capitalista sempre se faz em detrimento do plano institucional.

A América Latina sofre, no presente momento, uma rearticulação das classes burguesas e médias nacionais, sob sintonia do capital mundial, empunhando *slogans* do direito e reconstituindo movimentos conservadores e reacionários que buscam contrastar com conquistas jurídicas e políticas públicas de caráter mais progressista e diminuí-las. Trata-se de momento aberto da luta de classes. O direito é arma privilegiada para tal injunção.

Como não há força material em princípios jurídicos nem em meras repetições ou sacralizações da legalidade, a exceção e o uso seletivo da legalidade, sustentados por vastos controles da informação por meios de comunicação de massa, passam a ser os instrumentos excelentes da luta de classes atual. O direito e a negação do direito se misturam para ações de golpe que possibilitem o rearranjo das classes capitalistas.

Contra os horizontes de alguns dos Estados latino-americanos do início do século XXI – mais soberanos em termos econômicos e inclinados a uma dosagem maior de inclusão social dentro do quadro capitalista –, classes burguesas e médias da América Latina encontram-se em um rápido processo de submissão às estratégias do capital internacional. O reagrupamento de frações das burguesias nacionais se faz em torno de projetos e linhas de força patentemente neoliberais.

Ideologia jurídica e ideologia dos juristas

Nas injunções das classes e frações do capital latino-americano contemporâneo, o direito tem servido como instrumento privilegiado. A ideologia jurídica conduz golpes que não aceitam ser narrados como tais e, ao mesmo tempo, tem sido a bandeira requerida por governos e movimentos sociais progressistas latino-americanos. Até mesmo aqueles depostos por golpe, como o caso do PT no Brasil, conclamam pelo respeito às leis e às instituições.

A ideologia jurídica tem tal primazia porque integra a própria ideologia capitalista. Ser sujeito de direito, cidadão, contratar livremente entre iguais de maneira formal, respeitar as instituições, cumprir as normas e jungir-se à legalidade, tudo isso compõe o campo de condições pelo qual a subjetividade se estrutura na sociabilidade do capital. Por isso, da direita à esquerda, as posições políticas disputam a legalidade, mas não rompem com tal horizonte ideológico. No entanto, como a forma jurídica é espelho da forma-mercadoria, a ideologia jurídica só se presta à reprodução do capital, não a sua superação.

Os juristas orientam-se pela mesma ideologia jurídica geral, mas portam discursos e formulações que modulam e exacerbam a relevância da juridicidade. Profissionais do direito pertencem à classe média, distinguindo-se então da população apenas no campo econômico, sem maior lastro intelectual que não seja aquele da técnica da dogmática jurídica. O ambiente de convivência dos juristas e dos agentes dos poderes judiciários é a classe média que partilha dos espaços do capital. Por isso, o interesse imediato da burguesia passa a ser o horizonte prático da ideologia dos juristas. No caso da América Latina, o recente alinhamento do capital gera também uma classe de juristas e de agentes dos poderes judiciários que capitaneia uma injunção jurídica regressista.

Com a recente integração tecnológica e de comportamento das classes médias mundiais, os juristas latino-americanos são formados em horizontes de pensamento estadunidenses e capitalistas. A *common law*, a segurança do capital e dos contratos e um moralismo legalista são louvados mundialmente. Nesse contexto, eventuais projetos nacionais contrastantes com a movimentação do capital mundial encontram, nos juristas latino-americanos, oponentes ativos.

Direito, espetáculo e golpe

Na reprodução social contemporânea, midiática e baseada em informações massificadas e de rede, o direito assume papel importante como espetáculo e como fortalecimento de posições ideológicas. As acusações constantes de ilegalidade, rompimento do republicanismo e corrupção dirigidas a governos de esquerda encontram cadeia de transmissão nos meios de comunicação de massa e nos aparatos judiciários de cada Estado.

Assim, formas contemporâneas de luta de classes e de afirmação ainda mais sobrepujante de interesses do capital se fazem à custa dos governos e do direito posto, mas investidas da aura de respeito às instituições. De Manuel Zelaya a Dilma Rousseff, passando pelo combate constante aos governos venezuelanos, entre outros exemplos, a combinação de poder judiciário e mídia substitui, no presente, o papel dos militares no passado.

As vantagens de golpes e compressões do espaço político mediante espetáculos jurídico-midiáticos são inúmeras, a começar pela incapacidade de reação popular contra injunções que não são claramente de força armada. Acima disso, golpes, constrangimentos e linhas de força conservadoras e reacionárias que agem pelo direito e pelos meios de comunicação de massa percorrem o caminho pavimentado pela ideologia do capital: seus trâmites se dão com a linguagem e no espaço que constitui a própria compreensão da subjetividade – sujeito de direito, lei, ordem, processo judicial, rito, procedimento. Somando-se a isso pleitos morais religiosos conservadores, como no caso dos que capitaneiam o *impeachment* de Rousseff, o quadro da ideologia estruturante da sociabilidade capitalista se confirma.

Com isso, a reprodução da sociabilidade capitalista na América Latina contemporânea se faz na marcha de golpes que não se deixam chamar como tais, com constituição de entendimentos ideológicos a partir de meios de comunicação de massa e com poderes judiciários aderentes ao capital que veem a lei como expressão de seu horizonte de mundo. O golpe está no mundo jurídico porque dentro, nas margens ou fora da lei se fala direito.

7. A propósito da situação jurídica atual

O quadro presente de perseguições às lutas dos movimentos populares e sociais poderia ensejar uma resposta ordeira e moralista: contra as ilegalidades da repressão estatal, o pleno estabelecimento do Estado democrático de direito. Assim se levantaria uma bandeira de contraposição a uma prática jurídica e estatal ruim, em favor do direito e do Estado assentados em boas bases. O resgate de certa moralidade do direito e de bases principiológicas jurídicas fundantes e ideais seria, então, a arma de confronto à regressão repressora de nossos dias.

No entanto, tal leitura é frágil, por desconhecer a natureza do direito e do Estado: há um indissolúvel e necessário nexo entre direito e capitalismo. Só é possível entender as variadas doses de garantias e de repressões do mundo jurídico a partir de sua correspondência com as estruturas da reprodução do capital. O direito não é um plano normativo-institucional bom, justo ou ideal do qual a prática é sua negação ou sua corrupção. O fenômeno jurídico é o mesmo nas normas e em sua concreção. Seja em sua forma, seja em suas práticas, o direito se estrutura a partir de um talhe igual ao das contradições da sociedade da mercadoria, pois a exploração capitalista se arma exatamente a partir da subjetividade jurídica. Os indivíduos compram-se, vendem-se e portam mercadorias a partir da condição de sujeitos de direito. A equivalência operada pelo direito é o segredo da estruturação da dinâmica do capital. Burguês e trabalhador são iguais e livres: portam direitos subjetivos e assumem deveres e obrigações, por meio de uma infinita circulação da mercadoria, de modo que o acúmulo de capitais é assegurado.

Por toda sua forma e sua estrutura, o direito é capitalista. É de sua natureza ser perpassado pelas contradições desse modo específico de produção. Nesse quadro, não há um direito ideal do qual sua realidade seria uma corrupção. A começar porque o ideal do direito é justamente sua prática. Desde as revoluções burguesas, não há grande descompasso jurídico entre o ideal e o efetivo, na medida em que nas sociedades organizadas por Estados nacionais estão dadas todas as relações, as formas sociais e as estruturas institucionais que permitem operar as ferramentas suficientes à reprodução do capital. Em seu núcleo, a prática jurídica é exatamente o que a forma jurídica permite ser, e esta reflete a forma mercantil.

Direito e capitalismo se perpassam e se imbricam em todas suas estruturas, sem possibilidade de negação parcial entre si nem das sociedades para com eles. O não ao direito é direito: se o direito opera nos vínculos obrigacionais, jungindo pessoas e coisas a partir da vontade livre, a negativa de tais vínculos, direitos e deveres não é uma disrupção ou um afastamento do direito em relação à sociedade. Antes, é apenas uma de suas modalidades. O crime, que de modo mais exemplar parece ser a negação de um ideal do direito, não abala as estruturas da reprodução social porque a forma do direito age também em conjunto com a forma política capitalista, que é estatal. Assim sendo, o descumprimento dos vínculos obrigacionais e o desrespeito à propriedade privada já estão previstos na própria dinâmica do direito, na medida em que implicam repressão estatal. O Estado assume a forma de um terceiro em face de burgueses e trabalhadores, operando então, por sua mera existência material, uma máquina monopolista de violência que acaba por ser necessária e funcional à manutenção da ordem capitalista. O Estado não é burguês por ser controlado diretamente pela burguesia ou por responder imediata ou exaustivamente a seus interesses, mas porque sua existência, sua estrutura e sua dinâmica são derivadas da própria reprodução do capital, mesmo que neguem interesses específicos de burgueses ou da burguesia. O Estado, se não é diretamente ou por meio de seus agentes o comitê gestor da classe capitalista, é uma forma social do capital.

Dadas suas naturezas sociais, exploratórias e plantadas em contradição, não há um direito ideal e justo nem um Estado cuja essência seja de bem comum que possam então ser usados como contraste a práticas regressivas. Sendo formas sociais capitalistas, a sorte e os resultados do Estado e do direito são símiles aos do próprio capitalismo. Explorações, dominações e opressões estruturadas, gestadas, recepcionadas ou reconfiguradas pelo capitalismo passam pelo Estado e pelo direito, que são centrais para tal processo. Então, com base nos planos político e jurídico, tudo o que se reclamar por ordem, justiça, legalidade ou respeito às instituições e aos direitos, na vastidão das acepções desses termos, caberá exatamente nos limites contraditórios do capitalismo.

Prática do direito e ideologia

As mercadorias não se trocam sozinhas no mercado. A reprodução capitalista é feita por meio de relações sociais, e estas, tecidas por seres humanos. O mesmo ocorre no campo jurídico. Há normas e instituições do direito, mas elas só se concretizam por meio de práticas de seus operadores. Em decorrência da leitura juspositivista de mundo, são raros os que conseguem observar que, no fenômeno jurídico, prepondera a aplicação. De modo geral, as avaliações a respeito do direito dissociam o campo das normas e das instituições daquele de seus agentes. Fazendo tal disjunção (que opera com os pares ideal/real, aparência/realidade ou teoria/prática), dada a dificuldade de empreender a crítica estrutural à sociedade, quase sempre os clamores em face da exasperação causada pelo direito se voltam contra seus agentes, mais que contra as próprias instituições.

Há um impulso geral de crítica ao direito que tem por horizonte denunciar ou querer mudar aqueles que operam as engrenagens jurídicas e as instituições políticas. Comparada à denúncia do burguês, a crítica ao jurista e ao político é mais fácil. Isso porque, no plano do Estado e do direito, seus agentes não estão "naturalmente" investidos no cargo. Dependentes de concursos, nomeações ou eleições, haurem sua competência de cargos cujo poder está previamente normatizado e, então, um eventual abuso de seus atos é mais facilmente contestado. Ao contrário do poder econômico, cujos agentes estão escondidos em seus escritórios, bancos, indústrias, comércios ou lares – e cuja riqueza se legitima com o trabalho e a herança –, os operadores do direito e da política se organizam a partir do mundo localizável das instituições jurídicas estatais: é o Estado que investe policiais, delegados, promotores ou juízes de poderes e competências. Os campos político e jurídico acabam por ser o alvo primeiro – e, na curta crítica, também quase sempre o final – da insurgência e do combate dos movimentos progressistas, restando oculto, de seu horizonte, o núcleo econômico burguês.

Se nesse diapasão de crítica ou de luta social fica à sombra, no plano mediato, o poder do capital, ficam também olvidadas, no plano imediato do direito e do Estado, suas próprias instituições. A crítica ao direito termina por ser, quase sempre, a crítica ao jurista, bem como a crítica à política acaba por ser ao político. E a denúncia contra os agentes do Estado e do direito em geral se baseia no descompasso entre ordenamento normativo e prática. Se as normas jurídicas garantem direitos subjetivos, possibilidades de ação, liberdades, fornecendo até instrumentos processuais judiciais para seu respaldo, então, dadas tais boas instituições e previsões normativas, o que ocorreria seria um descompasso localizado na concretude do direito. Assim postulando-se o problema jurídico da repressão às lutas populares, desconhece-se, na verdade, a natureza da própria aplicação do direito.

As normas jurídicas não falam nem existem por si sós. Seu sentido é relacional; é na operação jurídica concreta e quotidiana que ele se constitui e se afirma. Não há um sentido normativo eminente ou dado em si mesmo, do qual a prática jurídica seria uma distorção. O sentido da norma jurídica é aquele constituído por sua prática. Se, por absurdo, os órgãos estatais brasileiros passarem a não reconhecer a possibilidade de que direitos e garantias fundamentais da Constituição, como o *habeas corpus*, sejam remédios jurídicos utilizados por lutadores de movimentos sociais, e se um corpo médio de pensamento jurídico, seja ele gestado pelos doutrinadores de direito, seja pelos comentários na imprensa, partilhar do mesmo entendimento, pode-se dizer, então, direta e objetivamente, que o direito do Brasil não reconhece o *habeas corpus* a determinadas categorias de cidadãos em função de seus atos políticos, ainda que a leitura textual da Constituição revele o contrário. Hans Kelsen já compreendia que a interpretação do direito não é aquela que um virtual leitor possa extrair do texto normativo, e sim a realizada pelos agentes competentes para tanto. De tal modo, o direito em sua concreção é uma opção de poder.

A forma jurídica provém de outras formas sociais necessárias, e, a partir dessa base, seus demais contornos só são o que a prática jurídica entende que o sejam. A maioria dos juristas e mesmo do senso comum sobre o direito está habituada a ler sua natureza a partir da norma, e não da prática; em decorrência disso, aventa-se um sempiterno moralismo relacionado ao descompasso entre letra normativa e efetividade. Para além de tal idealismo normativo, é preciso desvendar o direito a partir da sua materialidade, de seus mecanismos de compreensão, decisão e aplicação.

A prática do jurista é constituída por seu horizonte de mundo, que pode ser entendido tanto como o conjunto das opções de valores ou inclinações subjetivas quanto como um quadro das estruturas gerais que formam os sujeitos. Assim, em decorrência do conjunto que orienta suas perspectivas imediatas, um magistrado pode ser conservador ou reacionário em suas sentenças. Um policial violento pode avançar mais desbragadamente no uso da força que outro, cuja índole mais contida faz com que reflita e enxergue no indivíduo sob sua arma um cidadão. Esse campo é o da moralidade imediata e individual, que explicaria os pendores e as inclinações de cada operador do direito e do Estado. Tal leitura, ainda que busque se arraigar na prática, é insuficiente e incompleta.

A ideologia se estabelece no jurista e no agente estatal não no nível das possibilidades voluntárias ou conscientes. Estas existem, é claro. Mas o fundamental da ideologia age na própria constituição estrutural da subjetividade. Nesse campo, que é o inconsciente, formam-se os arcabouços necessários à armação geral do entendimento de mundo e das práticas do jurista.

Aquele que age como policial assim o faz porque se reconhece como operador do Estado, porque porta uma arma, porque é investido num cargo ao qual faz jus por saber ter granjeado méritos em concurso, porque é da ordem, cumpridor dos deveres perante as instituições e respeitador dos ideais maiores da sociedade. Além disso, ele reconhece sua condição de homem, religioso, filho de Deus, corajoso, destemido, de boa sorte etc. Para que ele se entenda como policial, não lhe basta apenas saber as competências e o múnus que lhe foram investidos pelo Estado e pelo direito. Ele só é policial no quadro de todo esse complexo, cujas formas constitutivas escapam do controle de sua individualidade.

Ser policial ou agente do direito e do Estado é se entender ideologicamente como tal. Assim, sendo policial, projeta seu comportamento a partir daquele geral de sua corporação. Seu destemor é virtude que julga ser esperada pelos demais, de dentro e de fora de sua instituição. Ser homem lhe dá poderes e fardos específicos. Ser filho de Deus lhe dá acesso a forças e a negociações psíquicas especiais com o que julga ser o Alto, inclusive pela sorte de sempre matar e não ser morto até aquele momento. Todo esse quadro de referências é administrado e passa por ele, mas não vem dele. Não está na conta de sua mera opção ser um homem distinto daquilo que socialmente forma um homem. A subjetividade do agente do direito e do Estado, bem como de qualquer ser humano, é constituída por formas sociais que lhes são coercivas.

A ideologia do direito é, então, a mesma ideologia que constitui os sujeitos em – e a partir de – suas relações sociais. Nesse campo mais decisivo, toda a ideologia não é outra que não a ideologia do capitalismo. Há ordem, há direito, há razão, há proporção e equivalência, há responsabilidade pelos atos, há legitimidades na apropriação dos bens, dos cargos e do poder político e jurídico etc. Essa ideologia não é formada em função de um engano coletivo, tampouco por meio de operações voluntárias ou de escolhas cerebrinas de algumas pessoas. A ideologia não é um balanço *a posteriori* dos valores pelos quais os indivíduos optaram. É, sim, a própria constituinte da possibilidade de entendimento dos indivíduos. Não há sujeito sem ideologia. O mero ser vivente não é uma opção da sociabilidade capitalista.

A ideologia decorre da prática. Não é uma deliberação, não está no nível do capricho ou da voluntariedade; é o resultado de relações sociais que se cristalizam em formas sociais. A ideologia do direito e do Estado corresponde à materialidade das práticas capitalistas, sendo apenas outro ângulo destas. Todos transacionam e trocam para explorar e ser explorados. A ideologia é a do sujeito de direito. Todos reconhecem que seus bens e os bens alheios não podem existir sustentados pela força bruta de cada qual. A ideologia é a do Estado como única força legítima. Todos se reconhecem como cidadãos e portadores do direito de escolher seus governantes. A ideologia é a da democracia como valor universal.

Nesse quadro, a ideologia do direito é o resultado da materialidade das relações sociais capitalistas. Os valores centrais do direito não destoam daquilo que é a própria concretude da sociabilidade da mercadoria. Tanto o direito é núcleo decisivo e geral da ideologia do capitalismo que até a crítica ao direito, quase sempre, termina por ser seu louvor. O combate ao direito se dá, via de regra, na reposição da ideologia em seu pedestal. O policial que agiu com violência desmedida extrapolou o poder que lhe foi dado. O excedente é ilegítimo: portanto, o que é central no poder do policial é legítimo. O magistrado que decidiu ideologicamente pôs seu horizonte político pessoal à frente da hermenêutica mais clara e apropriada da norma. O ideológico da sentença judicial é ilegítimo: portanto, o poder de julgar do juiz é legítimo, e as normas jurídicas, se interpretadas retamente, também o são.

Pode-se e deve-se fazer uma crítica ao magistrado e ao policial. Mas, uma vez puxado o novelo, ele redundará necessariamente na crítica ao direito e ao Estado. E, ainda mais adiante no fio do novelo, chegará necessariamente à crítica do capitalismo.

A propósito do atual

A ideologia cobre totalmente o vasto campo da sociabilidade. Ela constitui a subjetividade, dando sentido às relações sociais do sujeito. É vista, além do mundo econômico, do direito e do Estado, na família, na escola, na religião, na empresa, no esporte etc. Mas um dos pontos fundantes da materialidade da ideologia no capitalismo contemporâneo se perfaz nos meios de comunicação de massa, com contornos importantes para a prática jurídica.

Eventuais dinâmicas no seio da ideologia se explicam pela natureza contraditória da reprodução capitalista, que é atravessada por conflitos necessários, oposições e antagonismos diversos. Nesse quadro de constantes mudanças nos influxos da ideologia, é preciso entender que a atual escalada de conservadorismo, reacionarismo e repressão dos agentes do Estado e do direito não é distinta da que ocorre na sociedade. É essencialmente parelha, porque dentro da mesma estrutura de implicações recíprocas. Os mecanismos pelos quais os meios de comunicação de massa constituem, bombardeiam, estabelecem e interditam o conhecimento e a interpretação dos indivíduos encontra eco imediato no afazer do direito, que passa a ser caudatário desse mesmo processo, retroalimentando-o. Só se sabe que tal perspectiva de mundo, tal pessoa ou tal ato é odioso porque a televisão, a revista, o jornal, o rádio e a rede social assim o propagam. O jurista, então, não é o operador primeiro da avaliação ideológica. É mais um receptáculo perpassado por um maquinário de constituição de avaliações que se impõem como inexoráveis socialmente. O horizonte geral do agir jurídico é pautado pela mídia. Peculiarmente, acaba por dar à própria mídia a verdade que esta gestou, agora com chancela pela decisão do direito.

A atual investida repressora do direito está no mesmo nível, em termos quantitativos, na sociedade brasileira e na mundial. O direito não tem corpo intelectual, valorativo e material suficiente para servir de contraposto às vagas ideológicas gestadas na dinâmica social geral. A criminalização dos movimentos populares e dos movimentos que lutam pela ruptura ou pela superação do capitalismo é um mecanismo que encontra no direito seu lócus eminente, mas não sua força motriz. A mídia cria a caça para o direito se reconhecer como caçador. Remanesce, ao cabo de tudo isso, a própria dominação do capital. As mesmas linhas de força do capital alimentam e direcionam tanto o direito quanto os meios de comunicação de massa, sendo que estes ainda se implicam de forma recíproca. O direito não se concebe fora do quadro geral de valores da sociedade, que é dado imediatamente pela mídia e mediatamente pelo capital. O horizonte do mundo jurídico prático não é diverso do movimento geral de conservadorismo ou reacionarismo do capital nem pretende sê-lo.

É verdade que, nos dias atuais, o primeiro grito de todos os que lutam por uma sociedade superadora do capitalismo reclama contra o retrocesso das instituições, que sobre eles faz recair sua violência. Os movimentos de esquerda, socialistas, sociais e populares e as lutas anarquistas ou para a aceleração das contradições destrutivas da sociedade da mercadoria, a partir de um dado grau de articulação e de repercussão estrutural, enfrentam necessariamente um forte combate por meio da repressão jurídica e estatal. Esse processo é verificado universalmente na história das sociedades capitalistas. A criminalização dos movimentos sociais representa um passo quase inexorável de reação empreendido pelas classes burguesas, pelos meios de comunicação que as sustentam e pelas instituições jurídicas e estatais. Não há, no limite, Estado ou direito ao mesmo tempo plenamente a favor do povo e contra o capital na sociabilidade capitalista. Ao ganhar materialidade e maior envergadura, a luta de grupos dominados, sobretudo de classes exploradas, sói enfrentar reação aberta.

No caso brasileiro atual, tais contradições mal começam a aflorar, mas já são bastante reveladoras. Elas devem servir de base para construir novos patamares de luta, enfrentando os poderes imediatos da repressão como forma de poder qualificar passos mais estruturantes. Se é preciso combater o aumento da criminalização dos movimentos populares e anticapitalistas, isso se faz estancando a base ideológica de tal escalada, que reside em bombardeios de militâncias informativas conservadoras e reacionárias por parte dos meios de comunicação de massa. É fundamental construir aparelhos ideológicos suficientes para a batalha das ideias. Sem seus próprios meios sólidos de comunicação de massa, as lutas progressistas não aglutinam o povo e, portanto, estão fadadas a um baixo alcance ou ao fracasso.

Para que haja juristas e agentes políticos orientados de maneira progressista, é preciso que o maquinário da produção imediata da ideologia leve a tanto. Então, uma luta ideológica progressista, que no Brasil não existe e nunca chegou a ser uma política estatal tentada, é a única possibilidade de garantir que os fatos da luta não sejam sempre narrados como os fatos segundo a mídia ou os mercados. Qualquer tentativa social progressista ou politicamente de esquerda no Brasil que não desarme rapidamente o bloqueio da razão cínica, escandalizante, conservadora ou reacionária presente não permitirá o mínimo avanço ideológico necessário para iluminar, então, a própria natureza do direito e do Estado na sociabilidade capitalista.

Na base das lutas de classes, há o fato de que essas agem no campo das instituições que são derivadas das formas da sociabilidade capitalista. Portanto, se as lutas progressistas se avolumam, apontando para uma eventual superação do capitalismo, passam então a se apresentar antagônicas às instituições estabelecidas e no seio das quais estão arraigadas. Nesse momento, tratando da esfera eminentemente jurídica, a luta progressista há de investir na transformação e na superação de suas instituições, mais que propriamente na correção de conduta de seus agentes.

Numa ferida histórica incontornável, a escravidão no Brasil foi, à época, chancelada e albergada pelo direito e pelo Estado. No passado e no presente, por todo o espaço do globo, direitos e Estados estruturaram e estruturam o capitalismo e a exploração de bilhões por uma parcela ínfima de burgueses. E, em que pesem os bilhões de explorados e perseguidos, presos aos trabalhos assalariados ou aos cárceres, em mais um 11 de agosto continua-se a comemorar o direito em nossas plagas.

8. Sobre a atualidade política

O capital preside a política

É preciso entender que, no Brasil e no mundo, a política é ainda, e cada vez mais, do capital, não do Estado. Isso porque as decisões políticas das sociedades contemporâneas se ligam mais ao interesse do poder econômico que ao dos próprios governantes. Os Estados, que têm um papel fundamental na reprodução capitalista, ainda que decidam e atuem, vêm-se revelando, nas últimas décadas, caudatários das decisões imediatas de grandes grupos econômicos. Assim sendo, as questões mais importantes da política acabam por ser, diretamente, aquelas que interessam ao capital. Quando as decisões são tomadas a favor do povo ou de modo contrário às burguesias, por exemplo, os grandes grupos econômicos e seus interesses têm alta força de contenção e mesmo de sabotagem em relação a tais políticas.

Em 2013, o maior exemplo do grande jogo entre a política e a economia, no Brasil, não se deu com as manifestações populares, mas com a relação entre o Estado brasileiro e o capital, em particular no refluxo das políticas intervencionistas dos anos anteriores em favor daquelas marcadamente neoliberais. O caso notório é o da taxa oficial de juros. Após uma queda heroica nos primeiros anos do governo Dilma, a resistência e a pressão contrária do grande capital revelaram-se tamanhas, inclusive em termos de represália política e apatia econômica, que o governo retrocedeu em largos passos, voltando a majorar o índice. Junto com a queda de braços em torno da taxa de juros, a depreciação insuficiente do câmbio, que permaneceu elevado, e a insistência em políticas de contenção de gastos públicos para pagamento de juros da dívida são outros aspectos cruciais da grande política. Nesse jogo, no qual poucas e enviesadas luzes foram lançadas pelos grandes meios de comunicação de massa e cuja complexidade escapa aos olhos da atenção quotidiana do povo, deu-se mais uma vez a derrota de políticas desenvolvimentistas em favor da retomada dos padrões neoliberais.

Como romper, então, em definitivo, com tais padrões neoliberais do atraso? Em todas as sociedades capitalistas, as políticas mais progressistas só conseguem sustentar-se com grande mobilização popular. Para isso, é preciso que haja cultura política ativa nas bases sociais e, ainda, mecanismos de informação e de comunicação de massa plurais e arejados. Uma das grandes impossibilidades quanto ao enfrentamento dos interesses dos grandes capitais no Brasil se dá justamente porque há uma dinâmica de acoplamento imediato entre as burguesias nacionais e internacionais e os meios de comunicação. Assim, o povo é sempre informado de modo que a notícia propagada como boa vai, na verdade, na contramão de seus interesses. Enquanto não houver o enfrentamento desse padrão, não há política econômica progressista possível ou sustentável, pois o povo está orientado ideologicamente contra qualquer avanço nesse sentido. Como todo enfrentamento nesse nível demanda ampla mobilização popular, eis o impasse, justamente por não haver apoio nem alavanca para mudanças. A política progressista, aliás, deve não só contar com o povo, mas, sobretudo, partir dele.

Não há possibilidade de mudanças econômicas e sociais significativas se não houver mobilização popular, politização das massas e exposição dos conflitos a serem superados. Ao contrário de outras experiências de esquerda da América Latina, a operação dos governos Lula e Dilma se fundamentou sem a mobilização e a politização do povo. Nesse quadro, até mesmo suas ações positivas não poderiam avançar. Ainda que louvada como prudência, trata-se de uma política que resulta apenas em ganhos residuais ou se apoia em margens de habilidade pessoal e sorte, por se tratar de uma administração dos conflitos como concórdia.

As massas continuam instrumentalizadas de modo conservador pelos grandes aparelhos ideológicos da sociedade. Como isso não tem sido enfrentado, a política, mesmo quando com laivos ou desejos progressistas, acaba limitada ao talhe que a economia, a cultura e a sociedade promovem como sua média: conservador ou reacionário.

Crise e política

As manifestações populares são mais um termômetro a repetir que as condições da sociabilidade capitalista são exploratórias e insuportáveis. Os indignados não estão apenas no Brasil. Todas as sociedades capitalistas viram conflitos se deflagrar. Revoltas similares às ocorridas no Brasil explodem já há anos na Europa e nos Estados Unidos; o mesmo se deu no mundo árabe nos últimos tempos, bem como em muitos países na América Latina. Assim, é verdade que as manifestações podem ser pensadas pelo nível local, de problemas específicos, mas, principalmente, devem ser compreendidas por meio das questões gerais, das dramáticas condições de vida sob a sociabilidade capitalista.

As atuais crises do capitalismo não têm sido enfrentadas a partir de suas causas, mas apenas por meio de mudanças superficiais ou cosméticas, quando muito. No mesmo impasse situa-se a contestação à crise. Contra o desemprego, quase sempre não se pede o fim da exploração capitalista, mas apenas novos empregos. O imaginário político dos explorados está enredado nos limites do capitalismo, sem forças para superá-lo. Por isso, as manifestações são cada vez mais explosivas, massivas, contundentes, mas sem horizontes profundos, sem aglutinação teórica e prática que leve à superação do capitalismo. Seu ponto de início, que é o nível da política imediata, do aumento da passagem do transporte público ou das condições urbanas, em geral é também o de seu desfecho. É notável e louvável que o povo e as vanguardas dos movimentos de contestação estejam nas ruas. Triste é apenas observar que tem faltado um rasgo ideológico capaz de fazer com que os indivíduos e os movimentos sociais queiram e possam haurir forças de luta estrutural contra o capital.

No nível mundial, o capitalismo está numa espécie de "refluxo do refluxo", isto é, num movimento de contenção da reação que se deu no pós-crise de 2008. Os tempos de intervencionismo começam a minguar em favor de discursos novamente neoliberais. A hegemonia das ideias conservadoras, que sofreu pequeno combate no ápice da crise, volta à tona. O reacionarismo cultural campeia. Soma-se à política econômica de guerra estadunidense seu poder de controle das informações, no que se avista como um processo sem limites.

Quanto às manifestações, que têm o condão de acelerar tempos históricos, juntaram-se às importantes pautas progressistas, ao final, outras tantas reacionárias. No entanto, as respostas políticas dadas a elas, então e posteriormente, pelos variados governantes nos planos federal, estaduais e municipais foram múltiplas e contraditórias, entre repressão e estabelecimento de políticas públicas para um desafogo imediato dos problemas. Mas é preciso lembrar que políticas de caráter progressista são aquelas que tendem a respeitar movimentos sociais e manifestantes, dando vazão a seus apelos, enquanto um cariz conservador e reacionário os nega e os reprime. É por essa métrica que devem ser julgadas as respostas imediatas aos movimentos presentes.

Contudo, mesmo as respostas progressistas – que eventualmente anelem encaminhamentos concretos às demandas dos movimentos e das manifestações – têm dificuldade em avançar para além do desembaraçar imediato desses problemas sociais. Agindo na salvação dos próprios parâmetros de sociabilidade do capital, até as políticas de perspectiva progressista acabam por sustentar a exploração existente, prolongando, em vez de cessar, a agonia do modo de produção capitalista, agonia essa que se vê, em especial, nos pobres do mundo. Não havendo remendos progressistas que revertam a crise do capital ou que estabilizem o capitalismo, a política transformadora só pode ser, então, aquela que aponta para a superação da sociedade da mercadoria.

Ética e legalidade

A reprodução social capitalista investe em afirmações ideológicas de ética e legalidade como se fossem seus padrões universais ou reclames necessários a seu bom funcionamento. Seu uso é contraditório em seus próprios termos, na medida em que padrões éticos como o do combate à corrupção ou da legalidade como valor moral são impossíveis ao capitalismo, dada a própria natureza da sociedade da mercadoria.

O assim chamado Mensalão não é o maior nem o único caso de corrupção no Brasil. A corrupção está atrelada à base da sociabilidade capitalista. Se o capital compra o trabalho e a vida das pessoas, ele influencia sobremaneira os trâmites da política. Toda a sociedade, assim, está perpassada pela corrupção. O capital compra desde os administradores das empresas privadas até chegar ao nível eleitoral e estatal, passando pela população no geral em pequenas ilegalidades. Não é possível tentar criar espaços éticos parciais, incorruptíveis, em sociedades capitalistas, na medida em que o capital tem por natureza o poder de comprar. Uma ética da não corrupção econômica só é possível em sociedades economicamente não exploratórias. As campanhas moralistas de tipo udenista da atualidade são, portanto, cínicas – porque parciais e escandalosas ao extremo apenas com os crimes que tenham sido descobertos de forma ocasional e que sejam, necessariamente, alheios – e, também, alienantes, uma vez que encarnam em pessoas ou casos um problema que é de uma estrutura social, o capitalismo. Como a sociedade não se mobiliza para a superação do mundo do poder do capital, esse círculo de corrupção e posteriores expurgos parciais moralistas é vicioso, além de muito nocivo, no fim das contas, aos próprios explorados do mundo.

No que diz respeito ao Brasil, afirma-se cada vez mais o controle ideológico da sociedade, tanto na cultura e na religião quanto, especialmente, nos aparelhos de comunicação de massa, que pautam de maneira conservadora a política e os valores. Nesse quadro, o reclame da ética é, de modo absoluto, um jogo de manipulações, sombras e luzes dos grandes maquinários da construção dos valores e referências da sociedade.

A mesma impossibilidade da ética afirmada e exigida se dá quanto à submissão das ações econômicas e políticas a uma moralidade sustentada juridicamente. As revelações acerca da espionagem dos Estados Unidos contra o Brasil e vários países do mundo são mais uma prova de que o poder econômico não tem limites. Nem o direito internacional nem uma pretensa dignidade da inviolabilidade da vida privada podem a ele resistir. Não há, em termos jurídicos ou morais, o que faça parar o poder do capital e de sua força militar, de tal sorte que os Estados Unidos não se desculpam nem se predispõem a mudar seu comportamento. Isso porque quem pode manda. Com seu complexo governamental industrial-militar, esse país constitui, sustenta e alimenta a exploração capitalista sobre o mundo. Não há, e é impossível que haja, ética estrutural na política mundial do capital.

O plano eleitoral

O ano de 2014 é mais um no qual a batalha política é jogada num campo reativo. No plano nacional, a política tornou-se refém tanto das pautas dos meios de comunicação de massa conservadores quanto, sobretudo, de grandes estratégias de financiamento econômico privado. Quase sempre as eleições exigem posterior satisfação ou pagamento de financiadores, atrelando todo o jogo político aos interesses do capital. A democracia, em sociedades capitalistas, atua como uma máquina de metrificação de opiniões já consolidadas, entregando justamente o que se espera, de modo reativo, sem maiores convencimentos ou aberturas de consciência política. Se a sociedade é preconceituosa, entrega-se então justamente o preconceito. Se o povo é desconhecedor das reais estruturas da política e da economia, opera-se exatamente nesse nível, fazendo *marketing* a partir dos estágios dados da ignorância. Trata-se de um nível baixo e rasteiro no qual a vida política se resume a fazer pedalar uma bicicleta já em movimento a fim de se evitar a queda, mas sem jamais perguntar a direção pretendida ou se é possível ir com outro meio de transporte.

Tal lógica perpassa desde as grandes eleições majoritárias nacionais até as municipais. Em todo o mundo – o Brasil e os Estados Unidos sendo casos exemplares, mas não únicos –, o capitalismo atrela a consulta individual para escolha de ocupantes de cargos públicos – isso a que chama de democracia e eleição – a um rígido controle ideológico e a uma lógica que só tornam a vitória possível caso haja financiamento pelos capitalistas, devendo então a posterior política ser jogada e devolvida em favor destes. As eleições são a administração da chancela, pelo povo, do domínio do capital. Mercado, Dinheiro, Estado, Ordem, Direito, Democracia, Liberdade, Imprensa, Religião, Homem: enfileira-se o Um do capital.

9. O judiciário na berlinda

O direito e o poder judiciário passaram a despertar atenções políticas e culturais no Brasil. Seus personagens não são mais apenas burocratas indistintos; seus nomes, histórias, lastros políticos e visões de mundo são analisados e avaliados abertamente. Há um grande interesse em ver no direito a salvação moral e o garante último da reconstrução política da nação. Além disso, há também um público especializado cada vez mais ávido por conhecer as entranhas da vida jurídica: com a explosão dos cursos de graduação em direito, milhares de bacharéis se formam todos os anos, tendo o direito positivo e suas instituições como horizonte de sua cultura. Exemplo dessa fixação na vida jurídica nos dias atuais, a partir do chamado escândalo do Mensalão, são os ministros do STF, cada vez mais no centro das atenções.

No entanto, mesmo sendo a última moda na pauta da análise política e social do presente, há um déficit de profundidade e crítica para o entendimento do fenômeno jurídico e de suas instituições. O poder judiciário não é apenas a caricatura de seus magistrados. O direito tampouco é a límpida técnica cidadã que o bacharel aprendeu em sua faculdade. Há uma ligação indissolúvel entre direito, Estado e capitalismo. É justamente o específico vínculo que os une que há de revelar o segredo por detrás do judiciário e das normas jurídicas. Somente a crítica pode ultrapassar a superficial berlinda da pauta judiciária de hoje.

Direito e capitalismo

Tradicionalmente, o pensamento jurídico se contenta com uma explicação a respeito de seus fundamentos que é juspositivista. O direito é identificado como um conjunto de normas impostas pelo Estado (por isso o termo juspositivismo: direito posto). Trata-se de uma leitura insuficiente do fenômeno jurídico, na medida em que o toma apenas por sua manifestação superficial. O conjunto das normas jurídicas não é um mero ato voluntário e gratuito do Estado. As instituições jurídicas se apresentam, historicamente, como dados necessários das relações sociais capitalistas. Marx, em *O capital*[1], é o pioneiro em desvendar tal ligação, e Pachukanis, em *Teoria geral do direito e marxismo*[2], sistematiza tais vínculos: a forma jurídica é reflexo da forma mercantil.

As sociedades pré-capitalistas não se estruturam por meio de formas jurídicas. O modo de produção escravista é de exploração direta: a força do senhor junge o escravo a si; cessando a força, acaba a dominação. O feudalismo, por sua vez, também é de exploração direta: o mando do senhor feudal ao servo não é contrato, não é intermediado por instrumentos jurídicos, não pode ser exigido e executado em tribunais. O que no passado se denomina por direito é um fenômeno incidental, muito ligado à religião e aos costumes morais.

É no capitalismo que a forma jurídica surge e se institui com plenitude. A mercadoria exige o direito porque é transacionada. O contrato, que permite a troca, é um instrumento jurídico. Se o mercantilismo já dá os indícios de tal associação necessária entre capitalismo e direito, será a forma de exploração do trabalho que a deixará patente: no capitalismo, para que o trabalhador seja levado ao trabalho e ali explorado, o instrumento por excelência de tal vínculo é a forma jurídica. Por meio do contrato de trabalho, trabalhador e capitalista são tornados equivalentes, transacionando e estabelecendo vínculos graças à autonomia da vontade. Para que o capitalismo se estruture em termos de exploração do trabalho assalariado, surgirá a figura central do sujeito de direito.

Assim, ao portar direitos subjetivos e poder assumir deveres por meio de sua própria vontade, o trabalhador encontra o melhor meio de submissão ao capital. O trabalhador não mais é coagido fisicamente ao trabalho, como na escravidão antiga; agora, ele próprio, porque despossuído por completo dos meios de produção, põe-se em marcha para querer ser explorado. A categoria sujeito de direito, celebrada como a anunciadora da nova era dos direitos humanos, é, na verdade, a forma necessária por meio da qual a plena reprodução social capitalista se assenta.

O mesmo se dá no plano político. O sujeito de direito – aquele que se vende ao capital – passa a ser considerado, perante o Estado, cidadão. O velho poder absoluto dos senhores dá lugar à moderna estrutura política estatal, referenciada nos limites do direito. O Estado faz do sujeito cidadão e, ao reconhecê-lo como tal, não poderá ultrapassar os limites dos direitos subjetivos que lhe atribui. Politicamente, então, o Estado passa a ser controlado pelo direito. Os poderes do Estado são divididos em

---

[1] Ver Karl Marx, *O capital*, Livro I, cit.; *O capital: crítica da economia política*, Livro II: *o processo de circulação do capital* (trad. Rubens Enderle, São Paulo, Boitempo, 2014, Coleção Marx-Engels); *O capital*, Livro III, cit.

[2] Ver Evguiéni B. Pachukanis, *Teoria geral do direito e marxismo*, cit.

múltiplas instâncias. A competência dos agentes estatais só pode ser aquela prevista normativamente. A legalidade é o horizonte das possibilidades do Estado.

Trata-se de uma história ideal e fantasiosa, como também o é a narrativa de que o sujeito de direito e o direito subjetivo surgiram como garantidores da individualidade e da dignidade humana. No plano político, a cidadania é a forma por excelência da administração política das sociedades de economia concorrencial entre capitais. As classes burguesas não podem ter o poder político de modo imediato. Então, o público se distingue do privado por razões estruturais. O interesse do burguês individual não se presta a dar condições gerais à burguesia como um todo, e esta tampouco é onisciente de seus objetivos. O Estado, atravessado pela luta de classes, é estruturalmente um terceiro em face das relações entre indivíduos, grupos e classes. Justamente em razão das contradições de base na sociedade, ele é o garante não do bem comum, mas de determinadas relações de exploração capitalistas.

É somente a partir disso que se pode desvendar a natureza dos poderes estatais – como o judiciário – nas sociedades capitalistas. Tais poderes não foram instituídos a partir de uma consciência intelectiva que tenha projetado um mundo de harmonia e bem comum. O poder judiciário, sendo distinto das partes em concorrência nas sociedades capitalistas, garante a reprodução dos termos gerais da exploração econômica. Se nas sociedades pré-capitalistas os senhores controlavam imediatamente os meios de julgamento dos que estavam sob seu domínio, no capitalismo tal função passa a ser reservada a um órgão terceiro, público, distinto formalmente dos indivíduos em contenda. O direito processual explica tal fenômeno chamando-o de monopólio da violência nas mãos do Estado. A política liberal louva tal instituição reconhecendo, no poder judiciário, a imparcialidade que enfim torna o direito técnico, mecânico e "justo". Tal suposta imparcialidade, no entanto, é apenas a condição estrutural para que o capital se reproduza nos exatos termos previstos pelas próprias estruturas sociais e jurídicas que o judiciário sempre há de reconhecer. No exato quadro desses termos já dados, o poder de julgamento pode ser, então, "neutro" e "justo".

A estrutura do poder judiciário

O poder judiciário tem, ao mesmo tempo, uma razão estrutural na reprodução social capitalista e uma origem institucional e histórica que se adapta e se conforma a sua estrutura e sua função. Na estrutura social se revela a forma judiciária; em sua prática histórico-institucional, sua contingência política.

A reprodução social capitalista se realiza de forma atomizada, pulverizada. O capital atravessa os indivíduos e as classes, que se orientam, então, de forma concorrencial. Por conta de tal multiplicidade, é impossível que uma pessoa, um grupo ou mesmo uma classe tome para si o julgamento dos conflitos sociais e a garantia do cumprimento das normatizações instituídas. O poder judiciário tem de ser estruturalmente distinto daqueles que julga.

No entanto, não se há de ver nisso neutralidade ou independência do poder judiciário. A distinção estrutural se revela para um tipo específico de reprodução social, capitalista. É em garantia de tal ordem social que um órgão terceiro julga e executa. Os juízes, em sociedades capitalistas, garantem e reiteram uma ordem capitalista, não revelando assim uma imparcialidade estrutural. O judiciário é capitalista porque assegura a reprodução de sua ordem, não só porque seja eventualmente capturado por uma classe. O capital tem dissensões, competições, golpes e, em função disso, o poder judiciário não é inexoravelmente de um grupo contra o outro. A luta de classes permeia o mundo judicial também por dentro.

Sendo um terceiro estrutural em face dos indivíduos, grupos e classes, o poder judiciário não é querido imediatamente por nenhuma classe. Quando um magistrado do trabalho dá direitos ao trabalhador, o capital se revolta contra os juízes, mas quando o magistrado no cível decide pelo dono do latifúndio contra o sem-terra, ele agrada ao capital. Os próprios capitalistas não se aprazem com as decisões desse poder, mas a relação entre instituições judiciárias e capitalismo deve ser entendida no plano estrutural. Somente por meio da forma política estatal e da forma jurídica – ambas consubstanciando-se, neste caso, no judiciário – é possível a reprodução social capitalista.

Ao lado da razão estrutural, há também as institucionais, circunstanciais, históricas, que conformam o poder judiciário. Ele advém de cortes de julgamento cuja memória remonta à nobreza e mesmo aos privilégios feudais. Tendo uma história genética de casta, cujo poder de julgamento era dado como benesse do monarca absolutista, a magistratura revela rituais, pompas, signos de distinção e poder econômico e político distintos daqueles dos demais trabalhadores do Estado e da sociedade. O acoplamento de tal organismo tradicional de poderes e privilégios a uma estrutura estatal capitalista não foi um processo linear nem universal. Por todo o mundo, e também no Brasil, as especificidades de tal acoplamento conflituoso, inconcluso e original se revelam até o presente.

O poder judiciário está sob as leis, mas suas cortes advêm de tradições majestáticas. Em termos estruturais, tal contradição está resolvida, dado que a reprodução capitalista é permeada por uma necessária forma jurídica universalizada que também institui o judiciário, mas os nichos majestáticos persistem, revelando algumas disfuncionalidades em relação a tal universalidade jurídica. Estando sob as leis, mas sendo o último canal de pronunciamento sobre elas, a magistratura tem um poder concreto que submete os demais poderes do Estado e da sociedade a seus interesses pontuais.

O acoplamento entre estruturas de reprodução social capitalistas e tradições institucionais privilegiadas e majestáticas revela as contradições dos próprios talhes liberais juspositivistas do mundo jurídico. A ideologia do jurista, desde a faculdade de direito até a prática técnica, regozija-se numa mistura de conservadorismo da ordem capitalista com um reacionarismo da inteligência superior do jurista e de sua nobreza de intenções, práticas e rituais diante da política e da sociedade. As táticas, técnicas e disciplinas do direito e do poder judiciário são uma peculiar e segregativa teia de relações de poder. O teatro da ritualística jurídica até hoje se casa ideologicamente, sem maiores contradições, com uma ordem legalista universalista e técnica juspositivista. Nesse contexto, desde altos salários a férias, passando por temas como a moral religiosa e a nobreza de suas funções, o judiciário e a cultura das profissões jurídicas de modo geral reiteram a afirmação de sua singularidade no seio da sociedade e do próprio Estado.

Na berlinda, o judiciário

Com base nesse pano de fundo de suas razões estruturais e de suas instituições históricas concretas, a análise dos movimentos do poder judiciário brasileiro nas últimas décadas pode ser feita de modo profundo e crítico. Em *Crítica da legalidade e do direito brasileiro*[3], aponto que o direito brasileiro contemporâneo e as instituições judiciárias enfrentam tensões específicas com a ditadura militar, a democratização e o neoliberalismo. A ditadura asfixia os direitos individuais e sociais, gerando, eventualmente, uma resistência de setores de juristas no campo judiciário. Com a Constituição Federal de 1988, o movimento de arejamento jurídico alcança o poder legislativo, com normas mais progressistas que as da ditadura. Então, o custo da resistência ao progressismo jurídico, enfrentando tais normas e a Constituição, torna-se mais alto. O neoliberalismo, a partir da década de 1990, há de negar, no varejo, as eventuais conquistas ganhas no atacado com a Constituição.

Nesse processo de conservadorismo neoliberal, um engessamento do judiciário se revelará mais oportuno que um combate às próprias normas progressistas. Com o cerceamento político e ideológico mais rígido das nomeações aos tribunais e com ferramentas como as súmulas vinculantes, cria-se um aparato de tensão entre o judiciário e o direito posto. Nessa clivagem, a nomeação de magistrados conservadores reitera sua "naturalidade"; os eventuais magistrados progressistas são, então, quando nomeados, levados à berlinda da pauta dos meios de comunicação. Na década de 1990 e nos anos 2000, tal leitura se torna declarada.

O poder judiciário ganha evidência no contexto do bloqueio a possíveis pautas progressistas hauridas dos próprios princípios constitucionais. Começando por temas dos costumes – casamento, aborto, homossexualidade, racismo, feminismo – que

---

[3] Ver Alysson Leandro Mascaro, *Crítica da legalidade e do direito brasileiro*, cit.

têm galvanizado a sociedade de maneira conservadora, alcançam-se as grandes questões políticas e econômicas – intervenção estatal, limitação do capital, controle do poder financeiro, democratização dos meios de comunicação, direitos sociais, juros, orçamento do Estado. Se a Constituição permite uma hermenêutica mais progressista quanto aos costumes e à orientação política e econômica da sociedade brasileira, o questionamento ao judiciário e ao direito se faz a partir do interesse dos grupos conservadores no campo dos costumes e do interesse do grande capital no dos temas políticos e econômicos.

O poder Judiciário está atualmente em xeque justamente por meio da pauta conservadora. É essa luz que deflagra suas sombras. Agora por esse ângulo, sua arraigada, histórica e majestática falta de republicanismo é emparelhada a seus eventuais avanços em decisões progressistas, classificando-se ambos como horrendos, falseando-os como produtos da mesma lógica. Por ativismo judicial indesejado acusar-se-á somente a hermenêutica mais avançada sobre os princípios constitucionais. As possibilidades interpretativas progressistas serão denunciadas. Para muitas vozes, a perpetuação da ordem conservadora é reiterada como o "normal". Trata-se da luta na sociedade transbordando para seu momento judiciário. Por dentro das disputas em torno do poder judiciário, perpassam as mesmas contradições e embates da sociedade. Então, é preciso saber encontrar no determinante a crise do determinado. A forma jurídica e a forma política estatal refletem estruturalmente a exploração, a dominação, a crise e as lutas gerais e singulares que são inerentes ao capitalismo. Na berlinda maior, a própria sociedade presente.

10. Carta sobre o socialismo

A forma política*

O Estado é forma social necessária do capitalismo. Também com o direito, cuja forma é espelho da forma-mercadoria. A democracia, neste solo, se abre como direito político e se fecha como direito eleitoral, em mais uma imbricação entre Estado e direito, num processo de conformação.

Não se pode pensar o Estado como o bem comum ou como o espaço neutro, privilegiado ou potencial da transformação social. Ele é forma inexorável de uma sociabilidade orientada para a acumulação. Assim, o Estado não pode ser distinto de tal sorte. Ele tem sua razão de ser no capital. Também ele arrecada e depende da dinâmica econômica. As constrições do Estado não estão apenas na vontade de seus governantes, mas em sua natureza.

Ocorre que o Estado não é diretamente o capital. Por isso, a disputa de eleições carreia expectativas e esperanças, mas, ao mesmo tempo, não é a possibilidade de deliberar sobre as estruturas do mundo. O fundamental está interditado ao voto. Caso o voluntarismo eleitoral leve a opções progressistas, a história dá

---

* O presente texto foi originalmente dedicado a Luciana Genro, à época candidata à Presidência da República, com o seguinte introito: "Querida Luciana Genro, escrevo-lhe sendo seu orientador. Nessa condição, em meio a reflexões, aulas e pesquisas, é chegada sua candidatura à Presidência do Brasil. As injunções da vida e da história conduzem a que esse ensejo da luta possa ser, também, o momento do pensamento mais alto sobre a estrutura da sociedade e os horizontes de nossa época. Diante das contradições e aflições do mundo, que sua candidatura seja grito de alerta. Que ecoe por todo um país e por nosso tempo. Que encontre corações, mentes e mãos que sintam a dor de fundo mais pesada que a dor do combate. Pela ocasião especial de tê-la como orientanda, seguindo meus passos na filosofia do direito e na filosofia política, ao mesmo tempo que lidera uma candidatura ao cargo máximo da República, dedico-lhe e anuncio esta carta".

provas vivas de que os poderes econômicos, militares, ideológicos, e mesmo o plano internacional, bloqueiam os passos conquistados no plano do poder político. De Goulart a Allende, a democracia, quando de esquerda, sofre bloqueio e é rasgada pela reação. Os específicos momentos trabalhistas de Vargas e mesmo as incipientes ações do PT no Brasil, com os combates advindos, são também indícios nesse sentido.

Assim sendo, um tensionamento crítico da disputa eleitoral sempre revelará, no limite, as impossibilidades de nosso tempo. Trata-se da desesperança, em particular a desesperança quanto às formas do capitalismo. A esperança só pode ser depositada em outras formas de sociabilidade, para além do mundo da mercadoria.

As energias que advêm de todo processo eleitoral se devem ao fato de que as formas sociais se erigem de um complexo contraditório de relações sociais. O Estado não é, diretamente, o burguês ou o capital. Ele pode ser administrado por classes distintas daquelas detentoras do poder econômico – Marx já o ensinava no *18 de brumário de Luís Bonaparte*. Então, de fato, há um engajamento social que permite fazer com que o Estado se incline no sentido de variados interesses imediatos. São notáveis, para a vida quotidiana do povo, as distinções entre capitalismo de intervenção e bem-estar social, de um lado, e, de outro, capitalismo neoliberal ou, mesmo, no plano político, entre a ditadura e a democracia, ou entre a negação e a afirmação dos direitos às minorias. O capitalismo se estabelece, efetivamente, mediante a luta de classes e grupos, sendo que as situações das relações, tensões e conflitos resultantes são múltiplas, por isso as tantas possibilidades políticas em seu seio.

Contudo, tais distintas inclinações da política são doses variáveis de uma mesma forma de sociabilidade. O poder do capital não coordena a política diretamente, mas sempre a preside, em última instância. Deriva dessa determinação última que os ganhos sejam sempre parciais, os avanços retrocedam, os mínimos da sobrevivência se tornem máximos. É verdade que não é desprezível o solo político das lutas de esquerda no interior da forma política capitalista; mas apenas qualitativamente estranho a sociabilidades pós-capitalistas, embora estas só possam sair do solo daquelas. O socialismo não é o acúmulo de conquistas no capitalismo. É uma outra sociabilidade. Sua chegada não é uma quantidade maior de ganhos capitalistas nem outro arranjo das formas já dadas. É um novo.

A ideologia

Nas democracias, juridicamente, não há um impedimento de que a esquerda dispute, ganhe eleições e venha a implantar seus programas. No extremo do imaginável, é possível até mesmo avançar com ganhos constitucionais que possam levar, nos termos do direito positivo, à abolição da propriedade privada. Tudo isso seria objeto de legislação. Claro está que o poder do Estado e do direito para legislar nas bordas máximas da socialização enfrentará diretamente, nesse caso, o poder do capital e o braço armado da ordem estatal que o garante. Por isso, o capital sempre vive em regime político democrático, mas, no limite, combate a própria democracia.

No entanto, sem falar em situações-limite, tratando apenas de ganhos parciais e articuláveis na lógica da acumulação, o que impede, então, o povo de avançar em suas lutas? Por que o povo explorado não chega a ampliar sua força e tentar os limites de superação da própria vida capitalista? Se o mediato desse bloqueio está no capital e nas armas, o imediato encontra-se na ideologia.

Avancemos para além das compreensões da ideologia como falsificação da realidade ou como opção pessoal. De um lado, o capitalismo não é um engano ideológico das pessoas, é sua realidade constituinte, que age positivamente. De outro, costuma-se tratar a ideologia como uma opção de valores e de horizontes dos indivíduos. Ser de esquerda ou de direita, ser racionalista ou crente, ser fraterno ou egoísta, essas seriam variáveis à disposição de cada um. A vontade seria seu corolário. Tomando-se assim, seus posicionamentos poderiam ser submetidos a um juízo moral: é o egoísmo que carrearia as pessoas a serem fechadas, indiferentes, mesmo opostas a uma sociedade pós-capitalista.

Se é verdade que há um campo de ação naquilo que é o chamamento moral às pessoas, ele é muito limitado, sem grande espaço de sensibilização social. Prova disso é o relativo insucesso das candidaturas plenamente de esquerda em pleitos eleitorais. Isso porque não é apenas o chamamento político que dá horizontes. No fundamental, a ideologia opera em práticas materiais e se instala, nos sujeitos, como inconsciente. É preciso então avançar na compreensão do cerne da ideologia para agir no sentido de transformar a sociedade.

A ideologia não é um pensamento vago nem uma escolha ocasional ou produto de uma vontade caprichosa. É resultante de práticas sociais. É na materialidade que reside seu fundamento. Porque os sujeitos atuam no mercado como contratantes e contratados, vendendo e comprando força de trabalho e mercadorias, então a liberdade negocial e a igualdade perante a lei são seus horizontes ideológicos. Por ser o capital concentrado nas mãos de alguns, o Estado, garantidor da propriedade, é então considerado a ordem, enquanto as manifestações progressistas, a tudo isso contrárias, são chamadas de desordem, baderna ou caos. Por serem as pessoas constituídas pelas formas do capitalismo, em tudo sendo calculadas, então para tudo calculam. A ideologia não é um ato de escolha pela autonomia da vontade, pela isonomia, pela propriedade privada, pela ordem estatal ou pela mercantilização do mundo. Tudo isso não é escolha, é compulsório e advindo da materialidade das relações sociais.

Assim sendo, não é suficiente um juízo contra a cabeça das pessoas, mas contra a prática que gera tal mentalidade e tal horizonte de valores. O sentir-se sujeito, vendendo-se e comprando, portando direitos subjetivos, na condição de sujeito de direito e cidadão, é o arcabouço inconsciente que arma a constituição dessa própria subjetividade. Não está na faculdade do sujeito, tal qual ele é constituído, não se entender assim.

A pergunta sobre a dificuldade da esquerda em convencer eleitoralmente o povo não se pode encaminhar apenas para novas estratégias de *marketing* ou de discurso. É preciso conhecer a fundo a natureza e os impasses da ideologia. Só uma materialidade socialista tem o condão de gerar uma ideologia correspondente, de solidariedade para além dos interesses subjetivos. Na vida capitalista, toda ideologia crítica estará inserida em seus quadrantes, revelando-se então, no limite, uma ideologia negativa, dadas as contradições necessárias da sociabilidade da mercadoria.

Em sua materialidade, a ideologia opera por meio de grandes aparelhos ideológicos. A família dá identidade ao sujeito. A escola fornece uma unificação linguística e de referências gerais. A religião lhe dá o talhe dos bons valores. O Estado estabelece os parâmetros do que é nacional, cidadão, forjando o espaço histórico que lhe corresponde. O direito constitui o normal, o ordeiro e o desajustado. A empresa determina a formação e a conduta necessárias a todos os que lhe pleitearem a condição de empregados. Todo esse complexo tece as relações intersubjetivas, mas, ao mesmo tempo, é composto por aparelhagens materiais específicas e plenamente arraigadas. Desse modo, se o Estado for ganho por governantes progressistas, a família, a escola e a religião podem não se fazer acompanhar no mesmo passo. Se os costumes se tornarem progressistas, a empresa mesmo assim resiste e determina suas contratações com base na boa moral. Por se lastrear em aparelhos, a ideologia não é alterável por mera vontade subjetiva, por certo grau de intersubjetividade nem mesmo por conquista de um aparelho em específico.

Além disso, há uma materialização imediata da ideologia que, no capitalismo contemporâneo, tem sua sede nos meios de comunicação de massa. A informação age, na tessitura da ideologia, como um dado em positivo. O que ela informa, e como informa, esta é a realidade do mundo. O que ela não informa não existe. Assim sendo, a informação não altera ou distorce os fatos: ela os constitui. Como todos os meios de comunicação de massa se sustentam pela mercadoria, sendo seu núcleo mais consolidado composto por grandes grupos com poderio econômico e político determinante e atravessados por interesses de classe muito cerrados, virtualmente o mundo está controlado em termos ideológicos, de modo material, pelos poucos grandes donos da informação constituinte. No nível dos meios de comunicação de massa, a máquina da ideologia toca diretamente o sujeito, dando-lhe o saber, a vontade e os valores tanto sobre as grandes questões quanto sobre os fatos mínimos.

Por isso, a democracia e a vida política, no capitalismo, não operam num campo de convencimento de cidadãos que pudessem dispor de suas vontades. O saber, o valorar, o querer e o desejar resultam de máquinas de constituição de subjetividades. Dado o enfileiramento de pressupostos socialmente instituídos e formalizados, as conclusões são, claro, fruto de uma autonomia da vontade dos indivíduos, mas quase sempre inescapáveis do silogismo previamente erigido.

Além disso, como a ideologia é uma naturalização de relações sociais, ela constitui o horizonte de mundo que limita tanto a vontade na democracia quanto a vontade para além desta. Na democracia, ela carreia maiorias, forma inclinações políticas de acordo com as classes e os grupos, cria amigos e inimigos, desejáveis e indesejáveis. E age, em especial e mais profundamente, na naturalização do próprio Estado, do direito e do domínio político. Isso é parelho de um processo de naturalização ainda mais forte, o da exploração econômica. A ideologia do capitalismo não é apenas uma opção, mas a única possibilidade que essa sociabilidade apresenta ao se armar.

É porque a ideologia é material e inconsciente, opera por meio de grandes aparelhos e é controlada no imediato por meios de comunicação de massa que, então, são grandes ou quase incontornáveis as dificuldades para o campo da luta socialista no clamor por sufrágio ou pela vontade de se encaminhar ao progressismo, na medida em que, nesse grande maquinário, o louvável abrir-se de alguns indivíduos, grupos ou classes para a transformação social acaba, quase sempre, sendo um acaso derivado das tantas falhas necessárias da subjetivação capitalista.

As crises do capitalismo

É verdade que o capitalismo atua sobre formas de longa estabilidade, mas os arranjos da própria produção, da exploração e do domínio político, institucional, cultural e valorativo são dinâmicos no seio dessa totalidade. Então, também é preciso ter em vista o presente do capitalismo para capturar as estratégias de sua superação.

A acumulação capitalista realizou-se, na maior parte do século XX, mediante regime fordista. Variadas formas de intervenção estatal lhe foram necessárias. O pós-fordismo das últimas décadas, em moldes neoliberais, ainda demanda forte intervenção dos Estados, mas com outros arranjos e horizontes. Neste último caso, a proeminência financeira acentua traços ainda mais graves da crise que é constante e necessária à própria estrutura do capital.

As lutas de esquerda, no século XX, tácita ou explicitamente, anelaram-se ao Estado e ao direito. Assim, passaram a não postular o horizonte da superação da sociabilidade capitalista, e sim o aumento de ganhos políticos e jurídicos. Nesse sentido, o problema da esquerda passou a ser apenas quantitativo e distributivo, na própria lógica de acumulação. Os arranjos da distribuição, no entanto, são dependentes das formas, das estruturas, das relações, da dinâmica, das contradições e das constrições do próprio capital. Por isso, nem avançam por moto próprio nem resistem a crises e a investidas regressivas. Na distribuição dentro da acumulação capitalista, ganhos não se fiam nem em garantias jurídicas nem em estabilidades políticas.

Insistir em lutas por melhor distribuição dentro do capitalismo corresponde a um caminho pelas mesmas encruzilhadas do século XX. De modo geral, às lutas distributivas correspondeu um processo de modernização capitalista. A Europa, no pós-guerra, assim procedeu para se realinhar ao capital agora controlado pelos Estados Unidos. Em termos econômicos, é o que se deu também, em linhas gerais, com as sociedades capitalistas periféricas que empreenderam revoluções em nome do socialismo. Da União Soviética até a China, passando por tantos países do então chamado Terceiro Mundo, o movimento do capitalismo de Estado repôs, em outras variáveis, os termos da própria acumulação de capitais.

A crise do capital, que sempre bate primeiro, e mais violentamente, nos Estados periféricos, já há muito atravessa fronteiras e se situa em regiões centrais do capitalismo. Em tais espaços dominantes, no entanto, dada a força das formas sociais, as contradições não resultam em movimentos suficientes de superação. No mundo capitalista central, a crise, em boa parte dos casos, descamba em fascismos e xenofobia. A contestação à própria lógica capitalista é mais vista nos espaços periféricos, nos quais esse sistema sempre foi a estampa do horror, que nos centrais, para os quais a crise do capital é entendida como provisória, dado que o modo de produção capitalista se toma aí como naturalizado.

Na atualidade, o intervencionismo estatal, quando supera estreitos limites neoliberais, ainda está, via de regra, adstrito a alguma ideologia de acumulação e, sempre, submetido a suas formas sociais correspondentes. Assim sendo, governos que caminham à esquerda, como alguns da América do Sul, inserem-se plenamente no sistema geral do capital, mesmo que forçando sua distribuição de modo peculiar. De tal espaço específico no contexto neoliberal mundial, no entanto, é preciso avançar para reposicionar as relações sociais. Se é verdade que o receituário tradicional de intervencionismo estatal é o primeiro momento de toda política de esquerda ainda na atualidade, ele deve acelerar para uma alteração dos padrões de relação das massas com o poder e o controle social, sob risco de fazer tragar os passos distributivos quando da reação político-econômica que sempre o atinge de modo contrário.

Como as formas sociais do capitalismo são constituintes da ideologia presente, mesmo as crises estruturais do capital não costumam ser capazes de, por si só e de modo proeminente, ensejar uma avassaladora luta crítica e superadora da lógica da mercadoria. Mesmo assim, as crises podem revelar-se, em algumas ocasiões, a oportunidade para uma desestabilização de mais alta monta. Elas desnudam as falhas da sociabilidade do capital, permitindo, eventualmente, um rompimento das cadeias ideológicas e uma maior força política de contestação e mesmo de superação.

A luta de classes

O capitalismo é plantado em contradições, conflitos e antagonismos que, no limite, são sempre inconciliáveis. É verdade que o presente herda da história uma série de oposições já anteriormente assentadas – brancos contra negros, cristãos contra judeus, muçulmanos contra ateus, católicos contra protestantes, homens contra mulheres etc. –, mas todas essas oposições são reconfiguradas e, portanto, constituídas de maneira específica, com a sociabilidade capitalista. Assim, do racismo ao machismo, são todos, a seu modo, conflitos do capitalismo.

Também é assim com a luta de classes. O capitalismo não apenas enseja a luta entre as classes como, na verdade, constitui as próprias classes, razão pela qual explode a luta. Por isso, burguesia e classe trabalhadora não têm nenhuma natureza extrínseca ao capital. Não necessariamente resta um virtual fardo ontológico do trabalho ao trabalhador numa sociedade pós-capitalista. Capital e trabalho assalariado se erigem, no capitalismo, apenas em razão da infinita coletânea de mercadorias que dá sentido e forma aos sujeitos.

O segredo da mercadoria é o mesmo das lutas, dos conflitos e dos antagonismos no capitalismo. A subjetividade se arma como núcleo pelo qual passa a circulação mercantil. O sujeito autônomo é o autômato perpassado pelo capital, pela acumulação, pela apropriação privada, pela contratualização de si e do mundo. Assim, o capitalismo gira em torno da subjetividade, no paradoxo de que a autonomia exuberante e plena do sujeito é também sua insignificância pessoal.

Ocorre que, ao mesmo tempo que se funda na subjetivação das relações sociais – sendo a subjetivação jurídica um de seus momentos centrais e decisivos –, o capitalismo gera, como seu moto-contínuo, a separação entre as classes e os grupos. A concorrência de todos contra todos e de tudo contra tudo separa os detentores do capital de um lado e as grandes massas trabalhadoras, desempregadas ou despossuídas, de outro. Da gerência ao assalariado e ao lúmpen, as relações de produção capitalista levam, num processo de contínua subjetivação, à formação de classes e grupos.

Sendo resultantes de um processo sem fim de exploração do trabalho abstrato, cuja forma social se estabeleceu quando da subsunção real do trabalhador assalariado ao capital – ou seja, nas condições plenas do trabalho como mera mercadoria –, as classes e os grupos são talhados e têm por razão de sua identidade imediata exatamente as próprias relações de produção capitalistas. A causa da existência de classes e grupos, nessa forma específica pela qual se constituem, é somente o capitalismo.

É a forma da mercadoria que edifica a forma política estatal. A nação, então, é um elemento de identidade que dá sentido tanto aos burgueses quanto aos trabalhadores. Luta-se num espaço social delimitado, desconhecendo-se parcial e seletivamente o exterior, porque ele dá unidade territorial às lutas em um espaço dito soberano. Pelo Estado e pelo direito, também, passa o processo de subjetivação dos próprios grupos e das classes. A representação sindical, a formação de partidos políticos para as disputas eleitorais, a amarração de grupos sociais, organizações não governamentais e meios jurídicos e políticos institucionalizados para a movimentação das lutas se dão pelas formas sociais necessárias do capital.

Por isso, quase sempre o limite das lutas distributivas de partidos e movimentos sindicais e populares é a acumulação. Enredados no torvelinho de uma miríade de constantes relações sociais de exploração, antagonismo e concorrência, os indivíduos, grupos e classes pedalam uma bicicleta que nunca pode parar. O limite do ganho é a acumulação, fazendo a dinâmica social pender desta. Por isso os movimentos sociais e populares, os sindicatos e os partidos políticos, mesmo de esquerda, agem em favor da mesma sociabilidade que os constitui, ainda que para dosá-la de modos distintos, quando isso é mesmo possível e não se esgota simplesmente em jargão.

A subjetividade é o núcleo das explorações e das dominações do capitalismo. A consciência, a boa vontade ou até a união dos indivíduos em partidos, sindicatos, movimentos, grupos ou mesmo massas e multidões não faz com que as relações sociais se deem em grau distinto daquele dos indivíduos em interação isolada. Se as subjetividades se armam com direitos subjetivos que se transacionam sem fim, constituindo o mundo das mercadorias, a união de indivíduos em classes e grupos, e mesmo a eventual consciência e a gana de luta decorrentes, resulta, quase sempre, em manejos com os mesmos direitos subjetivos, apenas agora em plano social, difuso ou coletivo. Tal qual o direito privado deu conta de se atualizar em direito público administrativo e em direito do trabalho e direitos sociais, a subjetivação jurídica procede do mesmo modo com o partido político e o sindicato.

A dificuldade de superar o mundo da mercadoria por meio das matrizes da união dos despossuídos do capital – partido político, sindicato, ONG etc. – reside no fato de que operam mediante formas sociais necessárias do capital, até mesmo quando se apresentam como negativo da ordem estatal, do governo ou do burguês. A superação do capitalismo é a superação das classes, mas isso só pode acontecer com o desarme dos próprios fundamentos da sociabilidade da mercadoria. Não é pelo Estado nem pelo direito, tampouco pelo sujeito ou pelo arranjo de suas quantidades, que tal processo se instaura. A forma-sujeito é capitalista. Só a superação das formas sociais permite o socialismo, o que não quer dizer que este se faça contra ou indiferente aos sujeitos, mas mediante formas sociais totalmente distintas a respeito da subjetividade.

No entanto, tal superação exige uma saída relacionada a essas próprias formas. Por isso, a constatação do impasse estrutural é, também, a necessidade de se agarrar às frestas das energias transformadoras, progressistas e libertárias que saltam das lutas no capitalismo. Se os partidos progressistas radicais, os sindicatos e os movimentos populares se constituem pelas formas sociais capitalistas e nelas sempre esbarram, são ao mesmo tempo espaços de relações sociais, políticas, culturais e valorativas fundamentais, na medida em que por eles podem passar práticas distintas daquelas da lógica da mercadoria, revelando-se, ainda e então, meios de aglutinar e ensejar forças maiores que possam desaguar em lutas socialistas.

Partidos, sindicatos, movimentos populares críticos e radicais e mesmo lutas deflagradas só podem ser plenos se se articularem para fins não imediatos, isto é, não para só existir mediante as formas sociais do capitalismo, mas para serem outros, para terem de um dia acabar, para o socialismo, pois. É verdade que a articulação por meio das formas da sociabilidade capitalista, via de regra, gera a incorporação das lutas à lógica da mercadoria e da acumulação. Seu valor está no fato de que, pelos dedos das mãos dessas lutas dentro do capitalismo, podem sair, de maneira inesperada, articulações e forças distintas.

A palavra da esperança

A desesperança é a melhor esperança de nosso tempo. É só ao reconhecer que as formas da sociabilidade capitalista são contraditórias, conflituosas, portadoras inexoráveis de crise e de exploração e, portanto, incapazes de serem distintas do que sempre foram e são que então será possível agir no sentido de transformar as condições presentes.

A palavra da constatação crua e cruel sobre a natureza do capitalismo e de suas vertentes – mesmo as de esquerda intervencionista e de bem-estar social – é o que permite repor o socialismo como distinto do capitalismo, escapando das repetições de tantas trilhas que só levaram aos capitalismos de Estado do século XX e também superando as ilusões de que os arranjos das formas de capitalismo, se realizados com novo engenho ou combinatória, agora seriam capazes do novo. Não reside fundamentalmente na culpa dos agentes políticos, em sua miséria pessoal ou em sua traição a impossibilidade de avanço para além do capitalismo pela via da representação dos trabalhadores, do partido e do governo estatal. As formas sociais do capitalismo só têm razão de ser na acumulação e se limitam a portar exatamente exploração e dominação. Nelas, todos os indivíduos e mesmo suas vanguardas são o que foram constituídos.

Mas também a palavra da crítica, negativa ao capitalismo, não encontra solo quando a materialidade das relações sociais obriga à positividade: fechar contratos, vender sua força de trabalho, estar preparado para os novos desafios da carreira e as novas tecnologias, estar atualizado na profissão, apto ao amor, a criar filhos, a enfrentar a doença com serenidade, para tudo isso as subjetividades são interpeladas a esperanças e ao sim neste mundo. A palavra da crítica é a negação de tudo isso, que é exatamente todo o mundo de todos os sujeitos.

Parece então, de início, impossível ou infrutífera a palavra da crítica. Mas a própria sociabilidade do capitalismo não fecha positividades perfeitas nem é fundada nelas. Vende-se a si mesma sempre, e de modo cada vez melhor, para a exploração. O positivo é seu próprio negativo. Do consumo à carreira, à tecnologia, ao amor, ao lar e ao sentido da vida, o capitalismo se estabelece como a interpelação máxima do sujeito para a sua total insignificância. A palavra da crítica ao capitalismo, neste mundo, é nada em termos de referência e sentido, mas tem um alto potencial de ser tudo nesses mesmos termos.

O acaso, a falha, a tentativa e o encontro é que farão com que a palavra da crítica gere a ação transformadora. O capitalismo porta crise que, se sói ser tragada pelas mesmas formas sociais que a geram, pode, no entanto, explicitar as falhas da própria sociabilidade do capital. O socialismo é uma travessia para além das referências de mundo que constituem todas as subjetividades. Tal qual é impossível instaurar uma sociedade amorosa em nosso tempo, é também impossível erguer o socialismo a partir daquilo que o capitalismo apresenta. Mas, ao mesmo tempo e paradoxalmente, só pelos escombros desta sociedade outra se erguerá.

Todos os meios de comunicação de massa, as religiões, os Estados, as universidades, as empresas e, de forma parcial, a intelectualidade, os partidos, os sindicatos e os movimentos populares não dão o passo para a superação do capitalismo. Sua crítica persiste num campo, no máximo, reformista. O gosto pela estética do novo a todo momento, que sempre deságua em sujeitos que apenas parecem diferentes do que aí está, revela somente mais uma faceta da estética da mercadoria.

Mas a luta pelo socialismo demanda uma materialidade mínima suficiente. Ela há de envolver a descoberta de trilhas e de ações que deslindem novos sentidos. A palavra da crítica é o fermentar de horizontes. Se a exploração capitalista se faz pelo sim, o não da luta socialista é libertador. A dor de combate socialista descortina e, portanto, tem potencial de fazer algo distinto germinar nos sujeitos perpassados, todos, pela dor de fundo da lógica da mercadoria.

Dos escombros e da luta contra o mundo da mercadoria pode raiar o dia em que a exploração do homem pelo homem tenha fim. Quando isso acontecer, a humanidade nos mandará uma carta, narrando a chegada a sociabilidades superiores. Então, esta carta ao socialismo terá encontrado seus derradeiros destinatários.

Referências bibliográficas

Capítulo 1. Crise brasileira: bases e sentidos
AB'SÁBER, Tales. *Lulismo, carisma* pop *e cultura anticrítica*. São Paulo, Hedra, 2011.
_____. *Dilma Rousseff e o ódio político*. São Paulo, Hedra, 2015.
AGLIETTA, Michel. *Macroeconomia financeira*. São Paulo, Loyola, 2004. v. 1-2.
ALMEIDA, Lúcio Flávio Rodrigues de. *Ideologia nacional e nacionalismo*. São Paulo, Educ, 2014.
ALMEIDA, Silvio Luiz de. *O que é racismo estrutural?* Belo Horizonte, Letramento, 2018. (Coleção Feminismos Plurais)
ALTHUSSER, Louis. *Aparelhos ideológicos de Estado*. Trad. Walter José Evangelista e Maria Laura Viveiros de Castro. 2. ed. Rio de Janeiro, Graal, 1985.
_____. *Por Marx*. Trad. Maria Leonor F. R. Loureiro. Campinas, Editora Unicamp, 2015.
ALVARES, Giane Ambrósio et al. *Brasil em fúria*: democracia, política e direito. Belo Horizonte, Casa do Direito, 2017.
ANTUNES, Ricardo. *Uma esquerda fora do lugar*: o governo Lula e os descaminhos do PT. Campinas, Autores Associados, 2006.
_____. *O privilégio da servidão*: o novo proletariado de serviços na era digital. São Paulo, Boitempo, 2018.
ARANTES, Paulo. *O novo tempo do mundo e outros estudos sobre a era da emergência*. São Paulo, Boitempo, 2014. (Coleção Estado de Sítio)
BARAU, Victor Vicente. *Queda tendencial da taxa de lucro, forma política e forma jurídica*. Dissertação (Mestrado em Direito Político e Econômico) – São Paulo, Universidade Presbiteriana Mackenzie, 2014.
BARROS, José Manoel de Aguiar. *O partido dos justos*: a politização da justiça. Porto Alegre, Sergio Fabris, 2002.

BELLUZZO, Luiz Gonzaga; GALÍPOLO, Gabriel. *Manda quem pode, obedece quem tem prejuízo*. São Paulo, Contracorrente, 2017.
BENEVIDES, Maria Victória de Mesquita. *O governo Kubitschek*: desenvolvimento econômico e estabilidade política, 1956-1961. Rio de Janeiro, Paz e Terra, 1976.
_____. *A UDN e o udenismo*: ambiguidades do liberalismo brasileiro, 1945-1965. Rio de Janeiro, Paz e Terra, 1976.
BENOIT, Hector; ANTUNES, Jadir. *O problema da crise capitalista em "O capital" de Marx*. Jundiaí, Paco, 2016.
BERCOVICI, Gilberto. *Constituição econômica e desenvolvimento*: uma leitura a partir da Constituição de 1988. São Paulo, Malheiros, 2005.
_____. *Direito econômico do petróleo e dos recursos minerais*. São Paulo, Quartier Latin, 2011.
BOITO JR., Armando. *O golpe de 1954*: a burguesia contra o populismo. São Paulo, Brasiliense, 1982.
_____. *Estado, política e classes sociais*. São Paulo, Editora Unesp, 2007.
_____. Governos Lula: a nova burguesia nacional no poder. In: BOITO JR., Armando; GALVÃO, Andréia (orgs.). *Política e classes sociais no Brasil dos anos 2000*. São Paulo, Alameda, 2012. p. 67-103.
_____. A crise política do neodesenvolvimentismo e a instabilidade da democracia. *Crítica Marxista*. Campinas, IFCH-Unicamp, v. 42, 2016, p. 155-62.
_____. *Reforma e crise política no Brasil*: os conflitos de classe nos governos do PT. Campinas/São Paulo, Editora Unicamp/Editora Unesp, 2018.
BOYER, Robert. *A teoria da regulação*: uma análise crítica. Trad. Renée Barata Zicman. São Paulo, Nobel, 1990.
BRAGA, Ruy. *A política do precariado*: do populismo à hegemonia lulista. São Paulo, Boitempo, 2012.
_____. *A pulsão plebeia*: trabalho, precariedade e rebeliões sociais. São Paulo, Alameda, 2015.
_____. *A rebeldia do precariado*: trabalho e neoliberalismo no Sul global. São Paulo, Boitempo, 2017. (Coleção Mundo do Trabalho)
CALDAS, Camilo Onoda. *A teoria da derivação do Estado e do direito*. São Paulo, Outras Expressões/Dobra, 2015.
CARDOSO, Ciro Flamarion. *Agricultura, escravidão e capitalismo*. Petrópolis, Vozes, 1979.
CARDOSO, Miriam Limoeiro. *Ideologia do desenvolvimento, Brasil*: JK-JG. Rio de Janeiro, Paz e Terra, 1977.
CARVALHO, Laura. *Valsa brasileira*: do *boom* ao caos econômico. São Paulo, Todavia, 2018.
CASTELLS, Manuel. *A teoria marxista das crises econômicas e as transformações do capitalismo*. Trad. Alcir Henriques da Costa. Rio de Janeiro, Paz e Terra, 1979.

COHN, Gabriel. *Petróleo e nacionalismo*. São Paulo, Editora Unifesp, 2017.

CORREA, Rafael. *Equador*: da noite neoliberal à revolução cidadã. Trad. Emir Sader. São Paulo, Boitempo, 2015.

COUTINHO, Jacinto N. M.; LIMA, Martonio M. B. (orgs.). *Diálogos constitucionais*: direito, neoliberalismo e desenvolvimento em países periféricos. Rio de Janeiro, Renovar, 2006.

DE CONTI, Bruno; BLIKSTAD, Nicholas. Impactos da economia chinesa sobre a brasileira no início do século XXI: o que querem que sejamos e o que queremos ser. In: CARNEIRO, Ricardo; BALTAR, Paulo; SARTI, Fernando (orgs.). *Para além da política econômica*. São Paulo, Editora Unesp Digital, 2018. p. 55-90.

DIAS, Edmundo Fernandes. *Política brasileira*: embate de projetos hegemônicos. São Paulo, Sundermann, 2006.

DRAIBE, Sônia. *Rumos e metamorfoses*: um estudo sobre a constituição do Estado e as alternativas da industrialização no Brasil, 1930-1960. Rio de Janeiro, Paz e Terra, 2004.

DREIFUSS, René Armand. *1964, a conquista do Estado*: ação política, poder e golpe de classe. Petrópolis, Vozes, 1987.

DUNKER, Christian Ingo Lenz. *Mal-estar, sofrimento e sintoma*: uma psicopatologia do Brasil entre muros. São Paulo, Boitempo, 2015. (Coleção Estado de Sítio)

_____. *Reinvenção da intimidade*: políticas do sofrimento cotidiano. São Paulo, Ubu, 2017.

EDELMAN, Bernard. *A legalização da classe operária*. Trad. Marcus Orione. São Paulo, Boitempo, 2016.

ENGELS, Friedrich; KAUTSKY, Karl. *O socialismo jurídico*. Trad. Livia Cotrim. São Paulo, Boitempo, 2012. (Coleção Marx-Engels)

ERKERT, Jonathan Erik von. *Modos de produção no Brasil*: escravidão e forma jurídica. São Paulo, Ideias & Letras, no prelo.

FARIAS, Francisco Pereira de. *Estado burguês e classes dominantes no Brasil (1930-1964)*. São Paulo, CRV, 2017.

FERNANDES, Florestan. *A revolução burguesa no Brasil*: ensaio de interpretação sociológica. Rio de Janeiro, Guanabara, 1987.

FERREIRA, Adriano de Assis. *Questão de classes*: direito, Estado e capitalismo em Menger, Stutchka e Pachukanis. São Paulo, Alfa-Ômega, 2009.

FERREIRA, Carla; OSORIO, Jaime; LUCE, Mathias (orgs.). *Padrão de reprodução do capital*: contribuições da teoria marxista da dependência. São Paulo, Boitempo, 2012.

FISHER, Mark. *Realismo capitalista*: ¿No hay alternativa? Trad. Claudio Iglesias. Buenos Aires, Caja Negra, 2016.

FONSECA, Pedro Cesar Dutra. *Vargas*: o capitalismo em construção. São Paulo, Brasiliense, 1999.

FRAGOSO, João; FLORENTINO, Manolo. *O arcaísmo como projeto*: mercado atlântico, sociedade agrária e elite mercantil no Rio de Janeiro, c. 1790-c. 1840. Rio de Janeiro, Civilização Brasileira, 2001.

GARAPON, Antoine. *O juiz e a democracia*. Trad. Maria Luiza de Carvalho. Rio de Janeiro, Revan, 1999.

GARDUCCI, Leticia Galan. *O Conselho Nacional de Justiça a partir do modo de regulação brasileiro no pós-fordismo*: uma análise à luz da teoria da derivação. Dissertação (Mestrado em Direito Político e Econômico) – São Paulo, Universidade Presbiteriana Mackenzie, 2014.

GENRO, Luciana; ROBAINA, Roberto. *A falência do PT e a atualidade da luta socialista*. Porto Alegre, LP&M, 2006.

GILLOT, Pascale. *Althusser e a psicanálise*. São Paulo, Ideias & Letras, 2018.

GOMES, Marcus Alan. *Mídia e sistema penal*: as distorções da criminalização nos meios de comunicação. Rio de Janeiro, Revan, 2015.

GORENDER, Jacob. *O escravismo colonial*. São Paulo, Perseu Abramo, 2010.

GRAMSCI, Antonio. *Cadernos do cárcere*: introdução ao estudo da filosofia, v. 1: A filosofia de Benedetto Croce. Trad. Carlos Nelson Coutinho. Rio de Janeiro, Civilização Brasileira, 1999.

HARVEY, David. *O novo imperialismo*. Trad. Adail Ubirajara Sobral. São Paulo, Loyola, 2004.

_____. *17 contradições e o fim do capitalismo*. Trad. Rogério Bettoni. São Paulo, Boitempo, 2016.

HEINRICH, Michael. Crisis Theory, the Law of the Tendency of the Profit Rate to Fall, and Marx's Studies in the 1870s. *Monthly Review*. Londres, v. 64, n. 11, 2013.

HIRSCH, Joachim. *Teoria materialista do Estado*. Trad. Luciano Cavini Martorano. Rio de Janeiro, Revan, 2010.

JAPPE, Anselm. *Crédito à morte*: a decomposição do capitalismo e suas críticas. Trad. Robson O. Zannetti. São Paulo, Hedra, 2013.

KASHIURA JR., Celso Naoto. *Sujeito de direito e capitalismo*. São Paulo, Outras Expressões/Dobra, 2014.

KHALIL, Antoin Abou. *Crítica da ética na advocacia*. Curitiba, Prismas, no prelo.

KURZ, Robert. *Razão sangrenta*. Trad. Roberto R. de Moraes Barros. São Paulo, Hedra, 2010.

LEITE, José Correa; UEMURA, Janaína; SIQUEIRA, Filomena (orgs.). *O eclipse do progressismo*: a esquerda latino-americana em debate. Trad. Sandro Ruggeri Dulcet. São Paulo, Elefante, 2018.

LINERA, Álvaro García. *Forma valor y forma comunidad*: aproximación teórico-abstrata a los fundamentos civilizatorios que preceden al Ayllu Universal. Buenos Aires, Prometeo/Clacso, 2010. (Colección Pensamiento Crítico Latinoamericano)

_____. *A potência plebeia*: ação coletiva e identidades indígenas, operárias e populares na Bolívia. Trad. Igor Ojeda. São Paulo, Boitempo, 2010.

LUCE, Mathias Seibel. *Teoria marxista da dependência*: problemas e categorias, uma visão histórica. São Paulo, Expressão Popular, 2018.

LUGO, Carlos Rivera. Derecho, democracia y cambio social en la América Latina. In: _____. *¡Ni uma vida más al derecho!* Aguascalientes/San Luis Potosí, Cenejus, 2014. p. 73-89.

MARINI, Ruy Mauro. *Dialética da dependência*. Petrópolis, Vozes, 2000.

MARQUESE, Rafael; SALLES, Ricardo (orgs.). *Escravidão e capitalismo histórico no século XIX*: Cuba, Brasil, Estados Unidos. Rio de Janeiro, Civilização Brasileira, 2016.

MARTUSCELLI, Danilo Enrico. Sobre o conceito marxista de crise política. *Crítica Marxista*. Campinas, IFCH-Unicamp, v. 43, 2016, p. 9-27.

MARX, Karl. *O capital: crítica da economia política,* Livro I: *O processo de produção do capital*. Trad. Rubens Enderle. São Paulo, Boitempo, 2011. (Coleção Marx-Engels)

_____. *O capital: crítica da economia política,* Livro III: *O processo global da produção capitalista*. Trad. Rubens Enderle. São Paulo, Boitempo, 2017. (Coleção Marx-Engels)

MASCARO, Alex Antonio. *Segurança jurídica e coisa julgada*: sobre cidadania e processo. São Paulo, Quartier Latin, 2010.

MASCARO, Alysson Leandro. *Crítica da legalidade e do direito brasileiro*. São Paulo, Quartier Latin, 2008.

_____. O contexto sociológico da segurança jurídica e da discricionariedade judicial. *Revista Acadêmica da Emag*. São Paulo, TRF3, v. 3, 2011, p. 13-35.

_____. Sobre a educação jurídica. In: TAGLIAVINI, João Virgílio; SANTOS, João Luiz Ribeiro (orgs.). *Educação jurídica em questão*: desafios e perspectivas a partir das avaliações. São Carlos/São Paulo, OAB/SP, 2013. p. 31-60.

_____. *Estado e forma política*. São Paulo, Boitempo, 2013.

_____. *Introdução ao estudo do direito*. São Paulo, Atlas, 2015.

_____. Para uma teoria geral da segurança jurídica. *Revista Brasileira de Estudos Constitucionais*. Belo Horizonte, Fórum, v. 9, 2015, p. 791-810.

_____. *Filosofia do direito*. 6. ed. São Paulo, Atlas, 2018.

MENEGAT, Marildo. *Estudos sobre ruínas*. Rio de Janeiro, Revan, 2012. (Coleção Pensamento Criminológico, n. 18)

MOLLO, Maria de Lourdes Rollemberg. A crise mundial e suas consequências: um debate teórico. *Crítica Marxista*. Campinas, IFCH-Unicamp, v. 41, 2015, p. 51-67.

MOTTA, Luiz Eduardo. Sobre a transição socialista: avanços teóricos e os limites das experiências do chamado "socialismo real". *Revista Praia Vermelha*. Rio de Janeiro, UFRJ, v. 23, n. 2, 2013, p. 419-41.

MOURA, Clóvis. *Dialética radical do Brasil negro*. São Paulo, Maurício Grabois/Anita Garibaldi, 2014.

NAVES, Márcio Bilharinho. Os silêncios da ideologia constitucional. *Revista de Sociologia e Política*. Curitiba, UFPR, v. 6-7, 1996, p. 167-71.

_____. *Marxismo e direito*: um estudo sobre Pachukanis. São Paulo, Boitempo, 2000.

_____ (org.). *Análise marxista e sociedade de transição*. Campinas, IFCH-Unicamp, 2005. (Coleção Ideias, n. 5)

_____. A democracia e seu não lugar. *Ideias*. Campinas, IFCH-Unicamp, v. 1 (nova série), 2010, p. 61-9.

NOVAIS, Fernando A. *Estrutura e dinâmica do antigo sistema colonial*. São Paulo, Brasiliense, 1990.

OSÓRIO, Luiz Felipe. *Imperialismo, Estado e relações internacionais*. São Paulo, Ideias & Letras, 2018.

PACHUKANIS, Evguiéni B. *Teoria geral do direito e marxismo*. Trad. Paula Vaz de Almeida. São Paulo, Boitempo, 2017. (Coleção Ano Russo)

PEREIRA, Luiz Ismael. *Forma política e cidadania na periferia do capitalismo*: a América Latina por uma teoria materialista do Estado. Tese (Doutorado em Direito Político e Econômico). São Paulo, Universidade Presbiteriana Mackenzie, 2017.

PERISSINOTTO, Renato. Marx e a teoria contemporânea do Estado. In: CODATO, Adriano; PERISSINOTTO, Renato. *Marxismo como ciência social*. Curitiba, UFPR, 2011. p. 127-60.

PINHEIRO, Armando Castelar. Conclusão. In: _____ (org.). *Judiciário e economia no Brasil*. Rio de Janeiro, Centro Edelstein, 2009. p. 113-24

PIRES, Eginardo. Breve recapitulação polêmica da história econômica do Brasil. In: _____. *Ensaios econômicos*. Rio de Janeiro, Achiamé, 1984. p. 226-96.

POULANTZAS, Nicos. As transformações atuais do Estado, a crise política e a crise do Estado. In: _____. *O Estado em crise*. Trad. Maria Laura Viveiros de Castro. Rio de Janeiro, Graal, 1977. p. 3-41.

PRADO JÚNIOR, Caio. *A revolução brasileira*. São Paulo, Brasiliense, 1987.

_____. *Formação do Brasil contemporâneo*: Colônia. São Paulo, Brasiliense, 2004.

ROCHA, Sérgio. Neoliberalismo e Poder Judiciário. In: COUTINHO, Jacinto N. M.; LIMA, Martonio Mont'Alverne Barreto (orgs.). *Diálogos constitucionais*: direito, neoliberalismo e desenvolvimento em países periféricos. Rio de Janeiro, Renovar, 2006.

SAAD FILHO, Alfredo. A queda de Dilma Rousseff: Uma luta de classes, e a classe deles está ganhando. *Revista Maquiavel* (online). 1º abr. 2016. Disponível em: <https://revistamaquiavel.com.br/a-queda-de-dilma-rousseff-uma-luta-de-classes-e-a-classe-deles-est%C3%A1-ganhando-4d3022543daa>. Acesso em: 1º ago. 2018.

_____. Avanços, contradições e limites dos governos petistas. *Crítica Marxista*. Campinas, IFCH-Unicamp, v. 42, 2016, p. 171-7.

SADER, Emir (org.). *10 anos de governos pós-neoliberais no Brasil*: Lula e Dilma. São Paulo e Rio de Janeiro, Boitempo/Flacso, 2013.

SAES, Decio. *A formação do Estado burguês no Brasil (1888-1891)*. Rio de Janeiro, Paz e Terra, 1985.

SAFATLE, Vladimir. *Só mais um esforço*. São Paulo, Três Estrelas, 2017.

SANTOS, Fabio Luis Barbosa dos. *Além do PT*: a crise da esquerda brasileira em perspectiva latino-americana. São Paulo, Elefante, 2016.

SANTOS, Theotônio dos. *A teoria da dependência*: balanço e perspectivas. Rio de Janeiro, Civilização Brasileira, 2000.

SEABRA, Raphael Lana (org.). *Dependência e marxismo*: contribuições ao debate crítico latino-americano. Florianópolis, Insular, 2016.

SECCO, Lincoln. *História do PT*. 4. ed. São Paulo, Ateliê Editorial, 2015.

SERRANO, Pedro Estevam Alves Pinto. *A justiça na sociedade do espetáculo*: reflexões públicas sobre direito, política e cidadania. São Paulo, Alameda, 2015.

SILVEIRA, Paulo; DORAY, Bernard (orgs.). *Elementos para uma teoria marxista da subjetividade*. São Paulo, Vértice, 1989.

SINGER, André. *Os sentidos do lulismo*: reforma gradual e pacto conservador. São Paulo, Companhia das Letras, 2012.

_____. *O lulismo em crise*: um quebra-cabeça do período Dilma (2011-2016). São Paulo, Companhia das Letras, 2018.

SINGER, André; LOUREIRO, Isabel (orgs.). *As contradições do lulismo*: a que ponto chegamos? São Paulo, Boitempo, 2016. (Coleção Estado de Sítio)

SODRÉ, Nelson Werneck. *Introdução à revolução brasileira*. São Paulo, Ciências Humanas, 1978.

_____. *Capitalismo e revolução burguesa no Brasil*. Rio de Janeiro, Graphia, 1997.

SOUZA, Jessé. *A tolice da inteligência brasileira*: ou como o país se deixa manipular pela elite. São Paulo, Leya, 2015.

_____. *A radiografia do golpe*. São Paulo, Leya, 2016.

_____. *A elite do atraso*: da escravidão à Lava Jato. São Paulo, Leya, 2017.

STRECK, Lenio Luiz. Por que *commonlistas* brasileiros querem proibir juízes de interpretar? *Consultor Jurídico*. 22 set. 2016. Disponível em: <www.conjur.com.br/2016-set-22/senso-incomum-commonlistas-brasileiros-proibir-juizes-interpretar>. Acesso em: 1º ago. 2018.

STREECK, Wolfgang. *Tempo comprado*: a crise adiada do capitalismo democrático. Trad. Marian Toldy e Teresa Toldy. São Paulo, Boitempo, 2018.

THÉVENIN, Nicole-Édith. Ideologia jurídica e ideologia burguesa (ideologia e práticas artísticas). In: NAVES, Márcio Bilharinho (org.). *Presença de Althusser*. Campinas, IFCH-Unicamp, 2010. p. 53-76. (Coleção Ideias, n. 9)

TONELO, Iuri. *A crise capitalista e suas formas*. São Paulo, Iskra, 2016.

VAROUFAKIS, Yanis. *O minotauro global*: a verdadeira origem da crise financeira e o futuro da economia global. Trad. Marcela Werneck. São Paulo, Autonomia Literária, 2016.

VIANA, Luiz Werneck et al. *A judicialização da política e das relações sociais no Brasil*. Rio de Janeiro, Revan, 1999.

_____. *Corpo e alma da magistratura brasileira*. 3. ed. Rio de Janeiro, Revan, 2003.

WELMOWICKI, José. *Cidadania ou classe?* O movimento operário da década de 80. São Paulo, Sundermann, 2004.

WILLIS, Susan. *Evidências do real*. Trad. Marcos Fabris e Marcos Soares. São Paulo, Boitempo, 2008. (Coleção Estado de Sítio)

ŽIŽEK, Slavoj. *Vivendo no fim dos tempos*. Trad. Maria Beatriz de Medina. São Paulo, Boitempo, 2012.

Capítulo 2. Sobre o golpe

AVRITZER, Leonardo. *Impasses da democracia no Brasil*. Rio de Janeiro, Civilização Brasileira, 2016.

BAHIA, Alexandre; BACHA E SILVA, Diogo; OLIVEIRA, Marcelo Andrade Cattoni de. *O impeachment e o Supremo Tribunal Federal*: história e teoria constitucional brasileira. Florianópolis, Empório do Direito, 2016.

BARROS, Celso Rocha de. O Brasil e a recessão democrática. *Piauí*. Rio de Janeiro, Alvinegra, ano 12, n. 139, abr. 2018. Disponível em: <http://piaui.folha.uol.com.br/materia/o-brasil-e-recessao-democratica>. Acesso em: 1º ago. 2018.

BASTOS, Pedro Paulo Zahluth; HIRATUKA, Celio. Notas sobre a política econômica externa do governo Dilma Rousseff e o contexto global. In: CARNEIRO, Ricardo; BALTAR, Paulo; SARTI, Fernando (orgs.). *Para além da política econômica*. São Paulo, Editora Unesp Digital, 2018. p. 207-44.

BATISTA, Nilo. *Crítica do Mensalão*. Rio de Janeiro, Revan, 2015.

BERCOVICI, Gilberto. A Constituição brasileira de 1988, as "constituições transformadoras" e o "novo constitucionalismo latino-americano". *Revista Brasileira de Estudos Constitucionais*. Belo Horizonte, Fórum, v. 26, 2013, p. 285-305.

_____. *Parecer à defesa de Dilma Rousseff*. São Paulo, 2016, *mimeo*.

_____. O golpe do impeachment. *Caros Amigos*. São Paulo, ano XIX, n. 229, abr. 2016, p. 22-3.

BERCOVICI, Gilberto; COSTA, José Augusto Fontoura. Os aproveitadores, os entreguistas e a receptação internacional. *Conversa Afiada*. 8 maio 2017. Disponível em: <www.conversaafiada.com.br/economia/nao-compre-nada-do-parente-vai-ser-tudo--renacionalizado>. Acesso em: 1º ago. 2018.

BERRINGER, Tatiana. *A burguesia brasileira e a política externa nos governos FHC e Lula*. Curitiba, Appris, 2015.

BIANCARELLI, André; ROSA, Renato; VERGNHANINI, Rodrigo. O setor externo no governo Dilma e seu papel na crise. In: CARNEIRO, Ricardo; BALTAR, Paulo; SARTI, Fernando (orgs.). *Para além da política econômica*. São Paulo, Editora Unesp Digital, 2018. p. 91-126.

BIANCHI, Álvaro. O que é um golpe de Estado? *Blog Junho*. 26 mar. 2016. Disponível em: <http://blogjunho.com.br/o-que-e-um-golpe-de-estado/>. Acesso em: 1º ago. 2018.

BIROLI, Flávia; MIGUEL, Luis Felipe. *Notícias em disputa*: mídia, democracia e formação de preferências no Brasil. São Paulo, Contexto, 2017.

BLYTH, Mark. *Austeridade*: a história de uma ideia perigosa. Trad. Freitas e Silva. São Paulo, Autonomia Literária, 2017.

BOITO JR., Armando. *Reforma e crise política no Brasil*: os conflitos de classe nos governos do PT. Campinas/São Paulo, Editora Unicamp/Editora Unesp, 2018.

BRUNHOFF, Suzanne de. Finança, capital, Estados. In: _____ et al. *A finança capitalista*. Trad. Rosa Maria Marques e Paulo Nakatani. São Paulo, Alameda, 2010. p. 33-93.

BUENO, Fábio Marvulle; SEABRA, Raphael Lana. A teoria do subimperialismo brasileiro: notas para uma (re)discussão contemporânea. In: GALVÃO, Andréia et al. (orgs.). *Capitalismo*: crises e resistências. São Paulo, Outras Expressões, 2012. p. 111-31.

BUGIATO, Caio Martins. *A política de financiamento do BNDES e a burguesia brasileira*. Tese (Doutorado em Ciência Política). Campinas, IFCH-Unicamp, 2016.

CALDAS, Camilo Onoda. *Teoria geral do Estado*. São Paulo, Ideias & Letras, 2018.

CAMPOS, Pedro Henrique Pedreira. *Estranhas catedrais*: as empreiteiras brasileiras e a ditadura civil-militar, 1964-1988. Niterói, Eduff, 2014.

CARNEIRO, Ricardo. Navegando a contravento: uma reflexão sobre o experimento desenvolvimentista do governo Dilma Rousseff. In: CARNEIRO, Ricardo; BALTAR, Paulo; SARTI, Fernando (orgs.). *Para além da política econômica*. São Paulo, Editora Unesp Digital, 2018. p. 11-54.

CODATO, Adriano Nervo. *Sistema estatal e política econômica no Brasil pós-64*. São Paulo, Hucitec, 1997.

COSTA, Fernando Nogueira da. Variedades de capitalismo e bancos públicos. In: SADER, Emir (org.). *Se é público é para todos*: defender as empresas públicas é defender o Brasil. Rio de Janeiro, Eduerj-LPP, 2018. p. 23-88.

COSTA, José Augusto Fontoura. Onde os fracos têm vez. *Carta Maior*. 19 abr. 2016. Disponível em: <www.cartamaior.com.br/?/Editoria/Politica/Onde-os-fracos-tem-vez/4/35992>. Acesso em: 1º ago. 2018.

DREIFUSS, René Armand. *1964, a conquista do Estado*: ação política, poder e golpe de classe. Petrópolis, Vozes, 1987.

FARIAS, Francisco Pereira de. *Estado burguês e classes dominantes no Brasil (1930-1964)*. São Paulo, CRV, 2017.

FERNANDES, Florestan. O significado da ditadura militar. In: TOLEDO, Caio Navarro de (org.). *1964*: visões críticas do golpe – Democracia e reformas no populismo. Campinas, Editora Unicamp, 2014. p. 141-8.

FERREIRA, Mário; NUMERIANO, Roberto. *O que é golpe de Estado?* São Paulo, Brasiliense, 1998.

FERREIRA FILHO, Manoel Gonçalves. *O poder constituinte*. São Paulo, Saraiva, 1999.

FICO, Carlos. *Além do golpe*: versões e controvérsias sobre 1964 e a ditadura militar. Rio de Janeiro, Record, 2014.

GALUPPO, Marcelo Campos. *Impeachment*: o que é, como se processa e por que se faz. Belo Horizonte, D'Plácido, 2016.

GIRALDES, Marcus. *O acaso e o desencontro*: das manifestações de 2013 ao golpe de 2016. Rio de Janeiro, Garamond, 2017.

GOBBO, Bianchi Agostini; PIMENTEL FILHO, José Eduardo; GONÇALVES, Max (orgs.). *O poder da mídia no Brasil*: (re)editando outras verdades. Rio de Janeiro, Lamparina, 2016.

JINKINGS, Ivana; DORIA, Kim; CLETO, Murilo (orgs.). *Por que gritamos golpe*: para entender o *impeachment* e a crise política no Brasil. São Paulo, Boitempo, 2016.

KELSEN, Hans. *Teoria pura do direito*. Coimbra, Armênio Amado, 1984.

KLEIN, Naomi. *A doutrina do choque*: a ascensão do capitalismo de desastre. Trad. Vania Cury. Rio de Janeiro, Nova Fronteira, 2008.

LEITE, Paulo Moreira. *A outra história do Mensalão*: as contradições de um julgamento político. São Paulo, Geração, 2013.

LUTTWAK, Edward. *Golpe de Estado*: um manual prático. Rio de Janeiro, Paz e Terra, 1991.

MALAPARTE, Curzio. *Técnica do golpe de Estado*. Mem Martins, Europa-América, 1984.

MARCOLINO, Luiz Cláudio; CARNEIRO, Ricardo. Apresentação. In: _____ (orgs.). *Sistema financeiro e desenvolvimento no Brasil*: do Plano Real à crise financeira. São Paulo, Publisher Brasil/Atitude, 2010.

MARTINS, Cristiano Zanin; MARTINS, Valeska Teixeira Zanin; VALIM, Rafael (orgs.). *O caso Lula*: a luta pela afirmação dos direitos fundamentais no Brasil. São Paulo, Contracorrente, 2017.

MARTUSCELLI, Danilo Enrico, Sobre o conceito marxista de crise política. *Crítica Marxista*. Campinas, IFCH-Unicamp, v. 43, 2016, p. 9-27.

_____. O golpe de Estado como fenômeno indissociável dos conflitos de classe. *Demarcaciones*: Revista Latinoamericana de Estudios Althusserianos. Santiago, v. 6, 2018, p. 1-15.

MARX, Karl. *O 18 de brumário de Luís Bonaparte*. Trad. Nélio Schneider. São Paulo, Boitempo, 2011. (Coleção Marx-Engels)

MASCARO, Alysson Leandro. Os horizontes filosóficos do neoconstitucionalismo. In: FRANCISCO, José Carlos (org.). *Neoconstitucionalismo e atividade jurisdicional*: do passivismo ao ativismo judicial. Belo Horizonte, Del Rey, 2012. p. 35-45.

_____. *Estado e forma política*. São Paulo, Boitempo, 2013.

_____. *Introdução ao estudo do direito*. São Paulo, Atlas, 2015.

_____. *Filosofia do direito*. 6. ed. São Paulo, Atlas, 2018.

MATTOS, Hebe; BESSONE, Tânia; MAMIGONIAN, Beatriz G. *Historiadores pela democracia*. O golpe de 2016: a força do passado. São Paulo, Alameda, 2016.

MIGUEL, Luis Felipe. Da "doutrinação marxista" à "ideologia de gênero" – Escola sem partido e as leis da mordaça no parlamento brasileiro. *Direito e Práxis*. Rio de Janeiro, Uerj, v. 7, n. 15, 2016, p. 590-621.

NAUDÉ, Gabriel. *Considérations politiques sur les coups d'Estat*. Caen, ERA-CNRS, 1989.

NOBRE, Marcos. *Imobilismo em movimento*: da abertura democrática ao governo Dilma. São Paulo, Companhia das Letras, 2013.

PACHUKANIS, Evguiéni B. *Teoria geral do direito e marxismo*. Trad. Paula Vaz de Almeida. São Paulo, Boitempo, 2017. (Coleção Ano Russo)

PAULA DE MELO, Marcelo. *Brasil neoliberal*: dos anos Lula ao golpe de 2016. Rio de Janeiro, Consequência, 2017.

PINTO, Eduardo Costa et al. A guerra de todos contra todos: a crise brasileira. *Texto para Discussão*. Rio de Janeiro, IE-UFRJ, n. 6, 2017.

SAES, Décio. *República do capital*: capitalismo e processo político no Brasil. São Paulo, Boitempo, 2001.

SAINT-BONNET, François. Technique juridique du coup d'État. In: BLUCHE, Frédéric (org.). *Le prince, le peuple et le droit*. Autour des plébiscites de 1851 et 1852. Paris, PUF, 2000. p. 123-60.

SANTOS, Wanderley Guilherme dos. *À margem do abismo*: conflitos na política brasileira. Rio de Janeiro, Revan, 2015.

_____. Grande dúvida constitucional de que o Supremo fugirá. In: PRONER, Carol et al. (orgs.). *A resistência ao golpe de 2016*. Bauru, Praxis, 2016. p. 414-5.

SCHMITT, Carl. *O conceito do político / Teoria do Partisan*. Belo Horizonte, Del Rey, 2008.

SINGER, André. *O lulismo em crise*: um quebra-cabeça do período Dilma (2011-2016). São Paulo, Companhia das Letras, 2018.

SOUZA, Jessé. *A elite do atraso*: da escravidão à Lava Jato. São Paulo, Leya, 2017.

STREECK, Wolfgang. *Tempo comprado*: a crise adiada do capitalismo democrático. Coimbra, Actual, 2013. (Extra Coleção)

TELES, Edson; SAFATLE, Vladimir (orgs.). *O que resta da ditadura*: a exceção brasileira. São Paulo, Boitempo, 2010. (Coleção Estado de Sítio)

VALIM, Rafael. O caso Lula e o fracasso da Justiça brasileira. In: SILVA, Luiz Inácio Lula da. *A verdade vencerá*: o povo sabe por que me condenam. São Paulo, Boitempo, 2018. p. 177-84.

VAROUFAKIS, Yanis. *O minotauro global*: a verdadeira origem da crise financeira e o futuro da economia global. Trad. Marcela Werneck. São Paulo, Autonomia Literária, 2016.

_____. *E os fracos sofrem o que devem?* Os bastidores da crise europeia. Trad. Fernando Santos. São Paulo, Autonomia Literária, 2017.

Capítulo 3. Golpe e exceção

AGAMBEN, Giorgio. *Estado de exceção*: homo sacer II, I. Trad. Iraci D. Poleti. São Paulo, Boitempo, 2004.

ALMEIDA, Silvio Luiz de *O que é racismo estrutural?* Belo Horizonte, Letramento, 2018. (Coleção Feminismos Plurais)

ANDRADE, Walter Pedrozo Parente de. *Liberdade ou estado de exceção?* O direito em Kant, Schmitt e Benjamin. Tese (Doutorado em Direito). São Paulo, FD-USP, 2017.

BERCOVICI, Gilberto. *Soberania e Constituição*: para uma crítica do constitucionalismo. São Paulo, Quartier Latin, 2008.

_____. *Constituição e estado de exceção permanente*: atualidade de Weimer. 2. ed. Rio de Janeiro, Azougue, 2012.

CALDAS, Camilo Onoda. *Teoria geral do Estado*. São Paulo, Ideias & Letras, 2018.

GOUPY, Marie. *L'état d'exception ou l'impussaince autoritaire de l'État à l'époque du libéralisme*. Paris, CNRS Éditions, 2016.

LOGIUDICE, Edgard. *Agamben y el estado de excepción*: una mirada marxista. Buenos Aires, Herramienta, 2007.

MARTINS, Cristiano Zanin; MARTINS, Valeska Teixeira Zanin; VALIM, Rafael (orgs.). *O caso Lula*: a luta pela afirmação dos direitos fundamentais no Brasil. São Paulo, Contracorrente, 2017.

MASCARO, Alysson Leandro. *Crítica da legalidade e do direito brasileiro*. São Paulo, Quartier Latin, 2008.

_____. *Estado e forma política*. São Paulo, Boitempo, 2013.

_____. *Introdução ao estudo do direito*. São Paulo, Atlas, 2015.

_____. *Filosofia do direito*. 6. ed. São Paulo, Atlas, 2018.

NASCIMENTO, Daniel Arruda. *Do fim da experiência ao fim do jurídico*: percurso de Giorgio Agamben. São Paulo, LiberArs, 2012.

SCHMITT, Carl. *Teologia política*. Belo Horizonte, Del Rey, 2006.

SERRANO, Pedro Estevam Alves Pinto. *Autoritarismo e golpes na América Latina*: breve ensaio sobre jurisdição e exceção. São Paulo, Alameda, 2016.

VALIM, Rafael. *Estado de exceção*: a forma jurídica do neoliberalismo. São Paulo, Contracorrente, 2017.

Capítulo 4. Política e crise do capitalismo atual: aportes teóricos

AGLIETTA, Michel. *Macroeconomia financeira*. São Paulo, Loyola, 2004. v. 1-2.

ALMEIDA, Silvio Luiz de. Crítica da subjetividade jurídica em Lukács, Sartre e Althusser. *Direito e Práxis*. Rio de Janeiro, Uerj, v. 7, n. 4, 2016, p. 335-64.

ALTHUSSER, Louis. *Posições 1*. Rio de Janeiro, Graal, 1978.

_____. *Aparelhos ideológicos de Estado*. Trad. Walter José Evangelista e Maria Laura Viveiros de Castro. 2. ed. Rio de Janeiro, Graal, 1985.

_____. *Por Marx*. Trad. Maria Leonor F. R. Loureiro. Campinas, Editora Unicamp, 2015.

ALTVATER, Elmar; HOFFMAN, Jürgen. The West German State Derivation Debate: the Relation between Economy and Politics as a Problem of Marxist State Theory. *Social Text*. Durham, Duke University, n. 24, 1990, p. 134-55.

BALCONI, Lucas Ruíz. *Direito e política em Deleuze*. São Paulo, Ideias & Letras, 2018.

BARAU, Victor Vicente. *Queda tendencial da taxa de lucro, forma política e forma jurídica*. Dissertação (Mestrado em Direito Político e Econômico). São Paulo, Universidade Presbiteriana Mackenzie, 2014.

BONNET, Alberto; HOLLOWAY, John; TISCHLER, Sergio (orgs.). *Marxismo abierto*. Una visión europea y latinoamericana. Buenos Aires, Herramienta, 2007.

BOYER, Robert. *A teoria da regulação*: uma análise crítica. Trad. Renée Barata Zicman. São Paulo, Nobel, 1990.

_____. *Teoria da regulação*: os fundamentos. Trad. Paulo Cohen. São Paulo, Estação Liberdade, 2009.

CALDAS, Camilo Onoda. *A teoria da derivação do Estado e do direito*. São Paulo, Outras Expressões/Dobra, 2015.

CASTELLS, Manuel. *A teoria marxista das crises econômicas e as transformações do capitalismo*. Trad. Alcir Henriques da Costa. Rio de Janeiro, Paz e Terra, 1979.

DAVOGLIO, Pedro Eduardo Zini. *Anti-humanismo teórico e ideologia jurídica em Louis Althusser*. Dissertação (Mestrado em Direito Político e Econômico). São Paulo, Universidade Presbiteriana Mackenzie, 2014.

DEBORD, Guy. *A sociedade do espetáculo*: comentários sobre a sociedade do espetáculo. Trad. Estela dos Santos Abreu. Rio de Janeiro, Contraponto, 1997.

DELEUZE, Gilles; GUATTARI, Felix. *Mil platôs*: capitalismo e esquizofrenia, v. 1. Trad. Ana Lúcia de Oliveira, Aurélio Guerra Neto e Célia Pinto Costa. São Paulo, Editora 34, 1995.

EDELMAN, Bernard. *O direito captado pela fotografia*: elementos para uma teoria marxista do direito. Coimbra, Centelha, 1976.

_____. *A legalização da classe operária*. Trad. Marcus Orione. São Paulo, Boitempo, 2016.

ELBE, Ingo. *Marx im westen*. Die neue Marx-lektüre in der Bundesrepublik seit 1965. Berlim, Akademie, 2010.

ENGELS, Friedrich; KAUTSKY, Karl. *O socialismo jurídico*. Trad. Livia Cotrim. São Paulo, Boitempo, 2012. (Coleção Marx-Engels)

GRILLO, Marcelo Gomes Franco. *O direito na filosofia de Slavoj Žižek*: perspectivas para o pensamento jurídico crítico. São Paulo, Alfa-Ômega, 2013.

HARDT, Michael; NEGRI, Antonio. *Império*. Trad. Clóvis Marques. Rio de Janeiro, Record, 2001.

_____. *Multidão*: guerra e democracia na era do império. Trad. Clóvis Marques. Rio de Janeiro, Record, 2005.

HARVEY, David. *O novo imperialismo*. Trad. Adail Ubirajara Sobral. São Paulo, Loyola, 2004.

HIRSCH, Joachim. *Teoria materialista do Estado*. Trad. Luciano Cavini Martorano. Rio de Janeiro, Revan, 2010.

HOFFMANN, André Luiz. *Teoria da regulação e direito*: horizontes de uma teoria jurídico-política crítica do capitalismo presente. Dissertação (Mestrado em Direito Político e Econômico). São Paulo, Universidade Presbiteriana Mackenzie, 2013.

HOLLOWAY, John. *Mudar o mundo sem tomar o poder*. Trad. Emir Sader. São Paulo, Viramundo, 2003.
JAPPE, Anselm. *As aventuras da mercadoria*: para uma nova crítica do valor. Trad. José Miranda Justo. Lisboa, Antígona, 2006.
_____. *Guy Debord*. Trad. Iraci D. Poleti e Carla da Silva Pereira. Lisboa, Antígona, 2008.
JESSOP, Bob. *The Capitalist State*. Oxford, Martin Robertson, 1982.
_____. *State Theory*. Putting the Capitalist State in its Place. Cambridge, Polity Press, 1996.
KASHIURA JR., Celso Naoto. *Sujeito de direito e capitalismo*. São Paulo, Outras Expressões/Dobra, 2014. p. 195.
KURZ, Robert. *O colapso da modernização*: da derrocada do socialismo de caserna à crise da economia mundial. Trad. Karen Elsabe Barbosa. Rio de Janeiro, Paz e Terra, 1992.
LASCH, Christopher. *A cultura do narcisismo*. Trad. Ernani Pavaneli. Rio de Janeiro, Imago, 1983.
LIPIETZ, Alain. *O capital e seu espaço*. Trad. Manoel Fernando Gonçalves Seabra. São Paulo, Nobel, 1988.
LUGO, Carlos Rivera. *¡Ni una vida más al Derecho!* Aguascalientes/San Luis Potosí, Cenejus, 2014.
MAGALHÃES, Juliana Paula. *Marxismo, humanismo e direito*: Althusser e Garaudy. São Paulo, Ideias & Letras, 2018.
MASCARO, Alysson Leandro. *Estado e forma política*. São Paulo, Boitempo, 2013.
_____. *Introdução ao estudo do direito*. São Paulo, Atlas, 2015.
_____. *Filosofia do direito*. 6. ed. São Paulo, Atlas, 2018.
NASCIMENTO, Joelton Cleison Arruda do. *Ordem jurídica e forma valor*: estudo sobre os limites da regulação jurídica no capitalismo contemporâneo. Tese (Doutorado em Sociologia). Campinas, IFCH-Unicamp, 2013.
NAVES, Márcio Bilharinho. *Marxismo e direito*: um estudo sobre Pachukanis. São Paulo, Boitempo, 2000.
_____. *A questão do direito em Marx*. São Paulo, Outras Expressões/Dobra, 2014.
_____. Evguiéni Bronislavovitch Pachukanis (1891-1937). In: _____ (org.). *O discreto charme do direito burguês*: ensaios sobre Pachukanis. Campinas, IFCH-Unicamp, 2009. p. 11-9.
_____. *A questão do direito em Marx*. São Paulo, Outras Expressões/Dobra, 2014.
PACHUKANIS, Evguiéni B. *Teoria geral do direito e marxismo*. Trad. Paula Vaz de Almeida. São Paulo, Boitempo, 2017. (Coleção Ano Russo)
POULANTZAS, Nicos. *Poder político e classes sociais*. Porto, Portucalense, 1971.
_____. *O Estado, o poder, o socialismo*. Trad. Rita Lima. Rio de Janeiro, Graal, 2000.
SANTOS, Edvaldo Araujo dos. *Cidadania, poder e direito em contradição*: a teoria de John Holloway. São Paulo, Novas Edições Acadêmicas, 2015.
SLOTERDIJK, Peter. *Crítica da razão cínica*. Trad. Marco Casanova et al. São Paulo, Estação Liberdade, 2012.

THÉVENIN, Nicole-Édith. Ideologia jurídica e ideologia burguesa (ideologia e práticas artísticas). In: NAVES, Márcio Bilharinho (org.). *Presença de Althusser*. Campinas, IFCH-Unicamp, 2010. p. 53-76. (Coleção Ideias, n. 9)

TISESCU, Alessandra Devulsky da Silva. *Aglietta e a teoria da regulação*: direito e capitalismo. Tese (Doutorado em Direito Econômico e Financeiro). São Paulo, FD-USP, 2014.

WOOD, Ellen Meiksins. *Democracia contra capitalismo*: a renovação do materialismo histórico. Trad. Paulo Castanheira. São Paulo, Boitempo, 2003.

ŽIŽEK, Slavoj. *Eles não sabem o que fazem*: o sublime objeto da ideologia. Trad. Vera Ribeiro. Rio de Janeiro, Jorge Zahar, 1992.

_____. O espectro da ideologia. In: _____ (org.). *Um mapa da ideologia*. Trad. Vera Ribeiro. Rio de Janeiro, Contraponto, 1996. p. 7-38.

Capítulo 5. Crise brasileira e direito

ALTHUSSER, Louis. *Aparelhos ideológicos de Estado*. Trad. Walter José Evangelista e Maria Laura Viveiros de Castro. 2. ed. Rio de Janeiro, Graal, 1985.

ANTUNES, Ricardo. *Uma esquerda fora do lugar*: o governo Lula e os descaminhos do PT. Campinas, Autores Associados, 2006.

ARANTES, Paulo. *O novo tempo do mundo e outros estudos sobre a era da emergência*. São Paulo, Boitempo, 2014. (Coleção Estado de Sítio)

BERCOVICI, Gilberto. *Constituição e estado de exceção permanente*: atualidade de Weimer. 2. ed. Rio de Janeiro, Azougue, 2012.

BOITO JR., Armando. Governos Lula: a nova burguesia nacional no poder. In: BOITO JR., Armando; GALVÃO, Andréia (orgs.). *Política e classes sociais no Brasil dos anos 2000*. São Paulo, Alameda, 2012, p. 67-103.

BORTONI, Larissa; MOURA, Ronaldo de. *O mapa da corrupção no governo FHC*. São Paulo, Fundação Perseu Abramo, 2002. (Coleção Brasil Urgente)

BRAGA, Ruy. *A política do precariado*: do populismo à hegemonia lulista. São Paulo, Boitempo, 2012.

_____. *A pulsão plebeia*: trabalho, precariedade e rebeliões sociais. São Paulo, Alameda, 2015.

CAMPOS, Pedro Henrique Pedreira. *Estranhas catedrais*: as empreiteiras brasileiras e a ditadura civil-militar, 1964-1988. Niterói, Eduff, 2014.

FIORI, José Luís. *História, estratégia e desenvolvimento*: para uma geopolítica do capitalismo. São Paulo, Boitempo, 2015.

GENRO, Luciana; ROBAINA, Roberto. *A falência do PT e a atualidade da luta socialista*. Porto Alegre, LP&M, 2006.

HARVEY, David et al. *Cidades rebeldes*: passe livre e as manifestações que tomaram as ruas do Brasil. São Paulo, Boitempo, 2013. (Coleção Tinta Vermelha)

MARTUSCELLI, Danilo Enrico. *Crises políticas e capitalismo neoliberal no Brasil*. Curitiba, CRV, 2015.

MASCARO, Alysson Leandro. *Crítica da legalidade e do direito brasileiro*. 2. ed. São Paulo, Quartier Latin, 2008.
_____. *Estado e forma política*. São Paulo, Boitempo, 2013.
_____. A política jurídica hoje e sua captura pelos meios de comunicação. *Carta Maior*. 3 jun. 2014. Disponível em: <www.cartamaior.com.br/?/Editoria/Politica/A-politica-juridica-hoje-e-sua-captura-pelos-meios-de-comunicacao/4/31079>. Acesso em: 1º ago. 2018.
_____. *Filosofia do direito*. 6. ed. São Paulo, Atlas, 2018.
MENEGAT, Marildo. *Estudos sobre ruínas*. Rio de Janeiro, Revan, 2012. (Coleção Pensamento Criminológico, n. 18)
NAVES, Márcio Bilharinho. *A questão do direito em Marx*. São Paulo, Outras Expressões/Dobra, 2014.
NOBRE, Marcos. *Imobilismo em movimento*: da abertura democrática ao governo Dilma. São Paulo, Companhia das Letras, 2013.
PACHUKANIS, Evguiéni B. *Teoria geral do direito e marxismo*. Trad. Paula Vaz de Almeida. São Paulo, Boitempo, 2017. (Coleção Ano Russo)
POCHMANN, Marcio. *O mito da grande classe média*: capitalismo e estrutura social. São Paulo, Boitempo, 2014.
_____. *Desigualdade econômica no Brasil*. 2. ed., São Paulo, Ideias e Letras, 2015.
POMAR, Valter. *A metamorfose*: programa e estratégia petista 1980-2016. São Paulo, Página 13, 2014.
REGO, Walquíria Leão; PINZANI, Alessandro. *Vozes do Bolsa Família*: autonomia, dinheiro e cidadania. 2. ed. São Paulo, Editora Unesp, 2014.
SADER, Emir. *A nova toupeira*: os caminhos da esquerda latino-americana. São Paulo, Boitempo, 2010.
_____ (org.). *10 anos de governos pós-neoliberais no Brasil*: Lula e Dilma. São Paulo/Rio de Janeiro, Boitempo/Flacso, 2013.
SAFATLE, Vladimir. *Cinismo e falência da crítica*. São Paulo, Boitempo, 2008. (Coleção Estado de Sítio)
SECCO, Lincoln. *História do PT*. 4. ed. São Paulo, Ateliê, 2015.
SINGER, André. *Os sentidos do lulismo*: reforma gradual e pacto conservador. São Paulo, Companhia das Letras, 2012.

Capítulo 9. O Judiciário na berlinda

MARX, Karl. *O capital: crítica da economia política*, Livro I: *o processo de produção do capital*. Trad. Rubens Enderle. São Paulo, Boitempo, 2011. (Coleção Marx-Engels)
_____. *O capital: crítica da economia política*, Livro II: *o processo de circulação do capital*. Trad. Rubens Enderle. São Paulo, Boitempo, 2014. (Coleção Marx-Engels)
_____. *O capital: crítica da economia política*, Livro III: *O processo global da produção capitalista*. Trad. Rubens Enderle. São Paulo, Boitempo, 2017. (Coleção Marx-Engels)

MASCARO, Alysson Leandro. *Crítica da legalidade e do direito brasileiro.* São Paulo, Quartier Latin, 2008.
PACHUKANIS, Evguiéni B. *Teoria geral do direito e marxismo.* Trad. Paula Vaz de Almeida. São Paulo, Boitempo, 2017. (Coleção Ano Russo)

Capa da edição do *Jornal do Brasil* de 14 de dezembro de 1968, que noticiava o AI-5 e publicava seu texto na íntegra. No canto superior esquerdo, reservado à previsão meteorológica: "Tempo negro. Temperatura sufocante. O ar está irrespirável. O país está sendo varrido por fortes ventos. Máx.: 38 °C, em Brasília. Mín.: 5 °C, nas Laranjeiras".

Publicado em setembro de 2018, cinquenta anos depois da decretação do Ato Institucional n. 5 (AI-5) pelo regime ditatorial civil-militar brasileiro, que mergulhou o país em um de seus períodos mais sombrios, este livro foi composto em Adobe Garamond Pro, corpo 11/13,2, e reimpresso em papel Pólen Natural 80 g/m² pela gráfica Rettec para a Boitempo, em fevereiro de 2024, com tiragem de 1.500 exemplares.